2003.

钱钟书先生说：中国有三个半人，两广人算一个，江浙人算一个，湖南人算一个，山东人算半个。而湖南人的影响似乎更深远一些。

湖南人不多，地不大，凭什么引领中国潮流200年？

是湖南人要读！不是湖南人更要读！

200年来湖南人的心灵史

21世纪湖南人的盛世危言

自从湖南人的最大骄傲光芒万丈的毛泽东主席“巨星陨落”以后，有人就预言湖南人气数已尽。事情真的会是这样吗？

湖南人将凭什么续写自己的辉煌史？

图书在版编目(CIP)数据

湖南人,凭什么/周兴旺著.北京:新华出版社,2002.10
ISBN 7-5011-5813-4

Ⅰ.湖…　Ⅱ.周…　Ⅲ.国民—性格特征—研究—湖南省
Ⅳ.B848.6

中国版本图书馆CIP数据核字(2002)第059664号

湖南人,凭什么

周兴旺　著

新华出版社出版发行
(北京市石景山区京原路8号　邮编:100043)
新华书店经销
中国纺织出版社印刷厂印刷

880×1230毫米　32开本　10.5印张　250千字
2002年10月第1版　2002年10月北京第1次印刷
ISBN 7-5011-5813-4/G·2119　**定价:20.00元**

湖南人，凭什么

周兴旺 著

新华出版社

目　录

这些杰出的湖南人，与其说他们之所以出类拔萃是因为赶上了时机，还不如说是他们迸发的血性和刚猛的意志使之自然而然地脱颖而出。

即使在当今社会，在日常的交往中，人们都能感到湖南人的那股子“劲”，一位浙江人在曾经交往了十多个湖南人后说，湖南人真的很有血性。

湖南人的血性令对手和敌人都感到钦佩。日本人对湖南的文化就非常感兴趣，在侵华战争中，以攻打湖南最感吃力，因

足够的力量让他们心悦诚服，否则，他们总会有办法让你头疼。

敢为天下先，就是说敢于第一个吃螃蟹。湖南人的身上这种气质非常明显。中国近代史上第一个睁眼看世界的人就是湖南人，几乎没有哪个读过书的中国人不知道近代史上有一句名言：师夷之长技以制夷。这句说在鸦片战争期间的话，能深深地留在国人心中不是没有道理的，它是在国家遭受到侵略欺凌时的另一种思考。事实证明，中国只有顺着这条路子思考下去才有出路。

中国自古讲究中庸之道，中国人性格在善良、和平的另一面往往就是柔弱、保守、容易妥协。而湖南人的性格是中国人中最有特色的一种，湖南人倔强、刚烈、直率、热情似火又爱恨分明，这与中国人的传统性格是有很大区别的。

近代湖南人才格局是以政治、军事方面的为主，而经济和实业方面的杰出人才几乎未见。近代人才格局除了结构不合理，地域分布也不均匀。有人提出湖南近代以来人才群落的出现，存在着明显的“高能为核”的人才圈现象，而且又集中在长沙周围。

如果人们理性地翻开中国的近代历史，就会发现湖南人就像夜空下最亮的那些星星点缀着中国的近代历史，近代百余年来湖南豪杰的翻覆巨掌兴云为雨的能耐确实远远超出了常人的想像力。

魏源生平并不以聪明见长，而是其治学方法论占了优势。魏源扮演了两大角色：他是黄昏时的猫头鹰，理性地预告了天黑后的凄凉；他是黎明前的云雀，清脆地预告了天亮后的雾霭。

只要是强势文明对弱势文明的打压存在一天，魏源的思想就不会过时。

所谓当下流行的“当官要学曾国藩、经商须如胡雪岩”，这里边包含着一种对曾圣人的实用主义的误读。曾国藩终身讲究的忠恕诚朴之道，却被一些领导干部当作官场权谋的厚黑学，这是一种极大的悲哀。

先做人，后做事。是曾圣人成功的最大秘诀。但愿人们能学到曾圣人的骨髓，而不是那些浮躁的皮毛。

在中国近代军阀多如牛毛的混战局势中，职业军人中竟然产生了蔡锷这样一个人格高尚、目光远大、让后人只能仰视的人物，是整个民族的大幸。我以为蔡锷本质上是一个有知识分子品质的人，作为梁启超心爱的弟子（即使在他声望如日中天之时，他对梁始终执弟子礼甚恭），他从小受过良好的人文教育，具有深厚的人文修养，共和观念早已渗入他的骨髓。这些因素对他作出重大的人生抉择至关重要。所以整个几千年的中国文明史中，只有他拿着枪说出了如此坚定的、带有人气的话——“为国民争人格”。

在我们这个日新月异的小小寰球上，尽管商品炫目、物欲横流，仍有着严重的社会不公和歧视压迫，因此革命及其代表人物始终能赢得许多群众。纵观毛泽东一生，在出现强国与弱国、富者与穷人的矛盾时，他总习惯站在弱者和被压迫者一边。

50年代观看《白蛇传》时，面对白娘子的遭遇毛泽东竟流下眼泪，在剧场上站起来大喊：“不革命行吗？”演出结束后，他仍余气未消，不肯与饰法海的演员握手。

人们还不很认知这位平民领袖，却丝毫无损于他的历史地位和未来的影响力。孔夫子说：人生三件大事——立德、立功、立言。刘少奇在这三件大事都做得完美卓越，他的人格高

湖南人的成才观——好男何不去当兵 好女不捏绣花针 /183

湖南历来有送子当兵的传统，从曾国藩时期开始训练湘军开始，湖南人就把送子当兵看成是一件很光荣的事情。在湖南人的眼里，当兵是一个出人头地的机会，也是一个为国争光的机会。只有当兵才能满足湖南人的英雄气。湖南的孩子从小就爱看打仗的故事片，如《小兵张嘎》、《闪闪的红星》等片子，父母亲也很支持孩子看，还告诉孩子，一定要向解放军叔叔学习。

第五章 21世纪湖南人的命运工程

——振兴湖南纵横谈 /185

湖南人需要自我证明 /185

湖南人在全国人民那里还享有不错的口碑，“东方红，太阳升，中国出了个毛泽东”的美誉就是全国人民赋予湖南人的优秀代表的一句至高无上的评价。

“湖南出人才！”、“惟楚有材”的赞誉更是把湖南当成了中国的人才首都。

湖南既然有这样良好的口碑，但是，是不是做出了与之相称的成就呢？

湖南的先辈应该说无愧于这样的美誉，可是今天的湖南人呢，下一代或下几代湖南人呢？是不是能证明自己是“湖南人”呢？

第一节 先导工程——改造湖南人的精神 /187

A

精神是一种文化的高级形态，是价值观、人生观、世界观的集中体现。文化是基础，精神是表现。文化的状态如何，决定了人的精神特性，而人的精神状态如何，则直接决定着事业的兴衰成败。所以，任何一项重大的事业都必须进行精神动员，高明的领导人总是把精神动员和文化批判作为事业的先导性工作，做足做好。

面向新世纪，湖南面临着崭新的发展机遇，也将面对难以预计的巨大风险。湖南能不能实现振兴和繁荣，湖南人能不能续写200年来的辉煌史，首先就要看湖南人的精神状态调整得怎么样。

B

要加快发展就得树立忧患意识。人生于忧患，死于安乐。湖南人不能再麻醉自己、欺骗自己和放纵自己了。湖南人不能自我陶醉，老是搞纵比，拿现在的发展水平与过去的凋敝贫穷相比较而获得自信心；湖南人也不能扯老祖宗的虎皮当大旗，习惯拿老祖宗的光荣说事，拿老祖宗的业绩来掩盖今天的不足和失误；湖南人不能再自以为是，更不能坐井观天夜郎自大，只看到洞庭湖南边巴掌大的天地，而是要立足湖南，放眼世界，在全球化的坐标中寻找自己的方位。

C

湖南人躁动的血气和清教徒的情结与湖南人千百年来沉淀至深的小农意识最容易融和，一旦融和，就像牛奶拌进水里一样，水乳交错，很难剥离。所以，近现代湖南挥之不去的痼疾就是“左”的危害。如果说，在革命战争或社会的非常时期矫枉过正的做法是可以理解的话，在商业社会和改革建设时期，“左”的危害就比右更加具有破坏性。

D

湖南最大的劣势是区位劣势，内陆多山的地形使湖南难以与国际接轨，但是地理环境并不应该成为阻碍湖南人成为开放人群的决定性因素。湖南应该旗帜鲜明地向世界宣布：湖南虽然是内陆地区，但湖南人不是内向的人群；湖南虽然地盘不大，但湖南人胸怀很大。

第二节　振兴工程——发展湖南的经济　/202

A

在一个经济建设为中心的时代里，游离于经济中心之外的角色是可怕的，即使再出色，也只能算作一个边缘角色。

将湖南人称为没落的贵族，湖南人可以接受；

将湖南人称为落地的凤凰，湖南人也可以接受；

但是，让湖南人退出历史舞台的中心，扮演一个无足轻重的边缘角色，湖南人将很难接受。

所以，无论从什么角度来理解，振兴湖南的经济，都将是21世纪湖南的治政者必须优先考虑的重中之重。

B

现在不少湖南人对搞工业有畏难情绪，对搞农业又有一种抵触情绪：

许多人似乎一提湖南搞工业就是脱离湖南的农本，对湖南迈向工业大省信心不足；而另一部分则一提搞农业就反感，认为湖南搞农业没有前途。

其实这两种想法都有其片面性。

前者是对现代工业的误解，后者是对现代农业的误读。

C

农业的发展前途在于工业化，而农业工业化又必须依仗高新技术，利用现代高新技术来改造传统农业。而这里首要的高新技术就是现代生命生物技术……

湖南农业工业化并不仅仅是农业技术的升级，而是一个农业产业化的进程，就是说农业产品经过加工后要变成商品，进入流通业，最后以货币的形式体现其价值。这就要求湖南建立与其经济发展模式相适应的流通信息体系。

D

湖南的经济为什么这么些年来在全国无法实现进位，反而退位，一个非常明显的原因就是湖南缺少一个具有对经济增长起核心作用的中心城市来带动湖南经济的全局。中心城市对于经济的带动作用是不言而喻的，不要说看外国，只要看一看上海对于华东、广州对于广东、北京对于华北、武汉对于湖北的经济拉动作用，明眼人就可以想象得出来。但是，很不幸，湖南没有这样一个中心城市。

所以，湖南的诸多学者多年以来一直在呼吁长株潭一体化（即长沙株洲湘潭一体化）……

E

湖南在中国中部内陆具有相当的代表性，一向敢于以天下为己任的湖南人敢不敢提出湘省率先实现中部崛起的目标，为中部的兄弟省区发展经济探路，以弥补中国经济中部塌陷的遗憾，这是湖南经济应该回答的一个问题，也是湖南人应该抱有的雄心壮志。

在确立经济目标后，湖南还是要稳住阵脚，稳定心态，看准了再行动。尤其要注意打好基础。湖南的老百姓曾经戏说湖南人“喝珠江水，穿江浙衣，用沿海电器”，这就暴露了湖南工业基础薄弱的特点，什么时候本地产品尤其是农产品和轻工产品有了国际竞争力，湖南才谈得上成为工业强省。

第三节　繁荣工程——复兴湖南的文化　/225

A

湖南自古以来就不是经济发达地区，四塞之国的地理环境又使得湖南的文化一直在封闭保守的环境下缓慢运行，直到近代以来，以岳麓书院为代表的湖湘士人凭借非凡的胆略和大无畏的气魄开创风气，勇为人先，以精英教育为先导，以鲸吞四海的胸怀吸纳西方先进文化成果，哺育出了一大批湖湘精英，终于开辟了湖湘文化的鼎盛局面，迎来了湖南人的黄金时代。这就是“先发制人而制于人、后发制人而制人”的后发思维方法的最辉煌的战果之一。

时至今日，湖南人在沉寂了很长时间之后，又自觉不自觉地捡起了老祖宗的法宝，不能不说，传统的湖湘文化给当代湖南人留下的是多么丰厚的一笔财富。文化传统对人的作用力之大，由此也可见一斑。

B

文化的竞争也是特色的竞争，文化垄断的过程就是消灭特色的过程，当今世界，经济文化全球化步伐加快，文化趋同趋势明显，在全球化中保持和发展民族文化特性，在此基础上将古老优秀的传统文化转化为适应现代中西方观众需求的文化服务产品，对于振奋民族精神，增强中华民族的精神认同感和向心力，促进中华民族与世界各民族的交流与合作，无疑具有重要的现实意义。研究、传承、发展湖湘文化，推进文化产业化建设，是弘扬民族文化，增强民族文化凝聚力的重要举措。

C

湖南以应试教育见长，所有湖南本地的教育对于湖南的科技和经济拉动作用并不强，因为应试教育的本质依归就不是提高劳动者素质，而是直奔高考分数而去的。湖南经济要发展，科技要进步，社会要文明，就必须摈弃应试教育模式，否则，湖南除了得到高考大省的美名，其他将一无所获。

D

人才是湖南的核心优势，是湖南的核心竞争力。

人才的素质是多方面的，但是核心的素质还是品格。江泽民同志曾指出：人的素质多种多样，但说到根本的一点，首屈一指的还是思想政治素质。

这就进一步说明，湖南的人才要继续发扬自己的优势，核心的就是要发扬自己的思想品格传统。

“楚虽三户，亡秦必楚”、“若道中华国果亡，除非湖南人尽死”、“救中国必从湖南始”……不同时期，湖南人分别喊出了不同的时代强音，却贯穿着一个共同的主题——湖南人对国家和民族有一种责任感。这种责任感在中国走向现代化的进程中依然不可或缺，湖南人不能轻言放弃。但是，现实中的湖南弥漫着一种游戏意识，贪图快乐、追求轻松、游戏人生、万事不当真，以西方和港台的玩乐文化为时尚，视责任意识和使命感为敝屣，这种流行的不负责任的游戏意识非常值得引起湖南人的警惕。

小 结 /238

历史的经验反复证明，湖南很少以卓越的经济贡献为中国的政治家看重，但屡屡以一种造反、异端、不稳定的形象出现在政治家的视野里。湖南历来是中国最难治理的地方之一了。

湖南人的精神历数千年而不绝、经劫难而不灭，这种愈挫

在很多地方醉心于到北京“跑部进钱”的时候，湖南人仍旧保持着缄默，是出于理性，还是出于矜持？

至于湖南人的精神状态就更加让人不敢放心，外省人到代表湖南发展最高水平的长沙观光，常常有这样的感触：长沙人真的太懒了，尽让乡里人干活，自己则乐得游手好闲。特别是一些年轻人，麻将桌、桌球台、游戏厅、网吧、的士高是他们流连之所。小钱不想赚，大钱又难赚。小事不愿做，大事又难做。消费超前，攀比成风。社会风气就更不理想了，中学生里就有涉黑现象。实在很难从现在的长沙人身上看到前人的精英风采。

“任重而道远，仁以为己任，不亦重乎？死而后已，不亦远乎？”无疑，任何民族都应该有它的勇敢者和智慧者献身于这个“精神界骄子”的行列。任何民族也必定有它的哀痛者和幸福者献身于这个终生心忧如焚却一身清贫的志士行列。这个“志愿者”队伍必然是民族的脊梁，是国家不死的魂灵。湖南人，要担当起这个“志愿者”的角色。

湖南少年歌

杨 度

我本湖南人，　　唱作湖南歌。
湖南少年好身手，时危却奈湖南何！
中国如今是希腊，湖南当作斯巴达；
中国将为德意志，湖南当作普鲁士。
诸君诸君慎如此，莫言事急空流涕。
若道中华国果亡，除非湖南人尽死！
尽抛头颅不足惜，丝毫权利人休取。
莫问家邦运短长，但观意气能终始。
陇头日午停锄叹，大择中宵带剑行。
窃从三五少年说，今日中原无主人。
每思天下战争事，当风一啸心纵横。
救世谁为华盛翁，每忧同种一书空。
群雄此日争逐鹿，大地何年起卧龙？
天风海潮昏白日，楚歌犹与笳声疾。
惟持同胞赤血鲜，染将十丈龙旗色。
凭兹百丈英雄气，先救湖南后全国。
破釜沉舟期一战，求生死地成孤掷。
诸君尽作国民兵，小子当为旗下卒！

（节选自《湖南少年歌》1903 年）

欢迎湖南人底精神

陈独秀

在我欢迎湖南人底精神之前，要说几句抱歉的话，因为我们安徽人在湖南地方造的罪孽太多了，我也是安徽人之一，所以对着湖南人非常地惭愧。

湖南人底精神是甚么？“若道中华国果亡，除非湖南人尽死”。无论杨度为人如何，却不能以人废言。湖南人这种奋斗精神，却不是杨度说大话，确实可以拿历史证明的。二百几十年前底王船山先生，是何等艰苦奋斗的学者！几十年前的曾国藩、罗泽南等一班人，是何等“扎硬寨”、“打死战”的书生！黄克强历尽艰难，带一旅湖南兵，在汉阳抵挡清军大队人马；蔡松坡带着病亲领子弹不足的两千湖南兵，和十万袁军打死战，他们是何等坚忍不拔的军人！湖南人这等奋斗精神，现在哪里去了？

我曾坐在黑暗室中，忽然想到湖南人死气沉沉的景况，不觉说道：湖南人底精神哪里去了？仿佛有一种微细而悲壮的声音，从无穷深的地底下答道：我们奋斗不止的精神，已渐渐在一班可爱可敬的青年复活了。我听了这类声音，欢喜极了，几乎落下泪来！

后来我出了暗室，虽然听说湖南人精神复活底消息，不仅仅是一个复活的消息，不使我的欢喜是一场空梦。

个人的生命最长不过百年，或长或短，不算甚么大问题，因为他不是真生命。大问题是甚么？真生命是甚么？真生命是个人在社会上留下的永远不朽的生命，乃是个人一生底问题。社会上有没有这种长命的个人，也是社会底大问题。

Oliver Schreiner 夫人底小说有几句话："你见过蝗虫，他们怎么过河么？第一个走下水边，被水冲去了，于是第二个又来，于是第三个，于是第四个；到后来，他们的死骸堆积起来，成了一座桥，其余的便过去了。"(见六卷六号《新青年》六零一页)那过去的人不是我们的真生命，那座桥才是我们的真生命，永远的生命！因为过去的人连脚迹也不曾留下，只有这桥留下永远纪念底价值。

不能说王船山、曾国藩、罗泽南、黄克强、蔡松坡已经是完全死去的人，因为他们桥的生命都还存在。我们欢迎湖南人底精神，是欢迎他们的奋斗精神，欢迎他们奋斗造桥的精神，欢迎他们造的桥，比王船山、曾国藩、罗泽南、黄克强、蔡松坡所造的还要伟大精美得多。

(原载《新青年》1920年)

注：底，即"的"。

人才，湖南、中国与世界

黎　鸣

湖南人爱湖南，我视之为中国人爱中国的一个缩影。

美不美，故乡水；亲不亲，故乡人。中国人离别家乡念家乡，离别中国念中国。这是人之常情，也是人们长期以来形成的情感流露的一种习惯。无可厚非，也不能非。但从人类的成才规律来看，太贪恋故土、守土重迁的人，却往往不易成才。俗话说，人挪活，树挪死。死守家乡一地的人往往难有出息，会在不经意中丧失成才的希望。所以我鼓励年轻人，"大丈夫，志在四方"。就拿本书作者在书中所列近代十大湖南籍中国名人来说（魏源、曾国藩、左宗棠、谭嗣同、黄兴、蔡锷、毛泽东、刘少奇、彭德怀、雷锋），也可以说毫无例外，他们都曾是远离故土者，纵然再加上周敦颐、陈天华、齐白石、沈从文、胡耀邦、丁玲等等许多其他各行各业的著名的湖南籍人士，也莫不是如此。或许，王夫之是一个非常特殊的例外。此外，湖南也是一个以屈原、贾谊的被放逐之

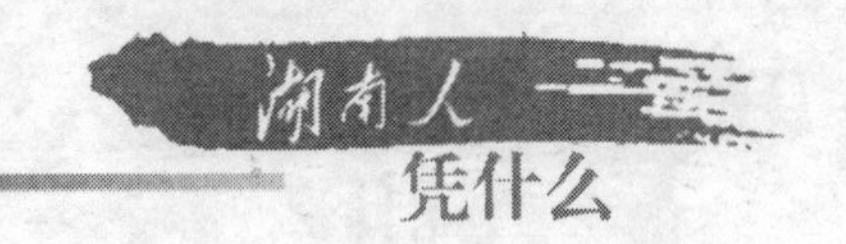

地而闻名于历史的地方，这两人虽然都是不世之天才，但也都是千古知名令人扼腕叹息的冤死、屈死之天才。

近一百多年来，湖南曾涌现出了相当多中国著名的历史人物，曾有一种人才席卷的现象。中国近代史，有半部发生在湖南。这句话虽然有一点夸张，但离事实也并不太远。尤其以毛泽东、刘少奇等为首的湖南籍共产党人在中国现代史上的耀眼的光芒，无疑更加深了人们对这句话的印象。

作者在本书中，以高亢的诗人般的激情讴歌了上述的现象，并以湖南是“中国人才首都”的断言来为这一现象加以定格，而以北京是中国政治首都、上海是中国经济首都的类似的说法来与之相对称。

刚才说了，我看此书，如同欣赏诗人激情的奔放和宣泄，而不必视之为对人性、历史的理性的静观。事实上，无论古今中外，人才的首都是不太可能仅仅在一个地区存在的。西方是如此，中国也同样是如此。我们知道，西方的历史明显是一个文化中心、人才中心不断流变的历史，从古希腊到罗马、意大利、法国、荷兰、英国、德国，直到今天的美国。中国呢，文化中心、人才中心则往往随政治首都而变迁，而作为人才的首都也只能解释为吸引人才的首都，而不必是出产人才的首都。在中国的古代，黄河中下游的省份（山东、河南、山西、河北等）出人才较多，到了中古时期，如宋代以后，出人才的地方便逐渐转向了长江中下游地区的省份（江西、安徽、江苏、浙江、四川等），到了近代，尤其清末民初，则显然转向了湖广以及东南沿海的省份。正是在这一段时期，湖南发生了人才喷涌或人才席卷的现象。本书作者以湖湘文化的存在来阐释这种现象发生的渊源，自是一家之言。

自明末的王夫之始，清代的曾国藩、左宗棠、胡林翼，清末的谭嗣同、蔡锷、黄兴、陈天华、宋教仁，民国之后的毛泽东、蔡和森、刘少奇等，人才联翩涌现，从中我们不难发现，涌现的人才几乎全都偏向于军事、政治，而又几乎缺失于经济、科技，这基本上延续了长期以来中国历史的传统。正是因此，我视作者心中的湖南为我心中浓缩的中国，湖南的短长也大致反映了中国的短长。作者视湖南为中国人才的首都，希望湖南近代涌现人才的现象能继续重现于新的时代和世纪，我则希望于中国在新世纪世界的未来，希望在中国发生新世纪人类思维的革命，既革中国思维传统的命，也革西方思想传统的命，并从而在中国涌现出世界级的人才。西方文化的中心在从欧洲转移到美国之后，实际上已经到了它最后的顶峰，这一点在我的即将出版的著作（《西方哲学死了》、《向天命：21世纪，人类的精神危境》）中将会有详细的论述。未来人类文化中心的转移将不再仅仅是西方文化中心的转移，而应是全世界和全人类文化中心的转移。

再说一遍，本书作者心中的湖南是我心中浓缩的中国，作者所表述的挚爱湖南的情感，也同样被我视为挚爱中国的情感的浓缩。所以，我乐于为它作序，并希望读者也能与我一样，接受本书及其作者，以欣然的心情和会心的理解来深察书中的所论和所述。

2002年6月16日

北京

（黎鸣：中国社科院研究员，著名文化学家、政治评论家）

解读中国的人才首都

——代 序

周兴旺

如果说北京是中国的政治首都，上海是中国的经济首都，那么，湖南就是中国的人才首都。

“惟楚有材，于斯为盛”。贴在岳麓书院门口的这副对联，写尽了湖南人的特性和定位。

这就明白无误地肯定：湖南应该是中国最出人才的地方了。

“惟楚有材，于斯为盛”。对湖南作了明确的定位：必须做中国的人才基地，必须做中国的人才中心。当然，历史上曾经提出这种定位的也不只是湖南一家，但湖南的确做到了。在这方面，说到又做到了，湖南人确实是独此一家。

湖南，三湘四水，奇山秀气，孕育出了湖南特有的人文环境和湖南人特有的性格。在中国的历史上，尤其是近 200 年来，青史留名的湖南人灿若星辰。“一部中国近代史，半部由湘人写就”，纵观青史，方知此言不虚。湖南是中国近代史上政治家、革命家、军事家、战略家、哲学家、文学家的摇篮，也是盛产土匪、强盗的地方。

我们不去提哲学家王船山(夫之)，魏源，文学家丁玲、田汉、沈从文、琼瑶。单看中国近代史上的湖南杰出的政治家、革命家：

没有曾国藩及他的湘军，清朝早在太平天国就可能灭亡了，至少也会弄成国家疆土分裂；没有黄兴，孙中山的革命就很难成功，故黄兴有“无君既无民国，有史必有斯人”之美誉；没有毛泽东领导的共产党，就没有新中国，中国还得在黑暗当中摸索相当长的时间，中国史和世界史便都得改写；没有彭德怀、罗荣桓、贺龙、粟裕等名将，人民军队就没有今天这般神奇的军威。

朱镕基总理挽中国于金融危机之既倒，反腐败、惩贪官铁面无私，被世界舆论誉为中国经济改革的希望；戊戌变法的谭嗣同，“拔起手彻，高唱入云”；护国运动中的蔡锷，率三千子弟兵，抵抗十万袁兵，恢复了共和国体，一曲《知音》令天下人回肠荡气；即使在国民党中，湖南人也是人才辈出，蒋介石组建的 48 个军中，16 个军长是湖南人，著名的“黄埔三杰”，全部是湖南人。就是今天在台湾掀起风波的宋楚瑜、马英九也皆为湖南之特产……

中国近代史上几乎所有的大事件，湖南人都处在风口浪尖上，常挽狂澜于既倒。每当国难当头，多有湖南人成为中国的脊梁。故此，湖南人享有“若道中华国果亡，除非湖南人尽死”之美名。

时至今日，湖南依然在中国扮演着人才库和智囊库的作用。拿下人民共和国第一个国家最高科技奖的是湖南人袁隆平，在第24届夏季奥运会上去了6个湖南人、拿下7块金牌的依然是体育湘军，“湖南人——能吃辣子会出书”、在文化出版业内实力最雄厚的省份是湖南，“电视湘军”搅动了大江南北、长城内外，而“鹤舞白沙，我心飞翔”的广告诉求又反映出了湖南人渴望在中国经济舞台上腾飞的强烈愿望。

近代以来，像湖南这样杰出人才辈出，且成规模、不间断、一代比一代更加辉煌的，中国只有湖南一个地方。文化大师钱钟书先生曾漫谈说：中国有三个半人，两广人算一个，江浙人算一个，湖南人算一个，山东人算半个，而湖南人的影响似乎更深远些。

与广东、江浙、山东的经济地位相比，湖南可能不值一谈，而湖南为何赫然鼎立于优秀中国人的行列?

原因就在于湖南的确出人才。谭其骧先生说：自清季以来，湖南人才辈出，天下无出其右。这也从另一个角度论证了湖南作为中国“人才首都”的名副其实的地位。

“人才首都”的地位的确立，也不是无缘无故的。

人是文化的产物，文化好比就是天，人永远走不出自己的文化，就好比永远走不出自己头顶的天空一样。

乡土就好比地，人永远走不出自己的乡土，就好比人无法拎着自己的头发离开脚下的大地一样。

所以，要了解人，了解自身，了解成才的秘诀、了解人生的命运，就必须从了解自己的地域和文化开始。

性格决定命运，文化就是一个民族的性格，不洞悉自己的文化，就永远无法窥测变幻莫测的人生走向。所以，通过解读地域文化了解自己的文化性格，通过了解自己的文化性格来了解自己的命运规律，是了解人生和命运的一把秘密钥匙。

湖南作为中国的"人才首都"，是中华文化优良基因的集结地，也是文化基因变异的大本营。湖南文化的两个杰出传统就是实事求是，与时俱进。实事求是的文化性格使湖南人负有强烈的使命感、责任感，总是能积极入世，经世济用，在中国的政治、经济、军事舞台上呼风唤雨。而与时俱进的文化性格使湖南人总是能准确把握时代的主旋律，引领时代，开创风气，永远奋进在时代前列，在中国历史的关键时刻扮演中流砥柱的作用。"旷代异才"杨度在《湖南少年歌》中唱道："中国如今是希腊，湖南当作斯巴达；中国若是德意志，湖南当作普鲁士；若道中华国果亡，除非湖南人尽死。"这首歌既是对湖南人担负的使命的一种归纳，也包含着对湖南人和中国人命运关系的思考。我们不妨可以做这样的总结：如果把中国比作一个人，湖南就要做他的大脑；如果把中国比作一台计算机，湖南便是它的 CPU。

正是从这个意义上来讲，要了解中国人的文化性格和命运走向，请从了解湖南人开始。要洞察中华民族的文化趋势和演绎规律，解读湖湘文化则是一条捷径。

著名心理学家荣格提出：人的成才，是一种T型结构的产物，人赖以生存的文化和土地是“T”字中的一横，它决定人的基本素质，而人独特的性格和动机则是“T”中的一竖，它决定人能否崭露头角。

这一理论在西方世界引起了强烈反响，很多政治领袖和企业首领将“T”理论视为识人、育人和用人的宝典。

本书是中国第一本尝试用“T”型理论解读湖南人才群落崛起奥秘的著作。湖南出人才，是因为湖南有得天独厚的湖湘文化。湖湘文化能够卓然屹立，为中华民族起到顶梁柱的作用，是因为历代湖南人敢于蔑视固囿，突破藩蓠，不断地将湖湘文化推向新的历史阶段。

上个世纪20年代初，年轻的毛泽东就曾经在长诗中不自觉地用“T”理论解析过湖南的人才问题：

他形容湖南深厚的文化底蕴和独特的山川地貌时指出：“年少峥嵘屈贾才，山川灵气曾钟此。”（《七古——送纵宇一郎东行》

毛泽东认为，湖南特有的山川文化是湖南人成为近代中国“人才首都”的背景所在。

毛泽东接着又预言指出：名世于今五百年，诸公碌碌皆如此。（同上）

这就等于明确指出：湖南人敢为天下先的性格必将使他们成为革新湖湘文化的巨大动力。

毛泽东的这首诗已经80年过去了，时至今日，人们不能不惊叹这一预言有惊人的准确性。

我是一名新闻记者，不是预言家，我只能运用新闻人最基本的分析手段来解读湖南人，那就是用事实说话。在写完本书时，我试图做出了这样的结论，我认为，关于“湖南人”总结起来应该说这么三句话：

中国多亏有了湖南人；

中国幸亏有了湖南人；

谢谢你，湖南人！

这样的结论是否恰当，看完本书后，读者朋友自会得出公论。

需要声明的是，本书无意于宣扬任何人种优越论和地域优越论，只是为了挖掘中华民族的优良文化。如果有评论家用人种优越论的目光批评本书，作者将不予置评。作者欢迎读者朋友参与对本书讨论批评，有任何建设性建议，请与作者联系。

我的E-MAIL zxwon@sohu.com

2002年6月于北京

第一章 最有血性的中国人群

——解读湖南人的文化精神

野火湖湘 霸蛮之邦

为什么说湖南人是最有血性的中国人?

这不是湖南人自己夸自己，而是湖南人的历史地位决定的，也是外省人对湖南的一种中肯的评价。

不要说湖南在中国近代历史上出现了多少仁人志士，仅举几例就足以震古铄今：如曾国藩，乃一介儒生，从来就没打过仗，却领兵出征，屡败屡战，最后竟打出个“无湘不成军”来；抬着为自己准备的棺材，年近六旬还上新疆去收复伊犁的左宗棠，被梁启超誉为“500年来对中国贡献最大的人”，“湖湘子弟满天山，壮士高唱凯歌还”的风流气势，亦足以令中国人神往；还有“我自横刀向天笑”的为中国近代改革付出第一颗脑袋的谭嗣同；还有为缔造一个民主文明的社会主义国家而牺牲了6位亲人的新中国的开创者毛泽东；以及刘少奇、胡耀邦、朱镕基等以轻名利而重国家闻名于世的新中国的领导人；还有与世界贸易组织谈判了多年终于让中国加入了WTO的中国首席谈判代表、湖南人龙永图，还有那么多为了中国人民的解放事业，不惜抛头颅洒热血的中国军队中占很大比例的湖南人。

这些杰出的湖南人，与其说他们之所以出类拔萃是因为赶上了时机，还不如说是他们迸发的血性和刚猛的意志使他们自然而然地脱颖而出。

即使在当今社会，在日常的交往中，人们都能感到湖南人的那股子“劲”，一位浙江人在曾经交往了十多个湖南人后说，湖南人真的很有血性。

湖南人的血性令对手甚至敌人都感到钦佩。日本人对湖南的文化就非常感兴趣，在侵华战争中，以攻打湖南最感吃力，因为湖南人是最不容易妥协的，最硬气的，日本人四次攻打湖南，前三次均告失败，第四次侥幸成功，结果守城的将领还不是湖南人。二战后，日本人专门对湖南人进行研究，他们根据在日本非常流行的血型学说，发现湖南人不怕死和他们的血型结构有关系，湖南人中间的A型血的人比例非常高。

湖南人的血性倒不完全和血型有关系，却跟它长期积淀的湖湘文化有一脉相承的渊源。

湖南在古代曾经是一块蛮荒之地，被称为“南蛮子”，这种蛮的性格使得湖南人的血性特别的刚硬。湖南人自己称自己“霸蛮”，这两个字是湖湘文化的一种特质。湖南人常说，我们不信邪，你就是天皇老子，我也不怕。话语中透出一种霸气和蛮劲。这决定了湖南人是真正的不怕苦、不怕累、不怕死，做事情是不撞南墙不回头，见了棺材也不掉泪。

而近代的湖南人又把这种蛮劲和他的那种“先天下之忧而忧，后天下之乐而乐”的心怀天下社稷的情怀联系在了一起，构成了湖南人才辈出的主要动因。

为什么中国近代史上总是在湖南首先刮起革命的旋涡？为什么总是湖南人首先揭竿而起？为什么总是湖南人走在中国革命和建设的前沿？

单看现在的湖南学子，每年的高考录取分数都遥遥领先于别的省份，就知道湖南是怎样的富有竞争性的地方。有人说，一句话，湖南人特别能吃苦，也特别能战斗。

湖南人具有独特的个性，与地理环境有很大关系。钱钟书先生的父亲钱基博先生曾评论说，湖南之为省，北阻大江，南薄五岭，西接黔蜀，群首所萃，盖四塞之国，其地水少而山多。重山迭岭，滩河峻激，而舟车不易为交通；顽石赤者土，地质刚强，而民性多流于倔强。以故风气锢塞，常不为中原人文所沾被。抑亦风气自创，能别于中原人物以独立。

这就是说，湖南由于处于一个相对闭塞的环境里，使湖南人很少受到中原文化的熏陶。而湖南人又有自己的大学问家，有自己的民族气节观，因而湖南人能做成大事……

湖南人的血性不全是环境的产物，也与湖南的传统文化紧密相关,并且将其中的某些部分发挥到了极致。

《易经》说：天行健，君子以自强不息。

《论语》说：士不可不弘毅。

还有《毛泽东诗词》：“为有牺牲多壮志，敢教日月换新天”。

这样一些鼓励人刚猛坚毅性格的格言，又被湖湘文化所吸取，最后被融化在了湖南人的血液里。所以，杰出的湖南人都是斗士型的，他们推崇意志力，主张人定胜天，做事喜欢讲个人主动性，反对摆困难讲条件。所以，外省人又送给湖南人一句话："湖南人天生就是打天下的主"。

湖南人是中国人中最具有侠者风范的人群，司马迁的《刺客列传》和金庸的武侠小说，最令湖南人陶醉。少林寺在河南，武当山在湖北，但湖南却是全国最大的武术基地，基本上县县有武馆，前些年湖南电视台每天晚间播出的名目繁多的武馆招生开业广告，使一些老外误认为少林寺被搬到了湖南。

湖南人的武功如何，没有什么权威的鉴定，但湖南人好习武、好从军的习惯却是很多兄弟省份所不及的。湖湘子弟如果有人被征入伍，家中往往要摆酒相庆，在湖南人眼里，当兵习武与考上重点大学是同等光荣的。

湖南人的尚武精神挥写出了一部辉煌的军史，"无湘不成军"的美誉不是浪得虚名的。中国人民解放军1955年首批授予上将以上军衔的高级指挥员中，10大元帅中湖南人占了3位，10位大将中湖南人占了6位。57位上将中，湖南人占19位，100多名中将中，湖南人占45位。

湖南人的血性极强，也造成了湖南人比较冲动好斗的习性，过去湘军的剽悍凶猛是出了名的，而近代湘西土匪的凶残和毒辣也给人留下了深刻印象，直到如今，由湖南人组成的一些涉黑性质的犯罪集团，其组织之严密、手段之凶残也让外省人为之咋舌。所以，湖南人的血性使他们显得威猛横蛮，但是如果缺少相应的德行制衡，也会酿出毛病。

中国的近代史应该说就是湖南人用血写出来的。

湖南邵阳人魏源主张变法革新，提出"师夷长技以制夷”；湖南人曾国藩说：“实者，不说大话，不骛虚名，不行驾空之事，不谈过高之理，如此可以少正天下浮伪之习。”这一席话足令那些务虚者汗颜！

于是，湖湘子弟决定用鲜血谱写自己务实的性格：

湖南人谭嗣同拒绝东渡日本，舍身就义时留下了震古铄今的话语：“各国变法，无不从流血而成，今中国未闻有因变法而流血者，此国之所以不昌也。有之，请自嗣同始。”

湖南人黄兴、蔡锷、宋教仁、陈天华、禹之谟、马益福、刘道一、刘揆一、杨毓麟、焦达峰等一批杰出的革命英雄，为推翻帝制、捍卫共和奔走呼号，不惜献出生命。毛泽东、刘少奇、蔡和森、任弼时、林伯渠、李富春、邓中夏、李立三、何叔衡、陶铸、胡耀邦、郭亮、杨开慧、向警予等则为建立新中国立下不朽功勋。近代以来的湖南，几乎家家有烈士，人人被疮疤。湖南长沙是第二次世界大战中受破坏最严重的4个城市之一。所以，中国近代以来的历史，有“广东人革命，浙江人出钱，湖南人流血”的说法。

19世纪中叶，一位名叫里希霍芬的德国地理学家，先后7次深入中国考察研究之后，他对湖南人是这么评价的：“湖南人是长期保持独立的一个种族的后裔，中国的军人主要出生在此，尤其是很多的官员也出生在湖南。忠实、正直、强烈的自我意识和粗犷、反抗心更是他们的性格特征。湖南不仅是中国最优秀军人的摇篮，而且也是政治家的摇篮，当代历史上扮演主角的人物有好几个都出于湖南。

所以，野火湖湘，霸蛮之邦。而霸蛮又是用鲜血写成的。

（注：霸蛮音为bàn mán，湖南方言，意思是拼命苦干、埋头硬干、狠狠地干，以下皆同）

第一节　湖南人的精神特征分析

湖南人始终在追求一种极端的精神

湖南在地域上不是中国最大的省，在人口上不是中国最多的省，而在文化上却是最有特色的省之一。湖南人走到哪里，都很扎眼，他们的语言是我们国家最特殊的一种方言，像其邻省四川、湖北都属于北方语系，广东、广西都是粤语，而湘语系就像湖湘文化一样只属于湖南这个弹丸之地。湖南人很得意自己的语言，就是说普通话的时候，也喜欢露出一些方言的尾巴，他们觉得“很韵味”，没有哪种语言比自己的语言更加传神、生动。湖南的语言很洒脱，也很有点蛮劲，湖南的年轻人见面打招呼很有特点，他们不是很斯文或者优雅，尤其是在好朋友面前，比如“你这该死的，好久冇看见你，你死哪里去了？”还有更绝的，“你这个小畜生，最近死哪里去了”，他们觉得这样很亲切。

曾经有一位刚刚尝试北京生活的长沙女孩，在和自己的同事关系处得很好以后，就有点得意忘形，有一次，一位男同事开了一句玩笑，这位湘妹子很激动地来了一句：“你这个流氓。”结果，北京人生气了。这个湘妹子也很尴尬地说：在我们长沙，这仅仅是一句寒暄用的语言，没有任何含义，因为，在湖南女人看来，流氓型的男孩是一种蛮有意思的男人气呵。还能表示欣赏或者喜欢的一种情感。

但是任何一个地方也不可能接受湖南人的文字游戏，这就是湖南的个性文化。

湖南人喜欢大块吃肉，也喜欢大声骂娘，湖南人喜欢说话算数，湖南人喜欢一马当先，湖南人最敬重强者，但是湖南人不喜欢俯首称臣，湖南人能侃能吹牛，但是转眼也能把牛变成现实。

湖南人的文化一直以“辣”为特色，说到“辣妹子”，多半是指湖南妹子，因为他们的文化里面比四川、比湖北，浸润了更多的辣的风格。湖南人的辣是出了名的，表现出来就是一种豪气冲天的果敢和无所不能的锐气，这是一种最自信、最有闯劲的表现，湖南人说话声音都是响亮无比，走路风风火火，做事麻麻利利，胸怀坦坦荡荡。

这种辣的性格使湖南人特别讲义气，湖南形容朋友之间的关系，有句话叫“头砍下来给你当凳坐”。有人说，湘女多情，实际上为什么说她多情，就是因为她们那种敢恨敢爱的爽直性格决定的。所以说，湖南人的辣，其实是一种达到极致的强硬刚直的性格。

湖南人不能说不崇尚高雅，它的高，它的雅，也是带着他的风采和个性，湖南的艺术家、湖南的画家、湖南的音乐家、湖南的艺术都带着一种很炽热的情感，很丰富的内涵，让人觉得“只有吃辣椒的湖南人才会有这样的激情”。谭盾的音乐不仅悦耳动听，还能展示一种湖南的乡土文化，看着他的表演，似乎就那么几个水盆，几节竹竿，就能把音乐打造得比萨克斯还能吸引老外。李谷一、宋祖英、张也等等这些爱吃辣椒的嗓子个个都是金嗓子，近年来，湖南的文化市场红遍了中国的半边天，湖南的电视节目在中国的文化中心北京的市场占有率也让北京人吃了一惊，说湖南的节目还真不错，有声有色，尤其是《快乐大本营》、《真情对对碰》等名牌栏目收视率特别高，他们还说，湖南人在电视里都有一种“火爆气”。至于齐白石的画，黄永玉的词，就更是出神入化，独树一帜了。最好的酒产于贵州，但第一个搞文化酒的却是湖南，“酒鬼”酒就出自湘西，价格压过茅台，让贵州人大跌眼镜。湖南人的这种性格使他们个性峥嵘，痛快淋漓。

很多外省人都说，你们湖南人真厉害，以前认为你们只会打仗，当大官的也很多，现在发现你们还能经营文化，还很有市场经济意识。看来吃辣椒的人什么都能干。

湖南人的聪明才干是一流的，这没有问题，但是光有聪明也未必成事，湖南的文化学者一直在探索着湖湘文化对湖南人的影响，他们发现湖南人的精神中有一种最原始、而又最先进的基因那就是“霸蛮”，这也是湖南人为什么辣，为什么大胆，为什么果敢，为什么敢干的真正答案。

“霸蛮”，就是向自己的极限挑战的精神。

解读湖南人的“蛮”

湖湘文化的特质，可以用一个“蛮”字来概括。这个“蛮”，首先是一个地域的和民族的概念。商周之际，长江以南为吴、楚两大诸侯国的封地。两国未立之时，这里都是蛮族居住的地方。太伯初至江南，得到千余家荆蛮的拥护，得以站稳脚跟，建立吴国。楚国立国的时间不如吴早，熊绎在周成王时始封于楚，比太伯坐吴的时间晚了大约一百年。由于历史和现实的原因，两国在对待商周文化和蛮族文化的问题上表现出不同的态度。吴对黄河文化，特别是周文化采取一种认同的态度。在建立自己的文化体系的过程中，注重并自觉地向黄河文化学习。楚则完全是另一种情况。楚在兼并周围的小国家和要求周给予王的称号时，往往打出“我蛮夷也”的旗号，要挟对方。这种以蛮夷为标榜的事实，说明了楚人对蛮夷文化的认同。正是这种认同，楚人把自己推到了周人的对立面，使周人对他怀有戒心和敌对情绪。楚文化及楚人受到周文化和周人的歧视。这种歧视在当时的历史条件下，并未能促使楚人像吴人那样去向周文化学习，反而使楚人产生一种逆反心理，在“蛮”的特质的方向上发展。

司马迁在述及吴、楚两国中的蛮族时，分别使用了“荆蛮”和“楚蛮”两个不同的名称。按照我们现在的一般理解，荆与楚两个地理概念大致相当，荆蛮也就是楚蛮。但是，司马迁在《吴太伯世家》中只称荆蛮不称楚蛮，在《楚世家》中只称楚蛮不称荆蛮。可见，荆蛮与楚蛮在司马迁那里是有区别的，而且，这种区别是十分清楚严格的。从两者的比较中，我们可以大概推知，以太伯作吴为界线，太伯作吴以前，江南之蛮通称荆蛮，太伯作吴之后，司马迁就改称夷蛮，或直呼之为吴了。名称的变换表示着内容的变换，表明蛮人的一部分与吴人融合、同化，一部分向更边远的地方迁移。司马贞《索隐》说：“蛮者，闽也，南夷之名。蛮亦称越。”指的或者就是这种情形。居住在湖湘一带的杨越(粤)，也就是蛮族人的一支。

它构成楚蛮的一部分。

作为湖湘文化前身的楚蛮文化特质的原始层，就是它的带有原始野性的“蛮"。这种“蛮”的特质的内涵，包括“沅有芷兮醴有兰”的自然环境；包括“被薜荔带女罗”的服饰；包括“信鬼而好祠”的民风民俗，包括“荜路蓝缕”（《楚世家》)的辛勤劳作和开拓精神。

“蛮”的文化物质的第二个层面是强烈的乡土意识和怀乡恋乡情结。但是，这种情感，在包括湖湘在内的楚人身上表现特别强烈，特别突出。《离骚》说：“陟升皇之赫戏兮，忽临睨夫旧乡。仆夫悲余马怀，蜷局顾而不行。”项羽和刘邦都是楚人，他们在胜利之后，都想要回归故乡。这些，都表现出一种强烈的乡土意识，难解的怀乡、恋乡情结。

“蛮”文化特质的第三个层面便是爱国主义精神。国、家、乡是一个不可分割的整体，但爱家、爱乡与爱国不是一回事，它们有范围、层次的区别。只有爱国主义才是一种最崇高最广大的爱，属于最高层次。我们同样可以说，爱国主义在楚人身上表现最为强烈，最为执著。蛮，也就是执著。从“楚虽三户，亡秦必楚”的俗谚中，我们可以见到这种蛮，这种执著。屈原更是这种爱国主义精神的集中体现，在他的不朽之作《离骚》中，“一篇之中三致意焉”。

属于第三个层面的，还有一种自强的精神，从先王熊绎立国荆山开始，楚人就具有了一种荜路蓝缕、奋发图强的精神。这种精神形成的一个重要原因，是周王室分封不公，“齐、晋、鲁、卫，昔封皆受宝器，我独不(否)”。（《楚世家》）这种待遇之不公，促使楚多次问鼎周室，不断开拓疆域。把楚国的版图扩展到淮河、黄河流域，包括今河南、安徽、江苏、山东的广大地区。只是后来由于楚国内部发生了矛盾，给秦国造成了可乘之机，后来居上，统一了中国。否则，历史将会是另一个样子。但是，楚人自强之心并未泯灭，如上所述，秦灭楚之后，民间便流传“楚虽三户，亡秦必楚”的俗谚，而秦亦竟为楚人所亡，就是一个明显的例证。所以说，湖南人与生俱来的蛮劲，是一种特立独行、自强不息、虽九死而不悔的执著精神。

“霸蛮”是湖南人的性格中最重要的特征

湖南人的霸蛮给人的感觉是个性强。毛泽东、朱镕基、龙应台、黄永玉、龙永图，都特有个性，尤其跟斯文的江浙人，憨厚的北方人，精明的广东人等外地人士在一起，湖南人就特别地显出他的颜色。

人们对湖南人的感觉是，敢说，敢做，个性张扬。湖南籍的龙应台，走到哪里，就把“旋风”刮到哪里，言人之所不敢言、不能言，很有些蛮劲呐！湖湘士人并无一般书生的那种柔靡、纤巧之风，总是充满着豪迈、刚勇之气，既能著书立说，又能用兵打仗，扎得硬寨，拼得死命，兼书生意气和武侠豪气而有之。所以湖南人做起事来说起话来，不但坚韧不拔，而且痛快淋漓，往往一下子就把话说到了底，把事做到了位。你还在拐弯抹角咬文嚼字，他那里已经一把辣椒放了下去。

一方水土养一方人。湖南这地方，古称“三苗”。山高路远，地老天荒，历来是远离中原的“化外之地”，也是汉民族与少数民族的杂处之所。元末明初，明末清初，湘省连遭战乱，人丁锐减，十室九空，于是有了大规模的两次移民，即民间所谓“江西填湖广，湖广填四川”。韶山毛氏先祖毛太华就是移民湖南的江西吉安人。山民有刻苦强悍的习性，移民有开拓进取的精神。他们都要筚路蓝缕、忍辱负重，因此他们都得“霸蛮”。不“霸蛮”，活不下去呀！

霸蛮，就是湖南人精神最显著的特征。陈独秀有一篇文章，叫《欢迎湖南人底精神》。通读下来，你会感到他说的就是“霸蛮”。陈独秀是安徽人，他不会说这两个字，但湖南人自己能体会出这两个字的含义。曾国藩一介儒生，从来没有打过仗，却领兵出征，屡败屡战，最后打出个“无湘不成军”来，是不是霸蛮？左宗棠抬着棺材进新疆，不向沙俄让寸土，是不是霸蛮？王夫之蛰居瑶洞四十年写成等身著作，没有霸蛮精神行不行？

实际上，湖南人的许多性格特质，如倔强、刚直、英勇、坚毅、强悍、豪侠等，以及“特别独立之根性”，都可以称之为霸蛮精神。

毛泽东早在1920年就说过：“呜呼湖南，鬻熊开国，稍启其封。曾、左，吾之先民；蔡、黄，邦之模范。”曾即曾国藩，左即左宗棠，蔡即蔡松坡，黄即黄克强。至于鬻熊，则相传是楚人的祖先。也就是说，湖南人的精神，可以追溯到楚文化，但主要彰显于近现代。湖南人的“霸蛮精神”在近现代得到了发扬光大，还是在清代咸丰、同治之后。曾国藩、左宗棠、胡林翼、郭嵩焘，这是一拨；谭嗣同、唐才常，又是一拨；黄兴、蔡锷、宋教仁、陈天华，又是一拨；然后是毛泽东、刘少奇、彭德怀、贺龙、罗荣桓、任弼时等一大批无产阶级革命家。正所谓“湘省士风，云兴雷震，咸同以还，人才辈出，为各省所难能，古来所未有”（毛泽东的老师杨昌济先生语）。其实，早在道光年间，邵阳人魏源即已应林则徐之请，编成了被日本维新志士奉为至宝的50卷《海国图志》。日本人能够取得明治维新的成功，走上富国强兵的道路，应该说也有湖南人一份功劳。

“若道中华国果亡，除非湖南人尽死”，是霸蛮，“自信人生二百年，会当击水三千里”，也是霸蛮。“霸蛮”不是霸道，不是野蛮，而是坚韧不拔，是果敢刚毅，是不怕鬼、不信邪，是“打脱牙齿和血吞”，是“不到长城非好汉”，是拼命硬干，埋头苦干，一息尚存，奋斗不止的精神。

近年来，湖南人把“霸蛮”精神用在中国的体育事业上。所谓“霸蛮”，便是“拼命”，舍生忘死，用现代体育术语讲便是“拼搏”精神。陆莉、熊倪、龚智超、刘璇、杨霞等等优秀的运动员成了世界耀眼的体育新星，近年来湖南取得的体育成就引起了全国人民的关注。

尤其是湖南的体操，为国家输送了一批又一批的优秀选手，湖南体操队风行体坛二十余年而不衰，除了“一条龙”训练体制外，更重要的是教练队伍中的拼命精神铸造了辉煌。湖南体操队有个老教练叫范嗣光，70年代初期便诊断患有败血症，严重时每年更换一次血，但他三十年如一日，“钉”在体操房不挪窝，培养出了一代又一代叱咤风云的教练员和闻名世界的运动员。每天清晨，体操房的灯光最先亮起；夜晚，体操房的音乐最后停止。湖南田径队短跑教练邓征标，由教练员做起，一步一步直到体育技术学院院长，年过花甲退下来，又回到田径场，与运动员风雨同舟。田径队还有位女队教练叫林建斌，因多年劳累，不幸身患癌症，住进医院，同志们去看她，她念念不忘运动员的训练情况。

不要命的教练员带出了努力拼搏的运动员。三级跳运动员邹四新，多次获得全国比赛和亚洲比赛冠军，至今依然在九运会赛场上出现；省体工大队副队长张连标，是标枪运动员，广岛亚运会冠军，年过35岁，在九运会上风采依然，一枪投出80余米。

当然还有熊倪，早在四年前便要退役了，但为了湖南体育“力争再创辉煌”的口号重返碧池，以27岁的“高龄”战胜众多世界级顶尖选手，继悉尼奥运夺金之后九运再度夺冠，以感人肺腑的事迹铸成“熊倪精神”。

所以说，霸蛮造就了湖南人的辉煌。这种刻苦强深的性格使他们从经济文化并不发达的湖南山区崛起，昂首走向世界。

霸蛮是一种极端的组合

著名的湘籍人士易中天教授认为，每一种文化精神其实都是要有“补结构”的。比如西方文化的“酒神精神”和“日神精神”就是一对“互补结构”，中国文化的“忧患意识”和“乐感意识”也是。“霸蛮”的“补结构”就是灵泛。实际上湖南人当中，既不乏“霸蛮”的人，也不乏灵泛的人。湖南人对“霸蛮”和灵泛，也从来就是既肯定又批评。有时候他们赞美“霸蛮”，有时候又欣赏灵泛。这也不奇怪。事物都有两重性，就像一枚硬币总有正反两面。“霸蛮”的反面是霸道、野蛮，灵泛的反面则是狡诈、油滑。所以，一个人太“霸蛮”固然不好，太灵泛就更不好。最好是把“霸蛮”和灵泛结合起来，骨子里“霸蛮”，行动时灵泛，或者精神上“霸蛮”，方法上灵泛，也就是“霸蛮为体，灵泛为用”吧！

不能简单地说赞成还是不赞成湖南人的霸蛮精神。“霸蛮”作为一种文化精神，是应该肯定的；“霸蛮”去做什么事情，却要具体问题具体分析。问题并不在于“霸蛮”不“霸蛮”，而在于“霸蛮”做什么，以及在做的过程中讲不讲科学、民主，讲不讲方法、策略。不讲科学的“霸蛮”是野蛮，不讲民主的“霸蛮”是霸道，不讲方法的“霸蛮”是愚蠢，不讲策略的“霸蛮”是鲁莽。这样的“霸蛮”就不可取。还有，如果要做的事情本身就是错误的，那么，越“霸蛮”越糟糕。此其一。

其二就是“霸蛮”本身也有问题。“霸蛮”者多气盛。气盛者多半刚勇、劲直、强悍，有情义有担当，一身傲骨敲起来铮铮地响，这是好的。但“气太盛”，则“多不能虚衷受益”（湘人皮锡瑞语）。脾气犟的人，一般不怎么虚心。

其三就是光“霸蛮”也不行。世界上的事情很多，有的要“霸蛮”，有的就霸不得蛮。做生意就不能“霸蛮”。湖南人做生意过去是不太行的。德国人里希霍芬在 19 世纪末就说过：“中国军队的主要兵源来自湖南。相反，在银行业、商业界则看不到湖南人。”民谚也有云：“广东人革命，福建人出钱，湖南人打仗，浙江人做官”。究其所以，恐怕就因为湖南人蛮勇有余而灵活不足。这就常常会碰钉子。因此，以“霸蛮”为文化精神的湖南人有时也会对别人说：“莫霸蛮罗！”所谓“莫要霸蛮”，往往也就是要“灵泛”一点的意思。（注：灵泛，音为 líng fàn，意思是指灵活、机动、机智多变，下同）

如果说性格决定命运的话，湖南人霸蛮的性格注定他们是打天下，开风气的主，这样的性格在战争和动荡年代，在危急时刻能够力挽狂澜，尽显英雄本色。而在和平年代则由于缺少灵活性与团结精神，很容易成为没落的贵族。湖南人过去的辉煌与今天的没落，不能不说是他们特殊的性格决定的。

第二节 解读湖湘文化的钥匙

千年学府的魅力

提到湖南人的精神，不能不提到湖湘文化，提到湖湘文化，就不能不先说一说岳麓书院。

据岳麓书院的档案记载：自公元976年书院正式创立，嗣后历经宋、元、明、清各代，至1903年改为湖南高等学堂，尔后相继改为湖南高等师范学校、湖南工业专门学校，1926年正式定名为湖南大学至今，恰好历经千年，弦歌不绝，故世称“千年学府”。在千年之交的今天，这里的变迁见证着历史与文化的流向。回首过去一千年，岳麓书院一直以传播学术文化而闻名于世。岳麓书院其历史比法国的巴黎大学和英国的牛津大学更加久远。到这里来讲学的在当时都是名家，如朱熹、王阳明、周敦颐等学者，成为当时全国的学术中心。培养出很多“传道济民”的人才，同时在它的一千多年的历史中，为国家输送了大批的政治人才和思想精英。思想家王夫之，爱国思想家魏源，政治家陶澍，外交家郭嵩焘，军政家曾国藩、左宗棠、胡林翼，维新派唐才常，革命先锋陈天华、蔡锷，教育家杨昌济，因而得“惟楚有材，于斯为盛”之名。

说到岳麓书院对湖南和中国的作用，就好比说到牛津、剑桥之于英国，哈佛、耶鲁之于美国一样。

南宋时期，朱熹两度来此讲学，书院盛极一时，进而逐渐发展成为理学史上颇负盛名的“湖湘学派”，大批学术“巨子”和抗金名将从岳麓书院走向社会。

明代中后期，岳麓书院再度复兴，大儒王阳明和东林学派在此传播和交流。明清之际，王夫之等四方学者络绎不绝来此讲学。

晚清以后，这里更是鼎盛一时，培养出众多影响中国历史发展的人才群体，其中最著名的有：以魏源等为代表的政治改良派；曾国藩、左宗棠、郭嵩焘、胡林翼为代表的“中兴将相”；以谭嗣同、梁启超、黄遵宪为代表的维新变法派；以蔡锷、陈天华、程潜为代表的民主革命派。

1916—1919年，青年毛泽东也曾数次寓居于岳麓书院，他和蔡和森、邓中夏、何叔衡、谢觉哉、李达、罗章龙等大批师生一起寻求救国救民的真理，对中国历史产生了深远的影响。

今天在岳麓书院，现代教育体制已彻底取代了沿袭千年的传授方式，但书院优秀的传统却完整地保存了下来。走进书院，那块“实事求是”的匾额巍然高悬，这种学风与三湘大地人才辈出有着重要的关系，其无形的学风影响甚至超过了有形的学制影响。所以，岳麓书院是湖南人的文化圣殿。

岳麓书院承载了湖湘文化

岳麓书院与湖湘文化几乎是同步形成和发展起来，对湖湘文化的形成、发展、演变起到了至关重要的作用，故而它成为湖湘文化的象征。

现在人们一谈到湖湘文化，总会讲到岳麓书院，而讲到岳麓书院，则又总会联想到湖湘文化。岳麓书院是现代湖湘文化人的精神“圣殿”，人们将岳麓书院视为湖湘文化的思想发祥地。到今天，湖湘文化中的精髓思想仍然在影响着湖南人。

从中唐到五代，湖南先后出现了石鼓、岳麓两书院，是见诸记载的中国书院之始，更开创了湖湘以重教育著称的先河。

两宋时期也是湖湘地方文化在全国形成自己特色的时期，就是在该时期湖南出现了儒、释、道“三教合一”的理学中的重要学派——湖湘学派。

虽然理学的开山鼻祖周敦颐是地道的北宋年间的湖南人，但是因为他的主要活动不在湖南而在江西，他对于本土的影响也不大，而把他所开创的理学传到湖南并创立湖湘学派的是南宋时从福建迁居湖南的胡安国与胡宏父子俩。胡宏的一名弟子叫张栻,在理学的各个领域都下了功夫,并有自己独到的见解。清人黄宗羲说他所学“得之五峰，论其所造，大要比五峰更纯粹”,可以说是一位发扬和光大师门的人物。

张栻主要以岳麓书院为学术据点。他的门人弟子有彭龟年、吴猎、游九言、游九功、胡大时等。南宋乾道三年（公元1167年），张栻接待了从福建崇安前来访问的闽学派理学大师朱熹，张、朱二人在岳麓书院会讲二月，就理学中的一系列问题切磋问难。通过这次会讲，使得湖湘学派与闽学两派得以互相取长补短，推动了学术的繁荣和理学的发展。

由胡氏父子创立的湖湘学派经张栻之手得以向外传播，走向全国。如宋明理学大师魏了翁通过张栻的蜀中弟子范荪吸取了张栻一系的学说，在四川蒲江和湖南靖州先后各办起一所“鹤山书院”，不仅使“蜀人尽知义理之学”，而且使“湖湘江浙之士，不远千里求书从学”，扩大了张栻思想的影响，沟通了湖湘与巴蜀文化的交流。

岳麓书院在当时就成为了各种学术交流和各种文化交融的一个重要场所，不仅仅推动了湖南教育事业的发展，使得湖南人开了重视教育的风气，还为近代湖南人才辈出提供了一个很好的教育文化基础。直到现在湖南还是十分重视教育，湖南人有句名言“砸锅卖铁也要送孩子上学”，湖南省每年的高考录取分都位居全国的前列。在读书这件事情上，湖南人是有相当的自信度的，湖南人最喜欢的四个字就是岳麓书院门联上的“惟楚有材”。

岳麓书院的交流开放，海纳百川的精神和湖湘文化是互相辉映的，而且这种精神是近代湖南人开放务实心态的源头。它当时的很多的学术研究的方法和思想上的一些特质仍然对现在的湖南的教育理念起着重要的指导作用。比如：现在的湖南大学在构筑自己教育理念、办学思想、校园文化时，就自觉地继承和发扬岳麓书院“博于问学，明于睿思，笃于务实，志于成人”的文化精神、教育传统。这样，优秀的湖湘文化就被吸收到现代湖南文化、现代高等教育中来。

同时岳麓书院在传播和繁荣湖湘文化上起到了极其重要的作用，比如在宋代，湖南除出现湖湘学派，理学上在全国有自己的特色外，在经学、史学、地学、文学艺术、医学及考据学等方面也都有非凡的建树。

除了贡献了一大批杰出人才以外，岳麓书院对近代以来的中国哲学社会科学贡献奇伟。中国共产党人的哲学指导理论的最重要的两句话“实事求是”、“与时俱进”，都是岳麓书院率先挖掘与阐释的。就说这一点，岳麓书院就堪称中国最杰出的哲学社会科学殿堂。

岳麓书院记载着湖南人的心灵史

作为一个湖南人，甚至作为一个中国人，岳麓书院是不能不去参观的，因为这里的一草一木能告诉我们湖南曾经是中国文化的中心，这里曾经走出一批又一批的仁人志士，这里曾经是掀起中国一轮又一轮改革的策源地，这里承载着最典型的湖湘文化：坚韧、刚直、开拓、创新，海纳百川，兼收并蓄，实事求是，经世济用。

从历史源流来看，岳麓书院的创建、发展几乎是与湖湘文化的建构同步的。它作“天下四大书院”之首，标志着湖南地区文化教育落后局面的打破和湖湘文化的崛起，湖湘文化的诸多特质，特别是思想学术方面的特质，均在岳麓书院的学术传统、教育传统中得到鲜明的体现。湖湘文化成就的最显著标志，就是涌现出一代代炳耀史册的知识群体，而他们基本上与岳麓书院有着直接的或间接的学源关系，岳麓书院门联上的“惟楚有材，于斯为盛”是湖湘文化成就的最好注脚。所以说，岳麓书院已经被视为湖湘文化的象征，成为湖南人的精神圣殿，标志着湖湘文化的品位和成就。

岳麓书院之所以绵延千年而不变，在各个时代都能为中国的文化贡献远大的力量，很重要的一点，就是岳麓书院有一种特有的创新精神，继承传统又不囿于传统，发挥优势又不固守优势，而是时时注意扬弃自我，不断地超出自我，这种精神凝聚成了湖湘文化中“与时俱进”的文化物质。从宋代开始，岳麓书院曾经一直是中国历史上著名的学术中心、教育中心，而面对21世纪岳麓书院的目标定位为：湖南大学人文科学的教育基地、中国思想文化的研究基地、中外文化的交流中心。岳麓书院将继承其优秀的学术传统，并将以更加开放的形式，吸引省内外、国内外的专家学者在此研究、讨论、讲学。近年有很多文化界的名人，还有科技界的精英，都来到这里讲学。岳麓书院讲堂将不仅仅是一段凝固的历史，它依然要受到湖湘文化的影响，与时俱进，重新恢复它的学术地位，成为解读湖湘文化的新钥匙。

可以说，岳麓书院的文化精神就是湖湘文化的精神核心，岳麓书院文化精神的历程，是湖南人的一部无形的心灵历史。

第三节　湖南人的精神源流探析

湖湘人——中国人的另类

自古以来中国北方产顺民，南方产刁民。

湖南则是中国南方最产刁民和产最刁民的地方。

打开湖南各地的地方志，触目皆是起义、暴动、战争，从钟相、杨幺到乾嘉苗民，从湖广士兵抗倭到湘西延绵半个世纪的匪祸，一片揭竿血刃的杀戮之声。近现代史上，更是一派刁贼风范：湘军故里、维新运动红火的省份、武昌起义首应、全国农运中心、抗战重要正面战场……

湖南就是以这样带着血与火的造反者形象进入了中国人的历史大视野。

湖南人的性格里有某种火的特质，那是一团未经人类文明雕琢污染的野性的火，热烈、简单、直白，自然而张扬，酣畅而放肆。湖南人粗俗质朴的激情和强悍粗野的生命赋予他们一种野性的力量，所以，要想湖南人循规蹈矩，对上司惟命是从几乎是不可能的。湖南人从来就是最难统治和规范化的一群，除非你有足够的力量让他们心悦诚服，否则，他们总会有办法让你头疼。

所以，湖南人公认为“厉害”。湖南妹子绝不温良恭俭让，爱上湘妹子无疑是一种挑战，引导她们去爱一个人、听一个人的话是件很难的事。但她们一旦爱了，会死去活来、死心塌地，有湘夫人的斑竹为证。

相比之下，湘伢子就显得过于粗糙，类似原始部落里的酋长，头上顶着三根野雉毛，双手举着叉肉，在篝火边怪叫直跳。这种酋长意识决定了他们对爱的理解是：为她承担一切。爱对湘伢子来说，与其说是幸福，不如说是责任。

湖南人是不定型的，就像凡高的画，总显得毛糙、潦草。现代社会的精致和井然有序，湖南人总是缺少，它给人的感觉是总在从野蛮人进化为现代文明人的过程中，但总是没有完成。或许，是他们本身就不愿完成，而宁愿在都市的高楼大厦、灯红酒绿间保留一些原始丛林的野趣和不规范。

等同于这种野趣与桀骜不驯的，是湖南人的真诚和率直，湖南人稍欠幽默感，似乎是哪怕只轻轻一笑，也会减弱他们对生命沉重的体验和认知。他们不怕死、重义气和气节。普希金年纪轻轻为争一口气死于决斗，很多文明人不理解，湖南人懂。换了湖南人，也会这么做。沈从文说湖南人是乡下人，没错。事实上，如果高更是中国人，他就根本不必刻意到土著居民里去寻找原始的生命或野兽的气息，只需到湖南来就是了。湖南是中国的非洲。

再文明的湖南人在骨子里也残留着原始的野性，这种野性常常被误解为刁蛮、落后和愚昧。其实，正是这种不高贵但绝对真诚的野质生命，使他们与自然相处得异样和谐。洞庭湖荷叶田田、水天一色，张家界龙吟细细、风月无边，衡山江天潇潇、清霜冷雁，湘西吊角楼凤尾森森、袖生白云，甚至不知名的琅山、南山、辰水、邵水，都美得让人心醉。

这还是一块盛产山神、女巫和美丽神话的土地：炎帝被同父异母兄黄帝追杀，从甘肃凄凄惶惶一路南下，最后长眠在茶陵一个偏僻而宁静的小山村；三闾大夫屈原和柳宗元得意过后都曾谪居在湘；吕洞宾三醉岳阳楼，羽化而去；湘夫人斑斑血泪，难诉衷肠；小乔初嫁了，终于也玉陨香消在此潇湘夜雨洞庭秋月中；还有那秦时明月的桃花源，牵痛了多少骚人墨客的归隐梦。山水与神话如此水乳交融，和谐统一。看到湖南人怡然自乐得像一棵树、一株草似的生存于山水之间，你或许能明白中国哲学中一个重要命题：天人合一。

然而，也正因了这亲近自然的原始和野蛮，湖南人一次又一次错过了被文化开发、引入现代文明的机会。这里曾经走过多少达人智士，但最后却没有一个能与这片土地融为一体。在文化的海洋里，湖南是一块永不进水的石头，而且磨不平棱角。

我们还记得湖南的文化启蒙，那是勃起于春秋，鼎盛一时，终在吴起改制中式微的楚文化。其兴也勃，其亡也忽，正是在这勃忽之间，湖南人奠定了其性格最初和最大本质的部分。

楚文化时期是湖南的童年，湖南人从小就乖张、狂野。几百年后，李白还唱道："我本楚狂人"。如果说其东邻吴越文化的特点是俊秀清雅、纤巧柔腻，西毗巴蜀文化是才华恣肆、闲散虚浮的话，那么楚文化无疑是诡秘飘忽、清奇瑰丽的。楚文化的美丽透着妖冶和鬼气，骨格清奇，妙在邪正之间。它养育了种种鬼才：投江的屈原，不得志的贾谊，造纸的蔡伦，看世界的魏源，毁誉参半的曾国藩，敢为天下先的谭嗣同，闯北京的沈从文，打天下的毛泽东……奇怪的是，除了毛泽东，其余人在湖南留下的痕迹竟都远比在中国其他地方的要浅。湖南人似乎谁的账也不买，任凭他们在一片沉寂的冷默中销声匿迹，就像不曾存在过。湖南人的狂野，是不是拒绝了太多的东西？自然和原始是双刃剑，它造就了独一无二的湖南，同时也局限了它，“成也，败也”，真理只在这成败之间。

楚文化随风而逝后，老子来过，庄子来过，禅宗的八祖石头和尚也来过，但终于都走了或死了。《道德经》、《逍遥游》和“即心即佛”都乘风归去，湖南依然故我。

现在，湘中的山道上走着一个人，他将要掀起湖南文化史也是中国文化史上最重要的一次思潮，这同时也是湖南礼教文化史上最惨痛的一次流产。

朱熹听说一代大儒张栻在岳麓书院讲学，声誉鹊起，一半是自傲，一半是探讨，他来到了湖南。朱张在雨夜抵膝而谈，竟至彻夜。他们讨论起孔子的“仁”和儒家的“格物致知”，第二天一早又一起从岳麓山下出发，乘船经过后来毛泽东年轻时常去游泳的橘子洲头，到当时的长沙城里去讲学。朱、张努力着，想要“以致克己求仁之功”的劲风吹热这里冰冷的文化空气，告诉人们要“存天理，灭人欲”，要遵从社会普遍认同的道德标准和价值观。而这和湖南人的性格是多么地格格不入。他们终于失败了。虽然宋真宗老人御笔亲书的“岳麓书院”门额还在，虽然岳麓山下每一片树叶响时都还隐隐有“存天理”之声，但仅仅几十年后，精雅的藏书阁里已没有书香，而直至今日，湘江边湖南大学、湖南师范大学等校的大学生中依然有很多人不知道“朱张渡”的来历。惊心动魄的道学南系湖湘学派就这样无声无息地烟消云散了，消散得那么干净，就像从来没有发生过一样。

几十年后，心学大师王阳明因为宦海沉浮，两度途经湖南，其中后一次还在湖南过的年。他怀着仰慕之心想探访一下岳麓书院，而当时的长沙太守却不得不提前派人去打扫一番，因为那时的岳麓书院已经破败得不成样子了。

再过一两百年，湖南人王夫之（号船山先生）在揭竿而起反清复明失败后，隐居衡阳船山，埋头著述，成为中国古代哲学的总结性人物。他对中国哲学的贡献，相当于黑格尔对西方哲学的贡献。而就是这样一位硕儒巨子，其生前居然默默无闻，几乎没有一个湖南人知道他，更没有一个湖南人重视他。这时再回头想想当年的朱张会谈，现在的状况也不再奇怪，湖南纵有十个王夫之，始终也拾不起这失落的文明的碎片。

清朝末年，历史给了湖南人最后一次机会。文质彬彬的曾国藩连年征战、平定太平天国起义后，衣锦还乡，在湖南大开科举，力兴儒学。一时文人奔走、学子相告，然而，三湘掀起过儒学狂澜，却在一片喧嚣之后尘埃落地，再继乏人。

真不知道是光荣还是耻辱，迄今我国的第一把钢剑，第一枝毛笔，第一张地图，最完整的汉墓，最完好的古尸，最早的青铜乐器，都产生在湖南；中国四大书院，湖南独占其二……湖南从来就不缺文明，少的只是对文明的接纳和内化，因此也产生不了那种自内而外的儒雅之气。毕竟是没有文化滋润的土地啊，毕竟是未曾开发的民众。流行一时的潮流文化，又怎敌他晚来风急，骨中野性？

于是，湖南养育了数不清的政治家、军事家；湖南高产的，是直接作用于历史发展和社会进步的力量型人才，不是以“空谈”、“玄思”影响人类文明历程的智慧型人才。对于这一点，当然无所谓功过是非的评定，只是想起来，偶尔会让人感到遗憾。

以上是一个湖湘文化学者关于湖南人的一种史诗一样的描绘，其实，湖湘文化也的确与湖南人一样，是中国文化中的另类，如果说中国文化的主体是儒家文化，那么湖湘文化就是道家或者墨家，总之不是那个酸不拉叽、温良恭让的儒家形象。如果说儒教崇尚的是正人君子形象，那么湖南人更喜欢匪、喜欢孔夫子痛斥的盗跖，喜欢狂狷的诗人和落拓痛哭的落第才子。如果说中国传统文化的主格调是静止、是循环、是“天不变，道亦不变”的返古崇拜，那么湖湘文化的主体诉求就是运动、是打破平衡、是“敢教日月换新天”的永动追求，是要么痛痛快快生、要么干干脆脆死的达观和豁朗，总之，是决不甘心猥猥琐琐、苟且偷安、在一潭死水中度过漫长而乏味的人生。

这就是充满着野性、动感又瑰丽质朴的湖湘人的精神追求。

湖湘文化的三个源头

一位长居长沙岳麓山下、对湖湘文化有长期研究的湘籍学者认为，湖湘文化的形成有三个源头。他在岳麓书院的文庙中读的小学，毛泽东青年时在岳麓书院自学期间的卧室正好是他所在班的教室。生于斯、长于斯，常常观摩着高挂在岳麓书院“忠孝廉节”堂上古老的“实事求是”匾额，对湖湘文化自有一种比他人更深的感同身受。这位学者感觉到湖湘文化有三个最大的特点或者说湖湘文化有三个源头：

1. 湖南的自然环境造就了湖湘文化激越冲突的个性

自古湖南属楚，湘楚文化实为一体。从现存的楚辞中可以清楚地看出湘楚文化先人的激越、浪漫和好奇。为什么会有这一特点？这种文化特征与自然环境有密切的关系，正如同江南水乡的文秀和蒙古高原的雄浑一样。湖南的地形东西南三面环山，对北敞开，冬季：凛冽的西伯利亚寒潮滚滚南下，长驱直入湖南全境，达南岭的脚下郴州、永州一线，被阻于南岭；夏季：南方的阳光烈日加上湘北洞庭湖大水面的蒸发，使三湘大地热气郁积而不得散发，致使盛夏酷暑可达 41 摄氏度，夜晚的气温仍可高达 33 摄氏度。而春秋两季：三湘大地时而受西北的冷锋控制，时而受西南暖湿气流的影响，故气候多变，时晴时雨，骤冷骤热。因此，尽管湖南号称为“鱼米之乡”，自古却属于居住条件恶劣的荒蛮之地，以至于贾谊分配到长沙作王太傅，自视为流放而痛苦早逝。汉代以后，湖南逐步开发，虽然成了“鱼米之乡”和粮仓，三湘人民祖祖辈辈所感受到的气候的恶劣，冬寒夏暑，春秋两季变化无常，培养了湖南人认同天道变化无常的道理和不屈的奋斗精神。如《楚辞》中的离骚、天问、招魂，湘楚巫文化中的祭祀，长沙马王堆汉墓中的漆画等，其不同于黄河流域文化的最大特点就是不追求对称和工稳，而是更跳跃、更激情、特别是表现出对天道无常变化的疑问、适应和反抗精神。二千多年过去了，湖南的地理和自然环境依旧，人则从屈原到欧阳询、怀素，到王船山、魏源、曾、左、彭、胡，到谭嗣同、王闿运、齐白石，到黄兴、蒋翊武、蔡锷、毛泽东，这种情怀和精神一以贯之。我们在面对湖湘文化的时候，决不能低估了这种环境对湖湘文化的影响。

2. 移民文化锻造了湖南人吃苦耐劳和拼搏奋发的精神

湖南自古为南北兵家首征之地，元代初年及明末清初，湖湘大地遭受战火多次蹂躏，土著族十室九空。元代和清代有两次在中央政府鼓励和安排下的大规模移民，移民主要来自江浙、江西和四川等地，湖南省境内有四十多种方言，如湘乡、新化、常德、湘西、衡阳、平浏、澧陵等方言，可以说没有一个湖南人能听懂省内的所有方言。移民的进入给湖湘文化提供了厚实多元的基础。近代有人论说，湖南之所以名人辈出，盖因湖南是移民省的缘故。而不管移民来自哪里，其最根本的特点是有吃苦耐劳的心理准备和拼搏的精神，这种气质上承接先人楚文化的跳越浪漫，就形成了近代湖湘文化的激越而又有序、笃实而又灵动、浪漫而又实际的鲜明地域特征。

3. 四百年道统奠定湖湘文化讲究格物致知和实事求是的思维方法

近四百年湖湘文化的道统脉络非常清楚，前后大家相望，从王船山的旁征博引、评述宏论，到魏源的洋为中用，到曾国藩的笃实学风，到毛泽东的《实践论》和《关于正确处理人民内部矛盾》，其“唯实”的思想路线是前后相继的。身为万世师表的伦理思想家孔子，生前并不得意。他在等级森严的奴隶制社会晚期提出了新的、有浓厚唯物辩证特征的伦理和道德体系，借复古的口号行革新变法和挽救人心之实。孔子生前实是改革家。汉代董仲舒尊孔，抽掉孔子的革新和辩证精神，留下了伦理道德。宋代的朱程理学则对孔子学说精华破坏最大，理学家用佛学和道家中的主观唯心主义玄说来注解和重构孔子的学说，结果儒学理论体系越来越大，离孔子的真理离实际生活越来越远。朱程理学以心学为号召，知行两端，基本上把孔子的革新和辩证精神阉割掉了。南宋的灭亡和元明两代儒学日益走向唯心的“心学”，使有远见的文人不能不从实际出发来思考当时的社会诸多问题，其代表就是近代湖湘文化的开山祖王船山。船山先生以激越的文人情怀和不屈不挠的实际斗争生活体验，上续诸子，提出了“格物致知”、“实事求是”的思想，在唯物的基础上复古了孔子的革新辩证精神。可以说船山学说相当的部分是独立于朱程理学之外的。船山学说强调经世致用，经清中叶魏源、曾国藩等人的大力推崇，遂成当世显学，它对发奋图强的清末洋务运动，对立志救国的“五四”前后大批文化青年都有深广的影响。

今天谈到近代湖湘文化的传承，无论思想哲学还是文学艺术，其思想路线就是“格物致知”、“实事求是”。

湖湘文化精神的特点：刚劲、务实、敢为人先

湖湘文化的渊源有两个：一是南下的中原文化，在文化重心南移的大背景下，湖南成为以儒家文化为正统的省区，被学者称为“潇湘洙泗”、“荆蛮邹鲁”；一是唐宋以前的本土文化，包括荆楚文化。这两个渊源分别影响着湖湘文化的两个层面。在思想学术层面，中原的儒学是湖湘文化的来源，岳麓书院讲堂所悬“道南正脉”匾额，显示着湖湘文化所代表的儒学正统。从社会心理层面，如湖湘的民风民俗、心理性格等，则主要源于本土文化传统。这两种特色鲜明的文化得以重新组合，导致一种独特的区域文化形成。所以，探讨研究湘学者，能发现湖湘文化中的儒学正统特色，无论是周敦颐、张南轩，还是王船山、曾国藩，他们的学术思想、学术追求，都是以正

统的孔孟之道为目标；而考察湘人者，则更会感觉到荆楚山民刚烈、倔犟的个性。当然这两种文化组合是相互渗透的：湘学的学术思想总是透露出湘人那种刚劲、务实、敢为人先的实学风格和拼搏精神，而湘人的性格特质，又受到儒家道德精神的修炼，故而能表现出一种人格的魅力和精神的升华。如曾国藩在自我人格修炼时追求“血诚”、“明强”，常使人体味到这种二重文化组合的妙处。“诚”、“明”的理念均来自于儒家典籍和儒生对人格完善的追求；而“血”、“强”的观念又分明涌动着荆楚蛮民的一腔血性！包括曾国藩组建的湘军，其成员主要是湖湘之地的山民，曾国藩既看中了他们的质直、刚劲的湘人性格，又要求他们学习儒家道德和文化修养，体现了他对这种二重文化组合的自觉运用。

但是，在这二重文化的属性当中，以本土文化为源头的刚强、铁血、诚朴、雄伟的成分是占主导地位的，换句话说：湖南人无论到哪里，骨子里还是湖南人，是湘江水泡大的带着九嶷山云彩、洞庭湖水气、罗霄山泥土气息的湖南人。

湖南人经济上极冷、政治上极热的两极化倾向

湖湘文化属于典型的农耕文化类型，受各种条件的限制，工业经济和商业贸易一直不够发达。进入近代，异常强固的守旧势力使得湖南对于来自沿海地区的欧风美雨深闭固拒，近代化起步较之沿海地区晚了 30 余年。但近代急剧变化的社会环境为湖南政治人才的成长提供了绝好的机会，而经世致用的学术心理与积极面世的价值取向又为政治人才的成长提供了思想养料。由于湖湘文化到了近代依然侧重于探讨人与社会的关

系，而相对地轻视人与自然的关系，忽视生产和流通领域，因此相比之下，湖南的经济型人才十分匮乏。另外，时局不稳，没有安定的社会环境，使投资者心存疑虑，观望不前；再则，湖南人不能摆脱以农为本的思想观念的束缚，也促成了此种局面。甲午战后的十余年间，湖南创办近代矿厂72家，其中39家短短几年就倒闭了。大官僚袁树勋（湘潭人）手中积累了大量货币，然而他不去发展近代实业，却以少量资金在家乡开设粮行与典当行。1904年，湖南留日学生401人，但其中学习实业技术的不足20人。新中国成立后的第一届中央人民政府63名领导人中，湖南籍有11人，而1950年成立的中国科学工作者协会第一届15名理事长和理事中，却无一是湖南人。

湖南人急功近利的倾向

经世致用的学风在某种程度上造成了湖南人的急功近利，缺乏对人的终极关怀，以及过于强调经验却忽视了理论的建构。湖南人多把从政视为人生价值的最高体现。儒家文化强调以仁政为内核的人治，过于关注现实生活，而缺少理性的思辨，缺少对于宇宙终极、人生终极作出理论的探讨。故许多思想观念难免显得杂乱无序，彼此孤立。过分讲究实用，也就难以摆脱政治功利的影响，容易使士人失去独立的学术品格。近代湖南人才辈出，但绝大多数都是政治、军事类型人才，很少有人在思想学术领域引领风骚。

尽管湖南有钟灵毓秀的人文传统，可是后来湖南人却是中国最重视实学和理工技术的人群。正是湖南人毛泽东提出来：大学还是要办的，主要是办几所理工科大学。中国近40年来重理轻文、重技术轻社科的学术弊端，不能不说与湖湘文化中这种急功近利的倾向有必然联系。继承岳麓书院千年文化传统的湖南大学，解放后居然改造成了一所以工程机械为主的工科大学，不能不说是一个反讽，也是湖南人心头说不出来的一块伤疤。而以理论、政治和文艺人才领航中国的湖南人，竟然没有在自己的老家办出一所与湖南文化地位相称的文科综合大学，也不能不说是一种遗憾。

好在湖南人对此已经有所醒悟，情况也正在改善。

湖南人易走极端，保守与激进并存

湖南人易走极端的性格，在甲午战争前后表现得十分明显。甲午战前，湖南人的保守在全国是有名的。这不仅表现为对于沿海省份开展了30年的洋务运动无动于衷，而且表现为对于“反教排外”异乎寻常地积极，并且走在了全国各省的前列。湖南人不仅反洋教，而且对与外洋相关的一切人和事，都要反击。耐人寻味的是，甲午战后一场轰轰烈烈的湖南维新运动，使湖南一改昔日封闭守旧的格局。湖南开始大力学习西方，广开学会、创办报刊、设立学堂等，成为全国最富有朝气的一省。当时湖南维新派当中的激进人物及其主张，在全国引人瞩目。

湖湘文化是一种以农耕经济为基础的地域文化，尤其是古代湖南是一个三面临山、一面临湖的“四塞之国”，内部多山而舟车不便，故而表现出很重的内陆性文化特征。如湖湘文化强调务实但又显得保守，重视经世而又轻视商人谋利。在明清之际大思想家王夫之那里就表现出这种特质，与同时代的黄宗羲、顾炎武、李贽、戴震相比，他虽显得务实但又更显得重农，他提出“农人力而耕之，贾人诡而夺之”，非常严厉地批评商业活动，这都是湖湘文化所具有的弱点。当然，近代湖湘文化表现出通变、求新的开放精神，并在近代史上大放光彩，但这并不能掩盖近代湖湘文化保守的一面。近代湖湘文化是一种内部反差强烈的合“保守性、开放性”为一体的二元结构文化。那些走在时代前列、特别是“走向世界”的湖湘人士，表现出很强的通变、求新的开放精神；但是，湖湘文化的封闭、排外、保守倾向也表现得最为鲜明。如洋务运动的首领是湖南人，但排斥洋务最力的也是湖南人，当时湖南人曾以疾恶洋务而闻名于世。因此，我们看到，在中国近代化过程中，湖南总是显得落后于其他许多省区。

湖南人墙内开花墙外香

湖湘文化中的“楚材晋用”现象较为突出。审视湖南古往今来的人才发展脉络，不难发现，许许多多湖南人的事业与成果，都是在湖南之外成就的，这就是所谓的“楚材晋用”现象，即“墙内开花墙外香”。个中原因，主要是湖南闭塞保守，因循守旧，不具备人才成长的良好环境。几乎从晚清时起，湖南的有识之士便形成了这样的共识，即湖南人要想有所作为，必须冲出洞庭湖。湖南人一定要走出湖南才能成才与成事，这不能不让人产生看法，即如果不是湖南当局与各个部门对于本省的人才重视不够，就是湖南的软、硬环境留不得人！

湖湘文化的缺陷远不止上述四方面。例如湖南人缺乏大局意识，有时窝里斗；不合群，团结精神差；性情急躁，不能虚

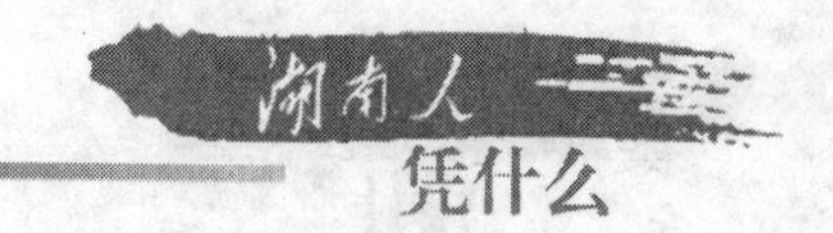

衷受益；不善于纳言和向他人求教；也不善于包装和推销自己等等。

如今我们已跨入了新世纪，新一代湖南人应当了解本地的历史文化，更应当批判地继承我们祖先留下的文化遗产，并且大力弘扬文化遗产中那些曾经在历史上创造过辉煌的、有意义有价值的成分，为我们今天的社会现实、为湖南的两个文明建设服务。

湖湘文化中至少有三个方面值得我们去发掘弘扬：一是爱国主义的传统。湖湘文化中的爱国主义在不同历史时期有着各不相同的具体内容，但是深沉的忧患意识和以天下为己任的坚定历史责任感与使命感却始终未变。二是注重实干、勇于任事、自强不息、勤勉朴实的传统。这种传统其实也就是奋斗的传统。三是开拓创新与对外开放的传统。这种传统促使湖南人永远探求新知识奋发进取。今天我们弘扬湖湘文化中的开拓创新精神，就是要在中国的现代化与湖南的两个文明建设中，不因循守旧，不抱残守缺，敢于探索创造，敢于走别人没有走过的路。此外，我们还要发掘并弘扬湖湘文化中兼收并蓄、睁眼看世界的对外开放传统，克服固步自封、盲目排外的狭隘民族主义心态，虚心学习借鉴国外的先进科学技术和经验，加快我国现代化建设与社会的全面进步。

第四节　湖南人的气质

湖南人的气质——敢于第一个吃螃蟹

敢为天下先，就是说敢于第一个吃螃蟹。湖南人的身上这种气质非常明显。中国近代史上第一个睁眼看世界的人就是湖南人，几乎没有哪个读过书的中国人不知道近代史上有一句名言："师夷之长技以制夷"。这句说在鸦片战争期间的话，能深深地留在国人心中不是没有道理的，它是在国家遭受到侵略欺凌时的另一种思考。事实证明，中国只有顺着这条路子思考下去才有出路。说这话的人是谁？他就是湖南隆回人魏源。

中国近代史上第一个提出来要把人才送到国外去培养，学习西方的先进技术以图自强的人也是湖南人，当代的年轻人大都以出国留学为荣，但若问最先提出官派留学设想的是谁，可能许多人都回答不出。此人不是别人，乃是这十多年来尽人皆知的曾国藩。同治九年，曾国藩在处理天津教案、目睹法国公使仗势欺人的凶恶气焰时，心里萌发了一个想法。第二年，他与门生李鸿章一道给朝廷上了一道奏折："拟选聪颖幼童，送赴泰西各国书院，学习军政、船政、步算、制造诸书，约计十余年，业成而归，使西人擅长之技，中国皆能谙习，然后可以渐图自强。"毫无疑问，依靠受过西方科学教育的人才来使中国渐图自强，乃是为拯救中国开出的一剂有效药方。

中国近代第一个为了中国的维新变法流血的人也是湖南人，这就是“戊戌六君子”之一的谭嗣同，湖南浏阳人。

中国近代第一个提出来要学习西方的政治制度的人也是湖南人，这就是郭嵩焘，他是我国驻英第一公使，当他出国看到国外的先进政治和文化，多次上书朝廷，但不仅没有得到朝廷的重视，反而好心当成驴肝肺，最终郁郁不欢，辞官而退。

中国社会主义国家缔造者第一人，应该算是伟大的领袖毛泽东。人民很崇敬这位伟人，是他一马当先带领全国各族人民，打败了各种反动势力，组建了属于人民自己的国家，实现了人民当家作主的社会。在人们的眼里，毛主席曾经被神话成“是他出生的地方风水不错”，而我们更理性地认为是他老人家敢为天下先的精神使我们彻底翻了身。

敢为天下先，这需要非凡的胆识、博大的气魄、深邃的眼光，还有牺牲的精神。它是湖南血性文化的一种集中体现。也使湖南人多了很多的英雄气。人们还是会感到中国的改革有朱总理的几分敢为天下先的精神，他的政治手笔有些大刀阔斧，无论是政府机关的精简、住房制度改革、粮食体制的改革都是困难重重，但是朱总理说的那句话似乎让人感到了一个年近七旬的总理的改革决心——“这次九届全国人大一次会议对我委以重任，我感到任务艰巨，怕辜负人民对我的期望。但是，不管前面是地雷阵还是万丈深渊，我都将勇往直前，义无反顾，鞠躬尽瘁，死而后已。”

人们还记得朱总理在谈到反腐败问题的一句名言：“准备100口棺材，其中给自己留一口。”

在政治上，敢为天下先。近年来，湖南人在文化、体育等领域也是一马当先，毫不示弱。新的一代“电视湘军”、“文化湘军”、“体育湘军”正在崛起。

敢为天下先实现了中国5000年文化史的转折

敢为天下先是一种湖湘文化长期积累的一种爆发，这种精神要从湖南的历史发展中找到源头。

如果说浙江人机灵、上海人精明的话，湖南人则可用“大气”来形容。这个“大气”可以表现为以天下为己任的社会志向，也可以表现为探寻大本大源的原道精神追求。“原”是探索、追溯的意思。“道”则是宇宙与人生的根本。正如古希腊信仰逻格斯、古印度信仰梵、希伯来人信仰上帝一样，中国文化的根本精神就是道。湘学形成、发展、演变的历程，就是一部探索“道”的精神历程。从周敦颐的《太极图说》，到王夫之的“实有之道”；从郭嵩焘、谭嗣同的“天变道亦变”，到青年毛泽东探索的“宇宙之真理”，均表达出湘学的原道精神与学术成就。这种原道精神不仅体现了湘人“大气”的精神气质，也标志着湖湘文化是一种有着思想深度的地域文化。这种原道观念是湖湘地方知识中最有普世价值的地方。

实行了两千年的封建制度，愈到后期愈成为社会发展的障碍，好不容易被辛亥革命所推翻，然而四五年后，袁世凯又要恢复帝制登基做皇帝。就在中华民族再次遭遇危难的时候，有一个人敢于凭三千弱兵要为四万万人争得尊严。他登高一呼，果然天下响应，几个月后袁皇帝便一命呜呼，“复辟帝制”成了一场春梦。这个敢为天下先的人是谁？他就是湖南邵阳人蔡锷。

魏源、曾国藩、蔡锷三人分别从科技、教育、制度三个方面，推进了中国走向世界的近代化历程。探讨一下他们的所思所为，可以发现这里有一个共同的思想基础，即顺应人类社会的发展趋势，合乎时代的前进潮流。

其实，顺应潮流，不仅是上述三人所思所为的特色，也是近代湖湘士人的共同追求。从陶澍改革盐政、开创海运，贺长龄策划《皇朝经世文编》，到左宗棠创办马尾船政局；从郭嵩焘首开中国出使西方之先声，并勇敢地提出学习西方的政治制度，到彭玉麟为郑观应的《盛世危言》作序，替这部惊世之作鼓吹呐喊；从谭嗣同冲决罗网维新变法，到黄兴、宋教仁等集会组党，以革命手段推翻帝制建立共和，直至毛泽东和他的战友们亲手创建一个新世界。这一条湖湘士人救国救民之路上的每一个里程碑，都可以让人清晰地悟出“与时俱进”的真谛来。

近代中国处于一个震荡与剧变的时代，士人中明显地出现顽固守旧、袖手旁观、与时俱进三种不同态度的群体。令人注目的是，湖湘士人中的优秀分子大多取与时俱进的态度。他们自觉地投身于时代激流，并常常能敏锐地看出时代潮流的发展方向，敢于为天下之倡导，为众生之嚆矢，因而成为一时之豪杰，有的还成了千古英雄。即便是顽固守旧派，也并非都顽固到底，如反对维新变法的头面人物王先谦，几年后便热心办实业，他和几个富商一道，集巨资创办阜湘矿务总公司，以花甲之年出任公司董事，成为近代湖南文人“下海”的第一人。

敢为天下先是湖南人爱国情怀和开放心态的结合

为什么会敢为天下先？当天下先，首先就要了解天下的活动，海纳百川，还要超越天下，这就需要勇气，需要一种精神动力。湖湘文化是一种开放的文化，更是一种爱国主义的文化。

“海纳百川，有容乃大”。湖湘文化在长期的历史发展中，之所以能够成为一种独具特色的区域文化，就在于它具有博采众家的开放精神。这种文化交融主要体现如下四个方面：其一是与不同民族文化之间的交融。其二是与不同地域文化之间的交融。这里讲的不同地域，既包括湖南内部的不同地区，也包括湖南以外的国内其他地区。其三是与不同学派之间的交融。杨昌济曾坦言：“余本自宋学入门，而亦认汉学家考据之功；余本自程朱入门，而亦认陆王卓绝之识。”他甚至以子思的“万物并育而不相害，道并行而不相悖”为号召，希望“承学之士各抒心得，以破思想界之沉寂，期于万派争流，终归大海。”杨氏的这种认识和主张，充分表现了湖南文化的开放精神。其四是与外国文化之间的交融。明末清初，大批耶稣会士来华，在传教布道的同时，也传授了西方的科学技术知识。到了近代，曾国藩首倡清政府派遣出洋留学生。戊戌期间谭嗣同等人摆脱传统束缚而大力提倡西学，甚至樊锥、易鼐等人提出全盘西化的主张，黄兴、宋教仁等人探索民主革命的救国道路。最早在湖湘大地奏响爱国主义乐章的是屈原，继为贾谊。此二人虽不是湖湘本土人士，但他们忠君爱国、忧国忧民的动人事迹，以及遭谗被逐的共同遭遇，却深深地感动了一代又一代的湖湘人民。在宋代，特别是南宋，湖湘文化中的爱国主义突出表现在两个方面：一是一些湖湘学者运用儒家的“华夷之辩”理论，坚持抗金、抗元主张，反对妥协投降。二是许多湖湘士人还直接投身到抗金、抗元的第一线。到明末清初，湖湘文化中的爱国主义精神集中体现在王夫之身上。王夫之把民族利益看得高于一切。他早年举兵抗清，后兵败返乡，遁迹乡里，陋居山洞，誓不降清。

进入近代，随着西方列强侵入中国，民族矛盾急剧上升，湖湘文化的爱国主义传统更加发扬光大。这主要表现在三个方面：首先，近代湖南士人几乎都将挽救国家和民族的危亡当作自己的神圣职责与使命。其次，近代湖南士人为了挽救国家和民族的危亡，焕发出了一种百折不挠和勇于献身的奋斗精神。再次，近代湖南士人为了最终达到挽救国家民族危亡的目的，注重把抵制外国侵略与学习西方有机结合起来。湖南人不仅最早提出学习西方的科学技术，而且也最早提出学习西方的政教制度。在这一方面，郭嵩焘与曾纪泽是先行者。湖南新政运动中所取得的各项成果，可以看作是中国政治制度改革的最早尝试。在学习和宣传以及实施西方民主共和制度时，湖南人中不仅出现了杨毓麟、陈天华、章士钊等一大批宣传家；而且也出现了为民主共和的实现而浴血奋战的实干家，如黄兴、宋教仁等。袁世凯复辟帝制，奋起捍卫共和成果、护国讨袁的是湖南人蔡锷。当民主共和被后来的军阀政客偷梁换柱，仅仅变成一块空招牌时，毛泽东、蔡和森等一批湖南志士又乘时而起，他们接受了马克思主义，转而以俄为师，把反帝爱国与社会主义和共产主义结合起来，把爱国主义发展到了崭新阶段。毛泽东、蔡和森等人对于湖南新文化运动方向的探索，以及毛泽东等人后来进行新民主主义革命的尝试等等，都蕴含着博采众家、广为交融的开放精神和独立奋斗、敢为天下先的创新精神。

湖湘文化对现代精神文明的贡献

因为文化是一种精神力量，代表一个民族的灵魂，一个地域的品位，一个城市的形象，也是一种物质力量，代表一个国家的综合国力，一个地域的产业资源，一个城市的生活条件。既然湖湘文化是中华文化圈中一个拥有那么辉煌成就、显著特色的地域文化，我们现在都认同湖湘文化忧国忧民、实事求是、通变求新、兼容并蓄、敢为人先的优秀精神传统，那么，我们可以从湖湘文化忧国忧民的传统中寻找现代文化建设的精神动力，从实事求是的传统中寻找文化建设的思想方法，从通变求新的传统中探寻文化建设的目标，从兼容并蓄的传统中获得吸收外来文化的博大胸襟，从敢为人先的传统中激发奋发创新的宏大志向。

我们所讲的湖湘文化传统，就是这样一个联结着湖湘人的过去、现在、未来的时间之流、生命之流。所以，我们迫切需要对自己的文化历史、文化传统作一个全面而深刻的审视，明确我们究竟应该弘扬湖湘文化传统中哪些优秀的品格与特质，要克服、弥补哪方面的弱点和不足，因为它们作为湖湘文化传统，不仅已经构造着我们的过去，并且正在或可能构造和影响着我们的现在和将来。特别是我们正承担着现代社会主义文化和精神文明建设的重要历史使命，迫切需要挖掘自己丰富而优秀的传统文化资源。从湖湘文化挖掘现代文化、精神文明建设的资源。应该说湖湘文化的精神资源是很丰富的，它们中许多对现代精神文明、社会主义文化建设具有重要的意义。

第五节 湖湘文化的载体

最不中国的中国人

湖南人不以著述见长，虽然也出过华文中发行量最大的《毛泽东选集》。但湖湘文化的载体还是主要体现在人的思想、观念、性格以及以人为主体的历史过程、事件之中。

所以，了解湖湘文化最好还是从湖南人入手。

“自清季以降，湖南人才辈出，举世无出其右者”，著名历史学家谭其骧这样评价湖南人在近现代的历史作为。

是的，湖南文有“惟楚有材，于斯为盛”之盛誉，武有“无湘不成军”之美称，以至余秋雨在岳麓书院演讲时就说：近百多年来的中国历史不就在这个地方决定得差不多了吗?

历史让湖湘人骄傲，而研究历史人物背后的点点滴滴，也许才大有裨益。湖南人的杰出表现除与特定的政治经济有关外，与湖湘文化、民俗风尚都有很大关系，而其中湖南人独特的性格是不可忽视的重要方面。

中国自古讲究中庸之道，中国人性格在善良、和平的另一面往往就是柔弱、保守、容易妥协。而湖南人的性格是中国人中最有特色的一种，湖南人倔强、刚烈、直率、热情似火又爱恨分明，这与中国人的传统性格是有很大区别的。关于湖南人的性格，汉代司马迁就在《史记》中称其十分剽悍，《隋书》中又谓“劲悍决烈”。以后湖南地方志中，“劲直任气”、“刚劲勇悍”、“好勇尚俭”……种种评语触目皆是，不胜枚举。直至近代，外省在湘官员李榕、陈宝箴还言湖南人“气太强”、“好胜尚气”。湖南人自己对此也屡加评说，章士钊就云：“湖南人有特征，特征者何？曰：好持其理之所自信，而行其心之所能安；势之顺逆，人之毁誉，不遑顾也。”宋教仁也曾说：“湖南之民族，坚强忍耐富于敢死排外性质之民族也。”可见湖南人普遍具有刚劲强悍的性格已成定论。

湖南男人，天生是政客？

湖南男人的传统职业是政客。在中国的男人中，他们是理性与感性结合得最好的。政客这个职业，没有感性是不行的。它需要表演得亦庄亦谐，随和亲切又严谨稳重。湖南男人都有表演天赋，这可能和自然条件有关。湖南的天气，燥热而令人兴奋。中国现在还没有职业政客的环境，湖南男人被压抑的表现欲、演讲癖都转化到了《快乐大本营》、《真情》等电视娱乐节目中。

湖南男人有真正的秀气。江浙男人只是长得秀气，是“外秀”，湖南男人才是“内秀”。这里的内秀指的是对另一性别的理解：尊重和敏感(否则不行的，一半的选票在女人手上)。

“伟大的脑子是半雌半雄的。”大家觉得除了做生意伙伴，湖南男人做什么都很好，女人喜欢他们的理智和温柔，和他们恋爱，就如同进行一切政治博奕，那是充满了情趣的智慧之旅。

湖南的男人＝英雄＋强盗?

湖南的地形地貌就是一个多山的省份，而且是三面环山，过去是土匪强盗出没最多的地方，很多不是很了解湖南的人都知道《湘西剿匪记》，湖南在古代本来就是南蛮之地。所以谈到湖南男人的时候就不能不谈到他们身上的英雄和强盗结合的一种气质。

湖南的男人大多除了霸气以外，还有股匪气。他们不会去妥协和折中，他们不讲道理，他们有时候意气用事，凭感情做事，行为和语言充满了一种非理性。他们大多数都很适合白手起家，因为他们觉得自己是打天下的主，这样才会有意思，才能显出自己的英雄气，才能让人服气。而打天下，没有一股“匪气”似乎又不行。

曾国藩的身上也是充满着一种英雄和强盗的结合气质，不会打仗，偏偏指挥打仗，偏偏创造出晚清最强大的一支湘军。没有这种混合气质就干不出来。

中国近代的那么多有名的湖南男人都是不怕压，不怕打，见困难就上，见机会就钻，在他们的字典里没有“困难”这两个字。

他们的言语中透着一种逼人的气势：“老子不信邪”。

他们的行为中给人一种力量的美，说干就干，不撞南墙不回头，撞了南墙就更不愿回头了，他们连死也不怕。

其实，强盗没有贬低湖南男人，强盗是很多多情的湘妹子、尤其是美女最向往的男性形象。“强盗”只要不乱抢，就是一个好“强盗”。这里的强盗是一种正义的力量，只是这种

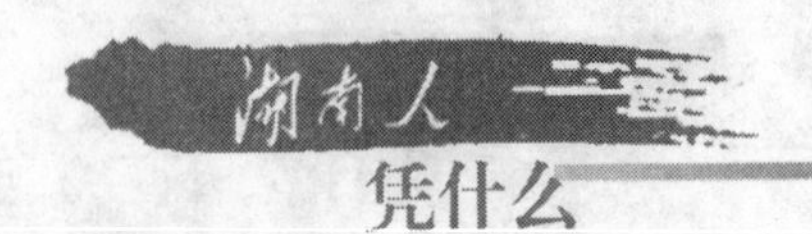

力量丝毫没有商量的余地。

湖南男人——爱做人尖子

湖南的男人无论到哪里，都喜欢是那里的尖子，因为他们总有一种追求卓越的心理。他们认为自己就是最优秀的，但是他们也许不会从言语中表现，他们会从行动中体现出来。

所以，只要是在中国的各大名牌高校，都会有非常出类拔萃的湖南小伙子，在中国的各行各业中都会有优秀的湖南男人的身影。

他们侃侃而谈，他们深谋远虑，他们鄙视小人，他们不逢迎，他们很独立，他们很霸气。在今天的和平年代，湖南男人最爱做的还是政治和文化行业。而对于经济，他们认为挣个几十万，几百万还是小生意，就不像浙江人那样擅长于小打小闹先积累，再伺机出动。所以在经济领域，似乎是湖南男人的弱项，当然不能仅仅把朱总理、刘少奇等几个宏观经济管理的高手当作一种反证，而今天驰骋在中国商界的湖南籍的奇才真的是乏善可陈。

湖南男人——矛盾的结合体

毛泽东就曾经形容自己的性格：一半是虎，一半是猴。

这可以说是对湖南男人性格的一种经典概括。

至刚又至柔，激进又古板，憨厚又灵活，强悍又细腻，就这样奇妙地结合在湖南男人的身上。

在湖湘性格方面，湖南男人也有许多缺陷，而且这些缺陷、弱点又往往是与其优点联系在一起的。如湖南人虽刚毅而敢为人先，但又显得自我意识太强而欠缺合作精神；湖南人虽显得大气，但又可能形成虚骄之气而难客观把握自我与外部世界的关系；湖南男人有很强的政治意识，但是处处以政治为中心则难以适应以经济为中心的现代化建设。既然湖湘文化有那么多的长处，又有刚才所讲的这些不足，作为现代的湖南男人，就应该弘扬优秀的湖湘文化，并克服其不足，使湖湘文化在新世纪得到进一步发展。

湘妹子天生不怕辣?

曾经有人说，湘妹子不漂亮，个子比不上北方，打扮不如上海，斯文不如江浙。中国的美女群落应该是在上海、重庆、江浙、青岛、大连、哈尔滨。

但是，湘妹子自己还是很自信的，即使在全国排不上第一，前几名还是有戏的。皮肤是没有说的，三湘四水把湘妹子的皮肤养得白嫩白嫩。个子不高也是小巧玲珑，更有风味。湘妹子也越来越会打扮，一位去过长沙的外地人说，天哪，长沙女孩子穿得真时髦，大胆，而且还不俗气。加上南方的水土，个个身段苗条，身材魔鬼。她们还会很自豪地说：谁说我们湘妹子不漂亮，宋祖英不漂亮？瞿颖不漂亮？你们有没有欣赏能力？

湘妹子还会非常不当回事地说，漂亮算什么，我们是全国有名的多情。漂亮又当不了饭吃，多情才能网络天下好男人。

在找对象方面，湘妹子不会讲究含蓄，爱就爱，死去活来也要爱，不爱就是不爱，她们也毫不隐瞒心中的想法，看中了你的钱，还是看中了你的房子，或者光是你这个人的幽默吸引了她，或者甚至是你的穷对她有吸引力。她们的要求不像北京、上海的姑娘们那样，是时代的“阴晴表”、“温度计”。北京和上海姑娘常把情爱的目光盯视在“当代英雄”的身上。“文革”期间，“全国人民学解放军”的时候，解放军是她们的第一选择；“工人阶级领导一切”的口号响彻云霄，国营大厂的技术工人便成了时髦的选择。“文革”过后，倩女们把目光转向了知识分子；“出国热”，使她们青睐有海外关系的男人；商海大潮，使外企职员和形形色色的老板炙手可热。而且绝对喜欢情调，依然需要情爱的气氛。

而湘妹子特别的敢爱敢恨，似乎不是特别的功利，她们要是看上一个男人，绝对是非理性成分特别多，在市场经济如此发达的今天，湘妹子也不会理会找对象一定要有房有车，她们说“只要感觉到了，穷得一条裤子也要跟他走”。

宋祖英的一首“辣妹子”，使整个中国都知道了湘妹子天生不怕辣。对湖南女孩不外乎两种称呼：一谓湘妹子；二谓辣妹子。湖南的青山绿水终日伴随着湘女的成长，灵秀之气是必然种植于生命之中的。她们大多有红椒一般的火辣性格，苗条俊美，加上聪慧，勤快大方，加上多情，让人久久不能忘怀。

湘女多情自古而然?

很多人不知道湘女多情是怎么来的，或者认为是空穴来风，或者觉得是湖南人坐井观天，在自己夸自己，或者认为会不会是因为电视里面那几个湖南籍的电视歌唱明星制造的烟幕弹。

湘女多情，那别的地方的女人就是吃素的，就不多情了，就是冷血动物了么？不搞清这个由来，就是亏待了天下别的美女了。

追踪湘女多情的渊源，不能不谈到有名的娥皇、女英的故事，传说中的娥皇、女英二妃千里寻夫，泪洒湘竹，关于这个美丽的神话在楚湘之地可谓深入人心，娥皇、女英对爱情的执着与忠贞构成“湘女多情”的精神源头。不过，较真地讲，舜帝南巡途中崩于苍梧之野，二妃寻夫而驻足湘水之滨，本算不得土著湘妹，然而，君山北渚的二妃墓、湘妃祠还有那丛丛斑竹可以作证，这段哀惋动情的神话已经化成湘人的情感偶像，湘女就从此开始多情。

这一圈“一半游戏一半真”地比下来，不由令湘女们晕乎起来，但千万不可迷糊，也不可骄矜过世。论身材、论肤质、论风采、论装扮的确应该为湘女的秀色指数加分，但女性的美可不全在秀，而在情色一体上。如今，湘女携歌闯京城的辣妹甜妹实在太多，当红的更多。暂且先不算曾以京韵大鼓调高唱“我还是最爱我的北京”的李谷一，当下一线红歌星就有宋祖英、张也、汤灿、甘萍……似乎还应加上京剧名旦李维康。湖南电视的女主持们更是魅力四射，风骚十足。

也就是说，要充分发挥“湘女多情”的强项，将“秀丽”提升到“魅丽”境界在电视高度普及的今天，屏幕上几位湘籍女歌手的媚眼与甜歌着实令不少外省的男歌迷们心旌摇曳，还真将“湘女多情”当一条放之四海皆准的真理来认同。

曾经有一些外省籍的男士说，“湖南妹子真的是让我欢喜让我忧”。她们的媚眼真的能勾魂，她们火辣辣的亲昵让你比吃了蜜还要甜，但是她们发起脾气时的辣味恨不得呛死你。常常听人说，在中国的各大名牌高校，湘妹子找对象的能力是很有一手的，往往大学一年级下来，班上的才俊男生就被她们拉下马，挎上胳膊领回家由爹娘甄别去了。

因为“多情”这个词的内涵颇丰富，含情是一端，用情是另一端，前者是本钱，后者是手段。我们看来，“湘女多情”更侧重于后者，湘女多情的特征是用情浓烈。因为论多情的“本钱”，湘女们似乎并不占优势，譬如个头并不是最高，脸蛋不是最白、最靓，腰肢不是最细，但她们与情郎相视，媚眼可能最勾魂；与情郎相伴，情话可能最摄魂；与情郎相依，良宵可能最销魂。绝非病态的多愁善感，亦非作派的纤秀婉约，所以就更贴近世俗生活，更凸现生命本色。殊不知，长沙方言中，对“多情”女的俚语评价是“蛮骚”，口语中，“蛮”字乃“很”、“非常”之意。湘方言中，还有“霸蛮”一说，此处有“强人所难”、“固执”等意，但“蛮”字的意境很难以用一个相对应的词来表达。虽然“蛮骚”的“蛮”非彼“蛮”，但人们总是不由自主地把“蛮骚”的“蛮”赋予“执着”、“坚守”的含义，“蛮骚”除了“很骚”，实在还有另一番韵致。人常说“女人是水做的”，媚人之处全仗一个“柔”字，尤其是南国女子，更是“人比黄花瘦”，“柳色看犹浅”，林语堂嘲讽为“苗条但神经衰弱”，一种病态的美，而湘女的“蛮骚”却一扫这份纤弱，南人有北人相，女子有男人气，既是一种反叛，也是一种逃逸，于区域社会学特质而言还真具有几分类型意义。这大概也算得上“湘女多情”民谚的一点点理性注脚吧。

一个湘女＝半个情人＋半个母亲

湘女为什么是很多男人追求的对象，或者说湘女多情是很多男人向往的一种情结呢？

男人不喜欢纯情的女人，因为这仅仅只满足了他们一部分的情感需求，男人说，我们天生是让女人宠的。所以他们喜欢自己的女人都有很母性的一面，能够为他们牺牲奉献，能够帮助他们成就事业，还能在生活上无微不至地照顾他们。

沈从文先生笔下的湘女就活脱脱的多情，这些湘女一半是情人，一半是母亲，她们的性格中，一半是暴风骤雨般的激情，一半是桃花潭水的宁谧。无论是《边城》中的翠翠及翠翠她妈，还是沅水两岸排工、水手们的相好，媚金、巧秀、九妹……都是那么用情浓烈，痴情专一、执著，她们幽会不失约，夜里有主张，相恋主动，有野性，从不遮掩情欲之渴，豁达、浪而不淫。同时又多梦、善良，这些不朽的故事里流淌着浪漫与肃穆，交织着美丽与残忍。

凌宇先生从沈从文笔下的湘女谈及湘湖之区的民风与性格，凌先生有一个“连环套”理论，他说，在他看来湘人挣不脱三张“网”，一曰“屈骚忧患”，二曰“桃源梦”，三曰“湘女多情”，忧患是现实的关切，梦幻是理想的憧憬，“湘女多情”则关涉文化性格与行为的塑造，从理想主义、现实主义到行动主义构成第一个连环；第二个环是女人、男人，上辈、下辈的承传，说“湘女多情”，消受的是男人，湘女为人母，为人妻，为人女，她们用情浓烈的秉性必然影响到儿子、丈夫、父亲的心智与行为。有蛮骚的女人，就会相匹蛮犟的汉子，扎硬寨，打恶仗，认死理，屡败屡战，愤而蹈海，杀身成仁……风流被男人占了，而精神乳汁却连着“湘女多情”，一部近代史可以为证。

湘女开胃，但不好消化

有人对湘女做了一个很精到的评价：“开胃，但是不好消化。”

开胃是指湘妹子长得很漂亮，湘女的出名，多半借助了那首《桃花江美人窝》的歌曲，桃花江当然是泛指，指的是整个湖南。到过了湖南的人，都觉得湘女漂亮。湘女的漂亮主要是水色子（肤色）特别好，她们的皮肤白皙嫩滑，泛着红晕，富于变化，把多情的内心世界表达得淋漓尽致。湖南的女孩子和北方的很多地方的女孩子一比，马上就能分出高下，并不一定是她们的身段或者脸蛋有多好，而是她们那美仑美奂的肤色一下子就把身上的其他瑕疵给掩盖了，把整个人都带活了。

开胃还指的就是湘女多情，这个情字是把柔情，热情，痴情都包含在一起的情。在沈从文先生的小说和散文里，湘西女子的痴情和湘北女子的柔情总是令人感动不已。长沙妹子尤其以热情为特色。那则湘夫人的传说把湘女对感情的忠贞强化到一种极致。

漂亮又多情，这样的女人谁能不向往呢？！

但是湘妹子不好消化，这是很多男人的共识，大概是说湖南女孩对男人的要求很高，一般的男人，湘妹子几乎是看不上的，即使和湘妹子好上的好男人，也要有股子能折腾的劲儿，否则会被她们那麻辣辣的情感，和她们那亦真亦假的痴人说梦似的语言，还有疾风骤雨似的情感弄得欲哭无泪。

湖南妹子中最典型的一支应该算是长沙妹子，都说长沙妹子很厉害。主要是她们在男人面前不会吴侬细语，一开口就是那口听起来有点野性的长沙话。一位和长沙女孩谈恋爱的男孩子说，有时候，在她面前，像个小孩似的被摆弄来摆弄去的，像个妈对孩子一样说话没有商量的余地。说话也不拐弯，就那么直来直去的。和她约会吧，你还没说完，她就跟你来一句："你去（念 ke）不啰？"听起来大有一"去就去，不去拉倒"的干脆劲。

谈恋爱的时候，一天到晚问我："你爱我不啰？""你怎么总是什么也不说啰？"把男孩子弄得实在很被动。

但是湘女还是湘女，她们对人的情总是在行动上让你出奇不意地感动，她们有很强烈的自我牺牲精神，只要有幸娶上湘女的男人，不仅是优秀的男人，而且肯定是最省心、最享福的人。湘妹子特别的怕老公吃亏，干什么事情，宁愿自己吃苦，也要让自己的老公歇着。她们会在别人面前表现出无比幸福，对老公无比崇拜的样子，让她的男人感激不已，觉得挺给男人面子。湘妹子不会嫌弃自己的老公没有混好什么的，她们总是鼓励男人好好干，沉住气，等待时机，不要灰心。湘妹子会照顾自己，更会照顾别人，尤其是家人。她们不要求奢华的生活，不要求结婚要钻戒，金项链，只要男人实实在在地对她们就很心满意足了。多情的他们另一面是朴实得只剩下一种颜色——纯白。

不好消化，也许有对湘妹子的误解的成分，因为她们有时候也要伪装一下自己，藏起温柔的一面，免得被不识好歹的男人碰上。

不好消化，也许是男人还没有找到真正的自信，因为湘妹子很直，她们对男人的要求太高，既要有本事，人又要好，说白了就是德才兼备。

但是湘妹子是真的不好消化，因为她们的感情总是那么炙烈，让男人觉得有压力，生怕一不留神，会愧对了这份真情。

第六节 湖南人的成材规律

从中国近代开始活跃在中国政坛、军界的湖南人特别多，这种现象引起了社会的普遍关注，同时也引起了一些社会历史学者的关注和研究。

学者们普遍认为湖南近代出现了人才蔚起的兴盛局面。一般认为，近代湖南出现了五个人才群体：第一批出现在鸦片战争前后，以陶澍、贺长龄、魏源为主；第二批出现在咸同年间，以曾国藩为首的湘军集团为主；第三批出现在19世纪末，以谭嗣同、唐才常、熊希龄为主；第四批出现在20世纪初，以黄兴、宋教仁、陈天华、蒋翊武为主；第五批出现在“五四”时期，以毛泽东、蔡和森、刘少奇为主。

关于人才辈出的原因，学者们从不同角度分析，从湖南的地形地貌特征，教育的发展，文化的基因等等一系列因素剖析了湖南人才涌现的原因：

一是特定的地域环境为近代湖南人才兴起创造了客观条件。湖南地处内陆，三面环山，一面临湖。自古民性倔犟，风气不开。经过几次大的移民之后，到了近代，湖南人素质实现了全面更新，带来了移民所特有的开拓性与进取性；又因与苗、瑶、侗、土家族联姻，衍化出一种湖南人所独有的质朴笃实、勇于任事、锐意进取、刚劲尚气的性格，使得湖南人不甘寂寞、勇于实践而成才。经济的繁荣、教育的昌盛为人才的发展创造了极为有利的条件。随着交通逐渐发达，湖南人与外界的交往日益频繁，新的文化思想和观念因此得以传入，促使湖南人走上了改造中国社会的成才之路。

二是湖湘文化的历史传承，为近代湖南人才兴起提供了思想基础和精神养料。湖湘文化源自楚文化，历经岁月风雨的洗礼，与时俱变，但通经致用，经国济世的传统一直未变。经世致用的传统概而言之，就是强调积极的面世态度，树立治国平天下的志向，研究有关国计民生的实际问题，即学以致用。近代湖湘人才的成长崛起，与此种精神养料的滋润不无关系。

三是特殊的历史条件与动荡的社会局势，为近代湖南人才的兴起提供了机遇。近代湖南由于特殊的历史条件，始终是全国阶级斗争最为激烈的省份。曾国藩组织湘军与太平天国相抗，因此受到清朝的重用，也因此为湘军人物的崛起创造了机遇。甲午一役成为湖南求变的契机，也可以看作为湖南第二批人才兴起创造了机遇。20世纪初，清朝实施新政，出现了留学热潮。一批湖南留日学生中产生了后来在国内推翻清朝专制统治、建立民主共和的叱咤风云人物。从“二次革命”直到新中国成立前，湖南一直是南北交锋的场。这种难以生存的环境，又为湖南第四批人才兴起创造了机遇。这第四批人才中的许多人为创建中华人民共和国立下了不朽功勋。

四是湘籍人才之间互相帮带、扶植和举荐形成了人才链，是造成近代湖南人才群体出现的有利条件。在这方面曾国藩最为典型，由于他的举荐，湘军将帅多由湘乡等县的人为主构成。湘军如此，湘军以后的湖南其他每个人才群体也或多或少存在着类似的情形。

分析近代湖南人才群体现象，人们会惊奇发现：近代湖南人才格局是以政治、军事方面的为主，而经济和实业方面的杰出人才几乎未见。近代人才格局除了结构不合理，地域分布也不均匀。有人提出湖南近代以来人才群落的出现，存在着明显的“高能为核”的人才圈现象，而且又集中在长沙周围。从曾国藩为首的湘军将领、谭嗣同为首的维新志士、黄兴为首的革命先驱，到毛泽东为首的无产阶级革命家等四个人才圈，以每个人才首领或领袖的籍贯湘乡、浏阳、长沙、湘潭等县为圆画四个圈，会发现这四个圆圈相连的县市内的名人达百余人，占同期全省历史名人的一大半。这是一个十分有趣的现象。其实，这也正好说明人才的地域分布不均，恰恰是人才作为群体出现的必然结果。

第二章　创造中国近代史的特殊人物

——10位最有代表性的湖南人

顶天立地的湖南人

“人类的历史归根到底只不过是伟人的历史。”这是英国哲学家卡莱尔说的，也是被世界各国的历史学家长期认同的一种观点。

中国的近代历史也许就是对这句话的最直白最清楚的诠释。

“东方红，太阳升，中国出了个毛泽东。”随着这首带着陕北信天游风味的民歌唱遍世界，以毛泽东为代表的湖南人也随之走向了世界。

湖南人了不得，出了个毛泽东。

湖南人不得了，不仅出了毛泽东，还有刘少奇、彭德怀、胡耀邦、朱镕基，还有齐白石、沈从文、琼瑶、袁隆平数都数不清，反正全是人尖子。

也许这些是人们对湖南人的最感性的认识。

如果人们理性地翻开中国的近代历史，就会发现还有湖南人真的就像夜空下最亮的那些星星点缀着中国的近代历史，近代百余年来湖南豪杰的翻覆巨掌兴云为雨的能耐确实远远超出了常人的想象力。从第一个睁眼看世界的魏源，“无湘不成军”的曾国藩，誓死维护国家领土完整的左宗棠、主张学习西方政治文化军事科学的郭嵩焘、曾纪泽、为中国近代改革变法留下第一滴血的谭嗣同、辛亥革命的首功之臣黄兴、护国将领蔡锷、共和国的缔造者毛泽东、刘少奇、人民军队的缔造功臣彭德怀、贺龙、粟裕、许光达、肖劲光，到胡耀邦、朱镕基，还有我们常常提到的中国第一好人雷锋，无不是对中国的历史进程起着推动作用的人。

历史学家说，中国3000年的封建社会的轨道硬生生让你们湖南人给扭了个方向。

是的，没有湖南人的开拓的眼光，就不会有魏源、曾国藩、左宗棠、郭嵩焘这些让西方的先进思想吹到中国大地的举措，中国就无法诞生为清政府掘墓的革命先驱；没有谭嗣同、黄兴、蔡锷等湖南人对中国革命发展道路的艰苦探索，我们就不可能去选择今天这条最适合中国自己的发展道路。而毛泽东在这些前人的基础上，在他们精神的指引下，继续探进，和无数的湖南人一起带领着中国人民往前冲，去夺取属于自己的权利，建立了人民自己的共和国，最终为中华民族争取到了尊严和人格。这也是湖南人用鲜血和生命换来的。

很多人说湖南人很厉害，他们说的厉害更多的是说他们聪明，他们勇猛，他们敢干，他们敢为天下先。

而今天我们在历史的隧道里要搜索出更多的是鲜为人知的湖南人的精神。

在写这些湖南人的故事的时候，我总是饱蘸着泪水，湖南人的精神更多的是一种爱国的精神，一种敢于牺牲自我的精神，一种严格自律和追求真理的精神。这是绵延千秋而从未断绝的民族魂。有了这样一批个性鲜明的湖南人，是我们民族多大的一个幸事。

我专门挑选了10个最有代表性的湖南人加以分析，试图从中了解湖南人的心灵世界。从魏源睁眼看世界、曾国藩打掉牙和血吞、左宗棠抬棺材上新疆、谭嗣同“我自横刀向天笑”、黄兴的“男儿当为天下奇”、蔡锷拼着命要为国民争人格到毛泽东的自信人生两百年、刘少奇的平民情结、彭德怀的要为人民鼓与呼、雷锋的毫不利己专门利人……无不感受到湖南人最本质的东西。他们不怕死，不怕苦，不逢迎，不势利，不妥协，他们爱国家，爱人民，爱真理，爱正义。这就是顶天立地的湖南人。

朱总理曾经要求下属“多长骨头少长肉”。这本来就是先进的湖南人对自己的一种人格要求：做有骨气的人，做硬气的人，做大气的人。

湖南人相信只有用正义和真理才能去推动中国历史的真正进步，才能去赢得整个世界。他们是典型的个子不大而胸怀大的中国人。

这里选取10位最有代表性的湖南人，加以剖析：

湖南人中的第一智人——魏源

湖南人中的第一圣人——曾国藩

湖南人中的第一能人——左宗棠

湖南人中的第一猛人——谭嗣同

湖南人中的第一奇人——黄兴

湖南人中的第一军人——蔡锷

湖南人中的第一伟人——毛泽东

湖南人中的第一完人——刘少奇

湖南人中的第一直人——彭德怀

湖南人中的第一好人——雷锋

湖南人中的第一智人——魏源

师夷长技以制夷

——魏源

一位典型的知识分子的一生

魏源生于清朝乾隆五十九年，即公元1794年，卒于咸丰七年，即1857年。原名远达，字默深，湖南韶阳县金滩人。父亲魏邦鲁，做过主簿之类的小官，在魏源10岁时，家乡发生了严重的灾荒，当时父亲正在江苏，无法救济他们，家庭生活极为艰苦，但就是在这种情况下，魏源还是坚持看书学习，而且喜欢看历史书。这使他伯父很不高兴，因为这不是科举制度要考的内容，但魏源仍然偷着读。

魏源一生在功名场上不很得意，因为他看不起儒家的繁琐文风，而且他的思想又与传统的那些文人官僚不同，所以，参加科举考试在 29 岁时中了举人后，考进士一直落榜，到了 51 岁时，才中了三榜的第 19 名进士。据说，考官嫌他考卷上的字迹潦草，取消了他的殿试资格。可见魏源的个性是他一直不能中举的主要原因。

不过，魏源还是有真才实学的，有一位考进士第一的御史叫陈沆的，就很喜欢魏源身上那种朝气，还将自己的文章拿给魏源看，向魏源请教，虽然当时魏源还没有中进士，但陈沆还是顶住压力和魏源交往。

魏源在 51 岁正式中进士之后，到扬州、高邮等地做过知县和知州，在此之前，他主要是做幕僚和为寻求救国之路而写作。他在认识龚自珍之后，结为好友，当时叫做“执友”。他们都对当时那种陈腐的文风不满，不想做儒家思想的书虫，而是放开思路去研究“经世致用”的真学问，即“天地东西南北之学”，积极寻求改革图强之路。

他的一生亲眼目睹了近代中国的剧烈变革，而且他也参与其中，为救国富国而倾注了满腔热情，“师夷之长技以制夷”就是他提出的著名思想。

魏源在 32 岁时，江苏布政使贺长龄请他编《皇朝经世文编》，一年之后魏源就完成了，共有 120 卷，包括了政治经济等方面。因为搜集了很多的社会经济资料，而且以经世致用为指导思想，所以，编成之后影响极大，受到本世纪末当时许多人的赞赏，凡是关心国事的官员几乎人人都有这本书。

1840年爆发的鸦片战争中，魏源的注意力从对内改革转移到了抵抗外敌入侵方面，他还从扬州赶到浙江前线，直接参与抗敌，但后来，林则徐被腐败政府撤职，充军新疆，而琦善之类的卖国贼却被重用。魏源亲自赶到镇江为路过的林则徐送行。

在战场无法报效国家的魏源先后写下了《圣武记》和《海国图志》。《圣武记》早在1829年就开始准备，到1842年正式完成，书中以清朝初年的武功来鼓励民众，激励众人发奋图强，保家卫国。

1853年，太平天国攻陷南京后，魏源也和曾国藩一样在地方筹办团练，准备镇压。后来被人诬陷延误情报传送，被免职。第二年恢复职务后不久，他就以“世乱多故，无心仕宦”为由，辞职回乡，最后住在杭州的寺庙里研究佛教，不见任何客人，64岁时死在那里。

魏源和《海国图志》

这本书集中体现了魏源“经世致用”的思想。

它的基础是林则徐主持编写的《四洲志》，人们知道他编书的消息后纷纷出手相助，有的人复制有关地图给他，还有的人将在台湾俘虏的英军所画英国地图寄给他用。魏源在朋友的鼓励下，仅仅半年就完成了五十卷的《海国图志》，后来又花四年时间精心扩充到六十卷，到1852年，编成一百卷。这本书是近代第一部由中国人自己编的介绍世界各国国情的著作。包括了政治、经济、军事、历史、地理、文化等各方面，而且在书中魏源还重点介绍了自己抵抗侵略、民族自强的重要思想。后来这本书传到日本，备受重视，成为日本近代抵抗西方殖民者的重要参考资料。

清朝统治者曾经被西方列强的武器吓破了胆，但魏源则认识得很清楚，他主张创办军事工业，学习制造新式武器技术，最终制服、战胜列强，这就是著名的“师夷之长技以制夷”。但魏源也不是唯武器论者，他更重视人的作用，没有人去指挥，有了好武器也等于没有，这就预言了以后甲午战争的结局。在《海国图志·筹海篇三》的结尾，魏源发自内心地疾呼：“在得人而已！在得人而已！”

点评魏源

近代以来的中国政治家和思想家在思考中国的发展道路时，他们发现，脑子里总是有一个人影在晃动，这个人绕也绕不开，躲也躲不过。这个人就是魏源。

因为150年前的魏源就对近代中国的两个时代命题进行了深邃的思考，按照现代的话说，魏源的一生主要思考了两个问题：如何改革？如何开放？

关于改革，魏源做出了这样的对策：与时俱变，经世致用。与现在的“与时俱进，实事求是”已经很接近了。

关于开放，魏源主张：师夷长技以制夷。按照现在流行的提法，叫做“学习世界一切先进文明成果”。

150年前的魏源考虑的问题，今天仍然是中国人重点考虑的时代主题，而且魏源提出的对策，今天仍然没有被颠覆，这是怎样的一个天才的见解！

魏源生平并不以聪明见长，而是其治学方法论占了优势。

魏源扮演了两大角色：他是黄昏时的猫头鹰，理性地预告了天黑后的凄凉；他是黎明前的云雀，清脆地预告了天亮后的雾霭。

只要是强势文明对弱势文明的打压存在一天，魏源的思想就不会过时；只要是文明的内部冲突存在一天，中国就需要魏源那样的大脑。

魏源做到了一个知识分子份内的职责，这就是“永远使用雅典娜的利剑劈开蒙昧的黑暗”。

理性是蓝色的，它冷峻而安详，但是永远不容忽视。

魏源，就是一个蓝色的湖南人。

湖南人中的第一圣人——曾国藩

倚天照海花无数
流水高山心自知
——曾国藩自喻

仕途亨通 事业宏巨

曾国藩，字伯函，号涤生。1811年出生于湖南省双峰县井字镇荷叶塘的一个豪门地主家庭。祖辈以农为生，生活较为宽裕。祖父曾玉屏虽少文化，但阅历丰富；父亲曾麟书身为塾师秀才，满腹经纶，作为长子长孙的曾国藩，自然得到二位先辈的爱抚，他们望子成龙心切，便早早地对曾国藩进行封建伦理教育。

曾国藩6岁时入塾读书，8岁能读八股文诵五经，14岁时能读周礼，史记文选，并参加长沙的童子试，成绩俱佳列为优等，可见他自幼天资聪明，勤奋好学。至1832年他考取了秀才，并与欧阳沧溟之女成婚，踏上了人生的一大台阶。曾国藩刚28岁便考中了进士，从此之后，他一步一阶的踏上仕途之路，并成为军机大臣穆彰阿的得力门生。

在京十多年间，他先后任翰林院庶吉士，累迁侍读，侍讲学士，文渊阁直阁事，内阁学士，稽察中书科事务，礼部侍郎及署兵部，工部，刑部，吏部侍郎等职，曾国藩就是沿着这条仕途之道，步步升迁到二品官位。从文才上看，曾国藩的仕途畅通与他好学有关，他学习孜孜不倦，苦读日夜不息，尤其在京参加朝考进入庶常馆学习后，“日以读书为业”。勤于搜求，不耻下问，博览历史，重视理学，还读了大量的诗词古文，才华横溢，满腹经纶。官吏中如此勤奋好学者实不多见。由于他博览群书，涉猎文献，故在政治上有自己的独特观点：如要统治者“内圣外王”，要自如地运用儒法思想治理天下。他推崇程朱理学，认为程朱理学正统于孔孟之道，后君臣应以习之。尤其他提出治理天下之办法，涉及吏治与廉洁，选材与用材，物质与财用，兵力与兵法等。他应诏陈述政治主张说：“今日所当讲求者，惟在用人，人才不乏，欲作用而激扬之，则赖皇上之妙用，有转移之道，有培养之方，有考察之法，三者不可废。臣观今日京官办事通病有二，曰退缩，曰琐屑。外官办事通病有二，曰敷衍，曰颟顸。习俗相沿，但求苟安，无过不肯振作起来，将一遇困难，国家必有乏才之患。”要想使官员振作起来，又须皇上以身作则。

他从理论乃至实践上都极力标榜封建伦理道德，来维护地主阶级的根本利益。从武将上说，他本不具备先决条件，然而正是由于他的步步青云，得到了皇上与同僚们的青睐，他感皇恩，谢皇意，甘为保主子尽心尽力，表现在为建湘军呕心沥血，精心操劳练出了一支战斗力赛过绿营的正规军，为镇压太平天国立下了赫赫战功，为清王朝西拼东杀，征战毕生，直至淬死在两江总督的宝座上。

思想学术当世无双

曾国藩作为近代著名的政治家，对“乾嘉盛世”后清王朝的腐败衰落，洞若观火，他说：“国贫不足患，惟民心涣散，则为患甚大。”对于“士大夫习于忧容苟安”，“昌为一种不白不黑、不痛不痒之风”，“痛恨次骨”。他认为，“吏治之坏，由于群幕，求吏才以剔幕弊，诚为探源之论”。基于此，曾国藩提出，“行政之要，首在得人”，危急之时需用德器兼备之人，要倡廉正之风，行礼治之仁政，反对暴政、扰民，对于那些贪赃枉法、渔民肥己的官吏，一定要予以严惩。至于关系国运民生的财政经济，曾国藩认为，理财之道，全在酌盈剂虚，脚踏实地，洁己奉公，“渐求整顿，不在于求取速效”。曾国藩将农业提到国家经济中基础性的战略地位，他认为，“民生以穑事为先，国计以丰年为瑞”。他要求“今日之州县，以重农为第一要务”。受两次鸦片战争的冲击，曾国藩对中西邦交有自己的看法，一方面他十分痛恨西方人侵略中国，认为卧榻之旁，岂容他人鼾睡，并反对借师助剿，以借助外国为深愧”；另一方面又不盲目排外，主张向西方学习其先进的科学技术。

曾国藩是清末著名的理学大师，学术造诣极深。他说：“盖真能读书者，良亦贵乎强有力也”，要有“旧雨三年精化碧，孤灯五夜眼常青”的精神。写字或阳刚之美，“着力而取险劲之势”；或阴柔之美，“着力而得自然之味”。文章写作，需在气势上下功夫，“气能挟理以行，而后虽言理而不灰”。要注意详略得当，详人所略，略人所详，而“知位置者先后，翦裁之繁简”，又“为文家第一要也”。为文贵在自辟蹊径，“文章之道，以气象光明俊伟为最难而可贵”。“清韵不匮，声调铿锵，乃文章第一妙境”。

持家教子惠泽后生

著名历史学家钟叔河先生说过，曾国藩教子成功是一个事实。无法抹杀，也无须抹杀。曾国藩认为持家教子主要应注意以下十事：一、勤理家事，严明家规。二、尽孝悌，除骄逸。三、“以习劳苦为第一要义”。四、居家之道，不可有余财。五、联姻“不必定富室名门”。六、家事忌奢华，尚俭。七、治家八字：考、宝、早、扫、书、疏、鱼、猪。八、亲戚交往宜重情轻物。九、不可厌倦家常琐事。十、择良。曾国藩出身低微，然而他不仅学识渊博、见识宏阔、文武兼备；而且当时的朝廷信赖他，满朝文武官员钦佩、尊敬他；死后被谥为“文正”、被誉为“中兴第一名臣”。曾国藩的一生，谦虚诚实教子有方。他的儿子曾纪泽诗文书画俱佳，又自修英文，成为清末著名外交家；纪鸿研究古算学也取得了相当的成就，但他不幸早逝；他的孙辈也出了曾广钧这样的诗人；曾孙辈又出了曾昭伦、曾约农这样的学者和教育家。

军事思想奇正相生

曾国藩以编练湘军起家，书生治国，镇压了中国历史上规模最大的农民起义——太平天国运动,其军事思想内涵极丰,确有过人之处。他认为，兵不在多而在于精，“兵少而国强”，“兵愈多，则力愈弱；饷愈多，则国愈贫”。主张军政分理，各负其责。他购买洋枪、洋炮、洋船，推进中国军队武器的近代化。治军以严明军纪为先，同时着意培养“合气”，将士同心，他认为“将军有死之心，士卒无生之气”。选择有四点要求：“一曰知人善任，二曰善觇敌情，三曰临阵胆识，四曰营务整齐”。曾国藩军事思想中最丰富并值得今人借鉴的是其战略战术。如“用兵动如脱兔，静如处女”，主客奇正之术，“扎硬寨，打死仗”，水师不可顺风进击，善择营地，“先自治，后制敌”，深沟高垒，地道攻城之术，水陆配合，以静制动，“先拔根本，后剪枝叶”等等。

影响至巨褒贬不一

“誉之则为圣相，谳之则为元凶”。正如辛亥革命中的怪杰章炳麟对曾国藩的评价一样，近百年来仁者见仁，智者见智，对曾国藩褒扬者有之，斥骂者也不乏其人。早在曾国藩镇压太平天国时，即有人责其杀人过多，送其绰号“曾剃头”。到了 1870 年“天津教案”，不少人骂他是卖国贼，以致曾国藩也觉得“内咎神明，外咎清议”，甚至有四面楚歌之虑。

辛亥革命后，一些革命党人说他“开就地正法之先河”，是遗臭万年的汉奸，新中国的史学界对他更是一骂到底，斥为封建地主阶级的卫道士、地主买办阶级的精神偶像、汉奸、卖国贼、杀人不眨眼的刽子手等等，予以全面否定。历史是各种复杂因素的有机组合体，历史人物也是如此，对复杂的历史人物予以简单、片面的肯定或否定，都是不客观的，都不符合唯物史观和实事求是的要求。

近十年以来，学术界对曾国藩的研究逐步深入，对他的评价也相对客观。随着有关曾国藩的小说和传奇故事的出版，越来越多的人对其产生兴趣，他们希望能透过作家描述的人物形象更多地了解曾国藩的学识、见解和主张，更直接、更清晰、更深入地窥见他的内心世界。

趣闻轶事更添神秘

毛泽东“独服曾文正”之谜

毛泽东年轻时，曾对曾国藩倾服备至，现藏韶山纪念馆的光绪年间版《曾国藩家书》中，数卷扉页上都有毛手书的“咏之珍藏”。他曾说：曾国藩建立的功业和文章思想都可以为后世取法。认为曾编纂的《经史百家杂钞》“孕群籍而抱方有”，是国学的入门书。曾国藩治军最重视精神教育，毛一生很注意这点。曾“爱民为治兵第一要义”。毛建立红军之初便制定了《三大纪律八项注意》。

蒋介石推崇曾国藩之谜

蒋多次告诫他的子弟僚属：“应多看曾文正、胡林翼等书版及书札”，“曾文正家书及书札……为任何政治家所必读。”他审订《曾胡治兵语录注释》时说：曾氏已足为吾人之师资矣。在黄浦军校，他以曾国藩的《爱民歌》训导学生。他说我认为曾、左能打败洪、杨是他们的道德学问、精神与信心胜过敌人。

《曾国藩家书》影响历史不衰之谜

太平天国失败后，清廷对权重势大的曾国藩极度猜忌，曾为表明心迹，做出了有违个人性格的事——刊印《家书》。至今翻印不断，是中国历史上最有名的家书，被许多家庭当作镇宅至宝。

违朝廷大禁纳妾之谜

曾国藩51岁时，咸丰帝大丧期间，秘娶小妾，“违制失德”，故有人斥其为“伪君子”。终生以“拙诚”“坚忍”行事，曾国藩“貌之过人者，眼作三角形，常如欲睡，身材仅中人，行步则极厚重，言语迟缓”。曾国藩长得一点也不帅，甚至可以说巨丑，然而其人有一种威严肃穆之气，让人不敢逼视。

点评曾国藩

中国从古到今，大家觉得称得上圣人的大约有三个：孔夫子，王阳明，曾国藩。

孔夫子以道德文章润泽中华文明3000年，其圣人地位无可动摇。

王阳明携阳明之学尽洗程朱理学之积弊，既能破山中贼，又能破心中贼，独步明清500年。

与前边两位相比，曾国藩的地位则更加特殊，他生前就拜相封侯，其政治地位高于前两位，武功更是前两位不能比拟的。曾国藩生前笔耕不辍，著作等身，也不是前两位能比的。虽然国共两党领袖均推崇曾国藩的学术思想，但是曾国藩却没有像前两位那样受后人尊崇。位于湖南双峰的曾家大院至今破破烂烂，没有得到很好的维护。连湖南人自己对这位老乡的感情也很麻木。

曾氏的这种遭遇可能也有其历史的必然性，就像中国很少有人像孔夫子那样容易引发人的争议一样，围绕曾国藩的争议还将延续下去，这就是一个圣人的不可避免的宿命。

换句话说，没有引起后人的争议，迅速被人遗忘，这样的人尽管功业显赫，也不是能被称为圣人的。

三位圣人，第一位是山东人，第二位是浙江人，第三位是湖南人。他们分别开启了三个时代。孔夫子开启的是中华文明的轴心时代，王阳明开启的是中华文明的启蒙时代，曾国藩开启的是中华文明的转轨时代。而以曾国藩为代表的湖湘文化的当代影响力要更直接一点。

近年来，中国突然兴起了“曾国藩热”，通俗类读物中有关曾国藩的书不下数十种，其中尤以曾氏的《家书》及《曾国藩成大事的九九方略》为代表，后者在北京各图书大厦的畅销榜上高居前列几近一年，实是近年来书界之罕事。

事实上，曾国藩只是一个符号，他更多地代表一种文化态度，是传统文化的一种当下显现。近二十年来，国学的研究在学术界虽颇有争议，但总的来说呈繁荣之势，这在一定程度上反映了人们对传统文化的某种认识上的视角的转变。也反映了曾国藩作为文化巨人难以摇撼的地位。

所谓当下流行的“当官要学曾国藩、经商须如胡雪岩”，里边包含着一种对曾国藩的实用主义的误读。曾国藩终身讲究的忠恕诚朴之道，却被一些领导干部当作官场权谋的厚黑学，这是一种极大的悲哀。

先做人，后做事。是曾国藩成功的最大秘诀。但愿人们能学到曾国藩的骨髓，而不是那些浮躁的皮毛。

湖南人中的第一能人——左宗棠

文章西汉两司马，经世南阳一卧龙

——左宗棠自况

湖湘第一怪才

左宗棠（1812 ~ 1885）晚清著名军事家、政治家，字季高。湖南湘阴人。道光 12 年（1831 年）举人。三次会试不中，遂绝意考场，潜心专研舆地、兵法。为人多智略，性狂傲。1852—1863 年，编练“楚军”，参与镇压太平天国运动，屡建奇功，人称“常胜将军”。同治 5 年（1866 年），授陕甘总督，制定经营西北战略：进兵陕西，必先清关外；进兵甘肃，必先清陕西；驻兵兰州，必先清各路。后镇压西捻军和回民起义军。光绪元年（1875 年），以“塞防论”反李鸿章的海防论，力主收复新疆，以固塞防。清政府采纳其意，授钦差大臣，组建西征军。二年，西征军誓师出关，抵肃州。左宗棠命人抬棺材一口，随军出征，以示不收复新疆决不生还的决心。主将如此，全军将士无不愿效死力。左宗棠为各军制定了“缓进急战、先南后北”的战略。1876 年 8 月，西征军一举收复北疆重镇乌鲁木齐，平定新疆北路。三年，克达坂城、托克逊、吐鲁番，分裂头目阿古柏战败自杀。年底，收复喀什（现名）、和田。1878 年 1 月，西征军全部收复南疆，取得了西征大捷，脱离祖国十余年的新疆再度回到祖国怀抱。同时，他条陈新疆建省方案，并请与俄国交涉收复伊犁。左宗棠以他收复新疆的巨大功绩而名垂青史。

左宗棠所处的年代，既是中国睡狮猛醒的年代，因此才有所谓的“同治中兴”和“洋务运动”，也是列强环视、中国充满由边疆到心脏地带危机的年代。左宗棠与新疆还有一个小小的机缘：道光 29 年（1849 年）发配新疆的林则徐因病开缺回乡，路过湖南，派人约左宗棠一见。两人年纪相差 27 岁，却一见如故，结为忘年之交！两人畅谈治国方略，通宵达旦。林则徐将在发配新疆期间的材料、战守计划以及沙俄在中国边疆的政治、军事动态，悉数托付左宗棠。临行前，林公有言：“东南洋夷，能御之者或有人；他日西定新疆，非君莫属。”看来，林则徐是很有眼光的！

左宗棠在坚持塞防论，力主收复新疆时陈词：“克复新疆，所以保蒙古；守卫蒙古，所以保京师。”短短两句话可见左公分析之精辟——新疆、蒙古对于中国是何等的重要！左宗棠收复新疆的重要目的就是要保卫京师屏障蒙古，可见当时蒙古也有被沙俄侵占的危险。

前南京中央大学一文史教授曾说："唐太宗以后，对于国家领土贡献最大的人物，当首推左宗棠，实非过誉。"还有几位历史学家说："中国历史上有四个永远打不败的将军：汉朝的韩信、唐朝的李靖、宋朝的岳飞和清朝的左宗棠。"这些话可能有些言过其实，但左宗棠无疑是同治中兴名臣、一代名将。

收复新疆维护统一

清代诗人杨昌濬在去新疆的途中，写七绝一首："大将筹边尚未还，湖湘子弟满天山。新栽杨柳三千里，引得春风度玉关。"诗中所写"大将"即指晚清重臣左宗棠。

同治六年，左宗棠奉命为钦差大臣，督办陕西、甘肃军务，残酷镇压捻军和回民起义。此时，中亚浩罕王国的阿古柏侵占新疆大部地区，俄国侵占新疆伊犁地区，日本派兵窥伺台湾，西北边防和东南沿海边防都频频告急，由此在清廷内部引发了一场"海防"和"塞防"的争论。李鸿章认为二者不能兼顾，主张放弃塞防，把停撤塞防的购银用来加强海防。左宗棠坚决反对，认为在西北"自撤藩篱，则我退寸而寇进尺"，尤其会招致英、俄渗透。

据"北可制南，南不可制北"的特点，他提出"先北后南"的方针，命令道员刘锦棠率大军进疆，攻克乌鲁木齐之后，兵分两路南下，越天山，收复吐鲁番，打开通往南疆的门户。阿古柏逃至库尔勒，服毒自杀。英国见中国军队即将收复南疆，出面"调停"，要清廷允许阿古柏残部在喀什独立成国。左宗棠驳斥道：英人要想为他们立国，可以割英国土地给他们，为什么要拿我们的沃土做人情呢！三年，左宗棠进军南疆，攻克喀什、和田等城，收复除伊犁以外的新疆全部领土。随即上书建议将新疆设为行省。在进军新疆期间，他命令将士沿途夹道植柳，连绵数千里，绿如帏幄，人称“左公柳”。

在阿古柏入侵新疆时，沙俄乘机占领新疆伊犁地区，不想归还。左宗棠抨击清廷特使在同俄国交涉时丧权辱国，决心以武力为外交的后盾，抬着棺材由肃州出发，进驻哈密，作收复伊犁地区的军事部署。七年，他返京任军机大臣。中法战争爆发时，他坚决主战。十年，他任钦差大臣督办福建军务。到福州后，积极布防，并组成“恪靖援台军”赴台湾，加强台湾防务。次年病卒。赠太傅，谥文襄，其著作辑为《左文襄公全集》。

历史学家梁启超曾说：“说到左宗棠和诸葛孔明的才华的高下，人们可能还有争议，但说到对国家的贡献，诸葛孔明就得甘拜下风了。”

点评左宗棠

说左宗棠是湖湘第一才子，那是很难让人信服的。但是说到一介书生，靠自我奋斗，凭着一张嘴、一支笔，10年创建千秋功业的人，湖南就一个左宗棠。所以，评舞文弄墨的文坛才人，左宗棠肯定榜上无名。但要评书生的真才干，湖湘第一能人还有谁能向左宗棠叫板的？

左宗棠是湖南书生中唯一的敢自比诸葛亮的人；

左宗棠也是湖南人当中官升得最快的人；

左宗棠还是书生兼达天下、纵横四海无敌手的典范。

湖湘才子讲求经世致用，反对当书呆子，老雕虫，这种学风在科举场很吃亏。于是，左宗棠给湖湘才子狠狠地争了口气。不但要会读书，而且要会做事。这才是湖南能人的真性情。

1995年十万市民投票确立的长沙精神“心忧天下，敢为人先”就典出左宗棠爱国忧民的事迹。前句出自左宗棠年轻时的一副对联：“身无半亩，心忧天下；读破万卷，神交古人”。后句实际上讲的是左宗棠65岁高龄时抬棺出征，收复新疆的悲壮故事。左宗棠一生屡建奇功，而他的出山，是在太平军攻打长沙之际，满怀“保卫桑梓”之心投湖南巡抚幕的。左宗棠给湖南知识分子树了一个读活书的典范，对后来的书生军事家毛泽东的启发是不言而喻的。

放到今天来，希望当今的湖湘学子也学一学左公，不但要成绩好，更要会做事、会做人，干出一番业绩来。

有大志向，又有真本事的人，请你莫气馁，左宗棠已经给你们指出了人生方向。

湖南第一猛人——谭嗣同

各国变法，无不从流血而成，今日中国未闻有因变法而流血者，此国之所以不昌也。有之，请自嗣同始！

——谭嗣同

亦儒亦侠的谭嗣同

谭嗣同（1865～1898）清末维新派政治家、思想家。字复生，号壮飞，湖南浏阳人。父继洵，官至湖北巡抚。少年时博览群书，好任侠，喜词章，富于思想。青年时期为父命所迫，曾六赴南北省试，因不喜科举时文，屡考不中。在此期间，他目睹了清王朝统治腐败，益想奋发有为，立志救国救民，故自名“壮飞”。1894年中日甲午战争中，清军惨败，丧权失地，群情愤慨。谭嗣同痛感自己的精力多敝于考据词章，无补于事，决心致力于维新变法。遂与唐才常等在浏阳筹建算学馆，创办新学，并撰文提出变法主张，首开湖南维新之风。为追求新思想，学习新知识，他于1896年（光绪二十二年）北游访学，对资本主义生产方式和自然科学发生兴趣。在访学中，还遍交维新之士，结识了梁启超，并通过梁进一步了解到康有为的维新思想观点。

1896—1897年，他以父命入资为候补知府，在南京待委，此间时往上海与梁启超讨论学问，研究变法理论。还潜心读书，与杨文会研讨佛学，撰成其代表性著作《仁学》。1898

年2月，谭嗣同回到湖南，与唐才常等倡办时务学堂、南学会、《湘报》等，又倡导开矿山、修铁路，宣传变法维新，推行新政，使湖南成为全国最富朝气的一省。6月 11日，光绪帝下诏宣布变法。谭嗣同被荐，奉召进京，参与新政。以慈禧太后为代表的封建顽固派，反对新政。谭嗣同等幻想得到袁世凯对变法维新的支持，但迅即被袁出卖。慈禧太后于 9月 21日发动政变，对维新派残酷镇压。谭嗣同拒绝出走。24日，被捕下狱。28日与杨深秀、杨锐、林旭、刘光第、康广仁等同被杀害，世称戊戌六君子。其著作编为《谭嗣同全集》。

谭嗣同和戊戌变法

中国向何处去？祖国的命运，民族的危亡，如何才能拯救？谭嗣同苦苦地思索着，最后，他认为，向西方学习，变法改革，这是出路。

谭嗣同在北京结识了康有为的大弟子梁启超，两人谈得十分相投，结为莫逆之交。以后，谭嗣同积极宣传科学，得到湖南巡抚陈宝箴和按察使黄遵宪的赏识，因为这两人也都倾向变法维新。不久，谭嗣同在南学会当了学长，起着总负责人的作用，他经常进行慷慨激昂的演说，他的讲演气势磅礴，观点新颖，语言铿锵犀利，道理清晰明确，深受听众欢迎。

这次，谭嗣同就是奉召赴京主持变法。启程前，好友唐才常为他饯行，两人分析了局势，估计到变法维新的路上布满荆棘，前途并不乐观。他对爱妻李闰说：此次赴京，吉凶未卜，要“视荣华如梦幻，视死辱为常事。无嘉无悲，所其自然”。

他已将荣华富贵生死存亡置之度外，决心为变法图存，为国家昌盛贡献自己的一切力量，乃至自己的生命。

9月5日，光绪皇帝召见并破格赏谭嗣同、杨锐、林旭、刘光第四品卿衔，在军机章京上行走，参予新政。从此谭嗣同便在皇帝左右处理奏折，忙于变法事宜。

9月18日漆黑的夜，天上飘洒着绵绵秋雨，刮着凄凉的冷风。

谭嗣同急匆匆地向袁世凯在北京的驻地法华寺走去。他肩负着变法成败和光绪皇帝、维新派命运的重任，去说服手握重兵的袁世凯，要求他在慈禧太后即将发动的政变中保护皇上，保护变法。

从1898年6月11日光绪皇帝颁布《明定国是诏》实施变法以来，于颐和园慈禧太后周围的顽固保守派，日夜谋划，企图将维新派置于死地。他们在赶走翁同和、升荣禄为北洋大臣及直隶总督掌握京城军队以后，预定十月在天津举行阅兵，届时发动政变，废掉光绪，取消新政。

形势急转直下，光绪皇帝得到消息后，惶惶不可终日，接连下两道密诏，要康有为、谭嗣同等人急筹对策。这些书生气的维新派，一时手足无措，惊恐万状。只有去说服袁世凯站到他们这边，保光绪皇帝这条路。于是，谭嗣同便冒着风险去找袁世凯。

来到袁世凯住处，未及通报，谭嗣同便径入屋中，二人寒暄几句，就谈到正题。

谭嗣同急切地说："听说太后与荣禄密谋，10月天津阅兵，将废光绪，取消新政。"

滑头的袁世凯，本是李鸿章提拔的洋务派官僚，虽曾参加过康有为办的强学会，只不过是借此沽名钓誉赶潮流而已，他根本没什么变法要求，他表面上装着拥护皇帝，拥护变法，实际上并不敢反对以慈禧太后为首的顽固派，骨子里与他们却是一丘之貉。听了谭嗣同的话，袁世凯故作惊疑之态，继而说道："此种传闻，断不可信。""今天能救皇上的，只你一人了。你如果愿意救，就请救之；如不愿意救，你可以到颐和园去向太后告发我，可以得到荣华富贵！"谭嗣同的脸涨得通红，情绪激昂地说。

狡猾的袁世凯，当面并不拒绝，而且慷慨地说："'圣主'是我们大家共同拥戴的君主，你我同受皇上特殊的恩宠，救护皇上的责任，并非只你一人，也是我的责任。你有什么吩咐，我愿洗耳恭听，万死不辞！"

谭嗣同觉得一切如愿，便轻信了袁世凯的话，就满意地告辞，冒着凄风冷雨，回转向康有为等人"报喜"去了。

袁世凯奸诈狡猾，心毒意狠，在光绪和慈禧这两方面，他深知慈禧的力量比光绪的力量大得多，他投靠慈禧，才能实现他更大的野心。这样，袁世凯并不去履行自己的诺言，而把全部秘密向荣禄报告，荣禄面见慈禧，慈禧闻讯，十分恼怒。

慈禧经过密谋之后，赶回北京，进入宫廷，查抄了皇帝住处，搜去所有文件。

遂将光绪皇帝囚于中南海瀛台。开始动手收拾维新派人物，变法到此成为泡影。

横刀向天笑

一夜之间，形势大变。维新派被捕的被捕，逃亡的逃亡。康有为乘船逃走，梁启超暂避日本使馆，准备去日本。

谭嗣同在自己的住处收拾东西，将自己多年来所写的诗文稿件，来往书信，装了满满一箱子，来到梁启超避居的日本使馆，对梁启超说："各国变法，无不从流血而成，今日中国未闻有因变法而流血者，此国之所以不昌也。有之，请自嗣同始！"他下定死的决心，以期唤醒后来有志图强的人。

9月24日，谭嗣同在"莽苍苍斋"被捕。由于王五送给狱中官吏钱物，才使谭嗣同免受许多皮肉之苦。在狱中，他大义凛然，神情自若，视死如归。他抚今思昔，眷念祖国和水深火热中的人民，在狱壁上写了一首诗：望门投止思张俭，忍死须臾待杜根。我自横刀向天笑，去留肝胆两昆仑。

9月28日，古老的北京城笼罩在一片阴沉昏暗的风沙里。在宣武门外菜市口刑场上，竖立着六根木柱，木柱上绑着六位爱国志士，维新变法的闯将，就是谭嗣同、刘光第、杨锐、林旭、康广仁、杨深秀。以慈禧为首的顽固派，怕夜长梦多，怕外国干涉，怕人民起而抗议，便赶快处决这些人以绝后继，决定下午四时行刑。

在行刑前，"六君子"面不改色，横眉冷对。只听谭嗣同高声朗诵：有心杀贼，无力回天，死得其所，快哉快哉！

大声呼罢，哈哈大笑。此情此景，使上万围观的人，无不潸然泪下。

谭嗣同死后，大刀王五（一说老管家刘凤池）为他收尸。

第二年，骨骸运回原籍湖南浏阳，葬于城外石山下，后人在他墓前华表上刻上一副对联，以表扬英灵：亘古不磨，片石苍茫立天地；一峦挺秀，群山奔趋若波涛。

谭嗣同的近代特质

一百年前的金秋，谭嗣同血洒北京菜市口。

他本来有足够的时间可以走脱。康有为、梁启超都走了，他却坐以待捕，原因简单而干脆：外国变法，未有不流血者；中国以变法流血者，请自嗣同始！一句话，便把自己永远定格在了历史的画卷上。这种前无古人的风范，使无数接下来者为之洒泪洒血。痛感悲壮之余，人们不禁沉思：他的鲜血到底包含着怎样的凝重？

中国知识分子向来以道自任，不乏参与政治的强烈愿望，但行道时，却往往掺进些许私念。做官首先不是为了救世，不是为社会服务，而是为了光宗耀祖、飞黄腾达。过重的私念包袱，使神圣的道大打了折扣。有官做固然可以行道，无官做，或者干脆不愿做官，也有足够丰富的理论为凭借，退缩到自我的狭小圈子里，甚至去做隐士。社会的污浊，官吏的腐败，民生的凋敝，甚至民族的兴亡，统统可以视而不见。社会责任感被抛在一边，眼中只有自己的性命和清高，道蜕变成了自我平衡、自我慰藉的麻醉剂。尊奉“达则兼济天下，穷则独善其身”的中国文人，说到底是一伙个人主义的政治打工者。

谭嗣同走出了这个行列，他没有选择君主，没有选择功名富贵，而是选择了社会责任感作为自己的服务对象。他不可能退缩到自我狭小圈子里，他必须义无反顾地去为这个社会奋斗。一向消极避世的佛教，在他那里，也成了积极献身的理论武器。他眼中只有危难中的民族，没有个人的毫发："蠢尔躯壳，除救人外，毫无他用。"生命即将不存，可谓"穷"到极点，但他依然没有退缩，无私才能无畏，他用自己的鲜血印证了自己的誓言。梁启超把他的"不有行者，无以图将来；不有死者，无以召后起"改为"不有死者，无以酬圣主"，简直是一种亵渎。

传统中国是一个网罗密布的社会，知识分子既是网罗的制造者，又是维护者，更是受害者。在网罗的层层包裹下，知识分子的自由精神和创造力被冻结了，一个个变成了网罗的奴隶。谭嗣同高唱"冲决网罗"，横决一切，勇猛直前，一股浓烈的湖南辣子味冲鼻而来。神圣的名教成了万恶之源，高高在上的君主被斥为民贼，一切都应当冲决，一切都应当"日新"。冲破枷锁，变异创新，追求自由独立的人格，正是长久浸在酱缸里的中国士人最缺乏的精神。

……

谭嗣同不是近代最杰出的人物，却最具近代特质。作为一名知识分子，他的鲜血凝聚了太多的异质特征。他血性的形象穿越了百年的沧桑，愈加真切地站在了我们面前，永久地启示着世人。

（参见张平仁《谭嗣同的近代特质》）

点评谭嗣同

谭嗣同是湖南人中第一猛男子，是一等一的好汉，这一点湖南人似乎没有什么争议。

有意思的是，今人就谭嗣同选择的死法产生了争议：为了一个王朝、一个皇帝、一个一家一姓的国家，抛弃头颅值得吗?

这一点恐怕要放到更广阔的历史天平上来衡量。

自古以来，为了国家民族生存发展、为了不亡国灭种，改变社会政治制度的办法主要有两种：改革或者革命。

改革是震荡小的不流血的变法，革命则是震荡大的流血遍地的变法。

谭嗣同选择了前者，为的是变法不流血，为的是减少民众的血腥。

但是历史证明谭嗣同错了，改变中国山河面貌的最终是流血革命，这与谭嗣同当初的想法是不吻合的。

但是历史又证明谭嗣同对了，建设中国大好河山的归根结底的办法还是靠改革，这与谭嗣同的初衷是吻合的。

以自己的鲜血为代价，为的是证明一条历史发展的正确路径。谭嗣同的死，其价值又岂能低估?

缅怀这位湖南猛人，为的是避免他那样的悲剧重演。

如果后死者依然找不到避免这样的悲剧发生的路径，那才是使这位英雄在九泉之下不得瞑目的真正原因。

湖南人中的第一奇人——黄兴

古人却向书中见　男儿要为天下奇

——黄兴撰联

无公则无民国　有史必有斯人

在辛亥革命时期，人们常常孙黄并称。孙是孙中山，黄就是黄兴(1874～1916)。

黄兴字克强，湖南善化(今长沙)人。22岁时考中秀才，光绪二十七年(1901年)毕业于武汉两湖书院，次年春被湖广总督张之洞选派去日本留学，入东京弘文学院师范科学习。他喜好军事，课余曾请日本军官讲授军事课程，每天清晨必练习骑马、射击，为日后领导武装起义准备了条件。二十九年，为抗议沙皇俄国侵占我国东北，与同学二百余人组织拒俄义勇队(后改为学生军、军国民教育会)。同年回国，在长沙邀集陈天华、宋教仁等二十余人集会，成立革命团体华兴会，被公推为会长。随后联络会党，议定于次年秋乘慈禧过70岁生日时在长沙起义。事泄，黄兴逃亡日本。

三十一年，在日本结识孙中山，大力支持孙筹组革命组织同盟会，任同盟会庶务(相当于协理)，成为会中仅次于孙的领袖，随后即将主要精力放在发展革命分子、组织武装起义上。他亲自掌握留日陆军学生的入会工作，从中选拔坚定分子组织“丈夫团”，为武装起义准备力量。

三十三年至河内，先后参与或指挥了钦州、防城起义，镇南关起义，钦州、廉州、上思起义，云南河口起义，都遭失败。宣统元年(1909年)秋，受孙中山委托，在香港成立同盟会南方支部，策划在广州新军中发动起义。次年春，起义再次失败。十月，与孙中山等在南洋槟榔屿(在今马来西亚)集会，决定集中全党人力财力，在广州再举行起义。三年三月，率敢死队百余人，攻入两广总督衙门，发现总督张鸣岐已逃跑，出衙门后同清军遭遇，展开激战，多人牺牲，黄持双枪左右射击，毙清军多人后，右手负伤，断两指，化装逃至香港治伤。此役又告失败。事后收殓殉难者遗体，有72具，史称“黄花岗七十二烈士”。

同年，武昌起义爆发。黄兴由上海到汉口，任战时总司令，指挥民军同清军的战斗。由于清军占优势，民军退至武昌。黄认为应转攻南京，遭当地革命党人反对，乃辞职去上海。1912年1月，南京临时政府成立，黄兴任陆军总长。袁世凯窃取政权后，临时政府北迁，黄任南京留守，主持整编南方各军。后因没有经费，军队哗变，乃取消留守府，退居上海。

8月，同盟会等组织改组为国民党，任理事。1913年3月，袁世凯派人暗杀国民党代理理事长宋教仁。

7月，孙中山兴师讨袁，二次革命爆发，14日，黄兴由上海至南京，强迫江苏都督程德全宣布独立，黄被推为江苏讨袁军总司令。失败后，逃往日本。1914年赴美国。

1915年袁世凯称帝，他曾为云南讨袁护国军筹措军饷，袁死后回国，1916年10月病卒。

黄兴与孙中山同为民国缔造者

在中国近代史上，有两个光辉的名字——孙中山、黄兴。孙中山是革命先行者，黄兴是革命实干家。他俩在长期革命斗争中，建立了深厚的革命友谊。

长沙起义失败后，黄兴于1904年底到日本避难。次年7月，孙中山为发动革命，亦从海外来到日本。经老友宫崎寅藏的介绍，次日，孙中山就赶到黄兴寓所。黄兴把孙中山领到一个名叫凤乐园的中国餐馆，短暂寒暄之后，他们就转入革命的话题。将近两个小时孙黄两人既不吃菜，又不饮酒，推心置腹地谈话。最后，他们举杯庆贺他们的愉快会晤。不久，他们共同主持了中国同盟会的正式成立，并分别被推举为同盟会的总理和协理。

1910年6月，黄兴为躲避日警搜捕，隐居在横滨的福住旅馆。中旬，孙中山从夏威夷来到日本。那天，他乘坐的美国轮船刚刚靠岸，冒着危险前来迎接他的黄兴就跳上船去和孙中山紧紧地握手，一直护送到孙中山下榻的旅馆。两人久别重逢，却很少谈论私事，话题很快转入对革命形势的讨论。他们对各种重要问题交换了意见，并对未来的若干方针大计取得了一致看法。

孙中山还在美国华侨中为黄兴回国发动革命募集了不少资金。

同盟会的成立，使全国分散的革命小团体联合起来，形成了反清革命的统一力量。但由于它只是各革命团体的联盟，组织得还很松散，各个组织间的意见也不大一致。有些人出于偏狭的个人成见，总是竭力攻击孙中山，诋毁孙中山在同盟会中的领导威望，严重损害了革命派内部的团结。1907年间，属于光复会的章太炎、陶成章等人以潮州起义失败为借口，鼓动一部分人要求罢免孙中山的总理职务，另举黄兴担任。黄兴坚决反对，他从海外来信劝告这些同志说：孙总理德高望重，是我们的领袖，大家既然希望革命成功，就请不要搞出这些名堂来影响团结，而应当全心全意地拥护孙先生。在黄兴的劝告下，一场风波才平息下去。

1914年7月，黄兴乘船赴美国考察，在旧金山接到一些人的来信，挑拨他和孙中山的关系，怂恿他另行组党。黄兴气愤地回答："党只有国民党，领袖惟有孙中山，其他不知也！"在美国各地，他向爱国华侨宣传孙中山的三民主义纲领，揭露袁世凯帝制的阴谋，并积极为革命募捐。后来，听到蔡锷在云南成立讨袁护国军的消息后，立即决定回国协助孙中山进行讨袁革命。

1916年6月，黄兴经日本抵达上海，同年10月31日，因积劳成疾，与世长辞，享年仅42岁。孙中山闻讯悲痛欲绝，第二天即发函海内外，哀告黄兴逝世的消息。按照传统习惯，讣告是由死者的亲属发布，而黄兴逝世的讣告则是由孙中山单独署名发布。从这里也可以看出他们之间生死与共、唇亡齿寒的深情厚谊！

奇儿无双 英雄无命

黄兴曾为人书联一副："古人却向书中见，男儿要为天下奇。"何为奇男子?仅有大才、大力、大智、大勇、大担待、大抱负、大恻隐、大慈悲，还不够，还得有大情操、大度量、大真诚、大坚忍，这样顶天立地的男儿，才配称为奇男子，伟丈夫。

黄兴的同时代人对他评价都很高，这种高，并非是将纸糊的高帽一一奉上，而是因为他真正具有令人悦服的魅力，而发出由衷的赞美。同盟会元老胡汉民曾说："黄兴是个标准的'湖南骡子'。更隐藏'老子不信邪'的脾气，其雄健不可一世，处世接物则虚衷缜密，转为流辈所弗逮。先生使人，事无大小，辄曰慢慢细细。传闻耳熟是语，以为即先生生平治己之格言。"长期追随黄兴左右，被黄兴视为智囊的李书城，曾颇为感慨："克强总是个最平实的人，做事有功不居，光明磊落，作战身先士卒，爱护袍泽，做人推诚务实，容忍谦恭，受谤不言诠，受害不怨尤，不道人之短，不说己之长。"

章士钊更是将一句赞词经常挂在口头，他曾不止一次地讲过："吾持以论交之武器，在'无争'二字，然持此以御克强，则顿失凭依，手无寸铁。何以言之?我以无争往，而彼之无争尤先于我，大于我……天下最易交之友，莫如黄克强!"

谭人凤则对黄兴有褒有贬，尤能见出他直言不讳的耿介性情。谭的原话是："克强于交际间，有一种休休之容，蔼蔼之色，能令人一见倾心，余之加入同盟亦缘此点，是其平生最长之处也。"

不幸的是，后之势利的史学家仿佛统一了口径，竟将缔造民国功勋，全部派给了“国父”孙文，他人很难分沾。对黄兴的贡献，那些抠门的史学家仅给了低调的认可，似乎还是额外开恩。这样不公不正，还能不使黄兴的女婿薛君度教授脸色发青?为此他不知掐断了多少根胡子，要为老泰山讨还公道。看来，“公道自在人心”的话，是不可不信，也是不可全信的啊。

点评黄兴

放眼中国近、现代史，最无命的大英雄莫过于“湖南三杰”：黄兴终年 42 岁，蔡锷终年 34 岁，宋教仁终年 32 岁。他们拼尽全力，历尽千辛万苦，推翻了封建帝制，缔造了中华民国，却中道去世，忍看国运仍旧不幸、人民仍旧痛苦。

说黄兴是湖南第一奇人，并不是说他有什么怪诞乖奇，相反，此人是天底人第一号的实在人，黄兴不但是最好打交道的那种湖南哥儿们，也是中国历史上最不争名逐利的领袖人物。

就这么一个最平实的好人，后来人却始终不肯给他公正的评价，任凭他的历史功勋湮没磨损。这也是人们至今亏欠这位奇才的一笔感情帐。

说到勇武，黄兴堪比楚霸王；

说到韬略，黄兴胜过周公瑾；

说到侠气，黄兴胜过荆轲；

说到平易，黄兴胜过鲁肃；

说到文武双全，黄兴堪比辛稼轩；

说到政治品格，黄兴直追华盛顿。

可是黄兴一点都没有被这样认可过,可见人们是多么势利眼。

黄兴作为一等一的奇男子,具有大才、大力、大德、大能、大勇、大智、大胸襟、大抱负、大恻隐、大慈悲,可谓十全十美,但是却偏偏缺少大运。他的神奇的本事、离奇的遭遇和出奇差的命运,留给后人却是对他莫明奇妙的冷淡和陌生,这是怎样的人间难堪?

人们说湖南人不会宣传自己，从黄兴的遭遇看来，确实是这样。

湖南人中的第一军人——蔡锷

但为四万万人争人格起见，非拼着命去干一回不可!

——蔡锷

蔡锷：军人就是要“为国民争人格”

蔡锷以起兵反对袁世凯称帝而名垂史册，不幸英年早逝。在他的追悼会上，他的恩师梁启超先生沉痛地说他之所以反袁是“为国民争人格”。

1915 年 12 月，蔡锷在护国寺召集旧部，慷慨致辞：“袁势方盛，吾人以一隅而抗全局，明知无望，然与其屈膝而生，毋宁断头而死。此次举义，所争者非胜利，乃四万万众之人格也。”他留下的遗嘱中也有“以争国民人格”之语。正因为他有这样的出发点，所以护国战争胜利后，他以“再造民国第一人”辞去一切职位，毅然放弃权力。

1897年10月，维新变法运动呼之欲出，年轻的梁启超应湖南巡抚陈宝箴之邀前往长沙，出任著名的湖南时务学堂中文总教习。15岁的少年蔡锷步行350华里，从邵阳来到长沙，成为他40名学生中年龄最小的一个。天资聪慧、学习勤奋的蔡锷那时就立志“当学万人敌，不应于毛锥中讨生活”，透露了“宁为百夫长，胜作一书生”的想法。对于这位小有大志的学生，梁启超也甚为器重。从此，他们终生保持着密切的师生关系。

1899年，蔡锷东渡日本，在成城学校、陆军士官学校学习，被誉为士官“四杰”之首。1904年，他学成回国，先后在江西、湖南、广西等地从事军事教育、督练新军6年。虽然没有参加同盟会，但他和黄兴一直保持着很深的友谊，对共和的信念也是坚定的。武昌城头一声枪响，时任新军协统的蔡锷在昆明响应，30岁就成为威震一方的云南都督。

就蔡锷和袁世凯的关系而言，他对袁素来并无恶感，甚至有很深的渊源。

“二次革命”终于爆发，虽然蔡锷也曾派兵入川，但他一直把这次战事看作“同室操戈，兄弟阋墙，相煎太急，隐恨良多。”“同种相残，杀机大启”，“非国家之福”。他是始终反对内战的，所以他反对袁为将士授勋，认为这样做无疑是“奖励残杀同胞”。

等到袁镇压了孙、黄等人的武力反抗，把整个民国变成囊中之物，几乎只剩下远在西南边陲的云、贵等省还没有被北洋军所控制。蔡锷曾联合黔、桂等省试图居间调停，主张双方罢兵，用法理解决，当然为袁所忌。

1915年8月，要求袁世凯称帝的舆论已甚嚣尘上，先有“筹安会”，后有“全国请愿联合会”，甚至还出现了妓女请愿团、乞丐请愿团等。蔡锷一方面风花雪月，韬光养晦，终日沉湎于八大胡同以迷惑袁的耳目。一方面领衔签名支持帝制，包括蒋尊簋、孙武、唐在礼、蒋作宾、蒋方震、张一爵、陈仪等12位将军都签了名。“主张中国国体宜用君主制者署名于后八月二十五日昭威将军蔡锷”三行字是蔡锷的亲笔，使袁对他深信不疑。因此，后来袁的统率办事处才会责问他为什么反复无常，他坦然答复：

“国体问题，在京能否拒绝署名，不言而喻。若问良心，则誓死不承……若云反复，以总统之信誓旦旦，尚可寒盟，何论要言！”

其实，他一直暗中与梁启超频繁来往，与云、贵两省军界密电交加，筹划护国大计。梁当时可以说是执舆论界牛耳，连袁的大儿子袁克定也说他“领袖名流”，得他一言，“贤于十万毛瑟”。蔡锷对帝制的态度很大程度上受梁的影响。“筹安会”发生第二天，他到天津密访恩师，梁说自己的责任在言论，必须立即作文，堂堂正正地反对。他则是军界有大力的人，“宜深自韬晦，勿为所忌，乃可以密图匡复”。

不久梁启超就公开发表了著名的《异哉！所谓国体问题者》，蔡锷则隔几日就去一趟天津，等部署已定，他们先后南下。蔡于1915年11月中旬秘密离开北京，取道日本、上海、香港，转河内，12月19日抵达昆明。梁则于12月18日到上海。临行前师生相约“事之不济，吾齐死之，决不亡命；若其

济也，吾齐引退，决不在朝”。（蔡锷《盾鼻集》序）

袁曾对身边的亲信说从蔡锷临行时的深谋远虑来看，“此人之精悍远在黄兴及诸民党之上，即宋教仁或亦非所能匹”。现在远走高飞必为心腹大患，并感叹“纵虎出柙”，言辞之间隐有悔意。云南独立前的一天蔡锷最后一次忠告袁，“痛哭陈词”。此后的宣言、文告中则一律列数袁的罪状，称其为叛逆、“谋杀凶犯”。

等到袁被迫取消帝制，他虽然坚决反对袁继续当总统，但他也说自己对袁“多感知爱”。多次表示袁对他“礼遇良厚”，“感念私情，雅不愿其凶国害家之举”。他起来反袁，是为保卫民国，为了公义，不能“兼顾私情”。由此看来，他对袁是有一定个人感情的。但袁一旦背叛他自己宣誓效忠的共和，帝制自为，他就要起而反对，毫无回旋余地。在他看来，这是“为国民争人格”。这才是真英雄的本色。

从 1911 年辛亥革命后至 1913 年进京前，蔡锷曾通电发表过大量政见，他的政见前后也有些变化，但作为一个坚定的共和主义者，誓死捍卫民国的立场从未动摇过。

他认为辛亥革命是政治革命，而不是种族革命。他致电孙中山等坚决反对君主国体，无论满人还是汉人为君主。他提出要破除省界，用人不必存政见、党见，唯才是举，变革要稳健、渐进等。这些见解即使今天看来也不无见地。

他认为结社自由是文明国的通例。袁上台后，他提出应组织政党内阁，其他政党在旁边监督。鉴于当时政党林立、党同伐异，意见纷歧，水火不容，他主张解散各党，另组健全的政党，并愿意先取消他领导的共和统一党。他说“破坏易，收拾难，建设尤难。并劝说黄兴“功尚未成，身何能退”！

这些看法都光明磊落，浸透着共和精神。所以袁氏称帝，他第一个起来反对。云南举义目的就是拥护共和国体，使帝制永绝于中国。

等到胜利在望，他一再表示功成身退，决不食言。1916年6月21日，他致电梁启超“对于国事，除万不得已外，拟不发表何种政见”。

袁世凯一命呜呼，战事也就结束了，奇怪的是唐继尧的援军反而陆续向四川出动。蔡锷在气愤之下致电责问，晓以大义。他哪里知道唐得到首义的美名，却抱着大云南思想，要把四川也变成自己的地盘。蔡锷的死使唐顺利成为西南大军阀，据说言谈之间“深以蔡死为幸”。

蔡锷心地光明、纯洁，生平不爱钱、不慕高官厚禄，他常说“人以良心为第一命，令良心一坏，则凡事皆废”。他反对帝制，争的不是个人权力，无非出于他的良心，出于他对艰难缔造的共和国的忠诚。但“对于责任，丝毫不肯放松”，他是近代史上难得的一个扎死寨、打硬仗的人。与唐继尧不一样的是他并不想把四川、乃至西南据为己有，在那个有枪便是王的动荡乱世中，他是一个罕见的没有军阀思想的将领。陶菊隐说：“自民国以来，武人解兵柄，棠爱犹存者，蔡松坡一人而已。”不幸的是当胜利降临的时刻，他已病入膏肓，这一年冬天他就在日本医院谢世，年仅34岁。他的早死是20世纪中国的一个重大损失。

蔡锷的死让梁启超悲痛欲绝，梁在挽联中写着：“国民赖公有人格，英雄无命亦天心。”

在中国近代军阀多如牛毛的混战局势中，职业军人中竟然产生了蔡锷这样一个人格高尚、目光远大、让后人只能仰视的人物，是整个民族的大幸。我以为蔡锷本质上是一个有知识分子品质的人，作为梁启超心爱的弟子（即使在他声望如日中天之时，他对梁始终执弟子礼甚恭），他从小受过良好的人文教育，具有深厚的人文修养，共和观念早已渗入他的骨髓。这些因素对他作出重大的人生抉择至关重要。所以整个几千年的中国文明史中，只有他拿着枪说出了如此坚定的、带有人气的话——“为国民争人格”。

（参见傅国涌先生《蔡锷:“为国民争人格”》）

点评蔡锷

湖南出军人，“无湘不成军”嘛！

但是湖南并不是以出产士兵人数最多而出名。

湖南的军人之所以有名是因为湖南军人有一种军魂。

具有良好的人文修养，民主共和观念深入骨髓，将国家和人民利益置于至高无上的地位，这就是现代职业军人应该具备的军魂。

有了这样的军魂，这样的战士才是不可战胜的。

湖南的杰出的职业军人灿若繁星，但是像蔡锷这样不追求权位利益，一心只为国民争人格的军魂，却格外让人钦佩。

愿蔡锷将军之魂深入湖湘子弟兵的骨髓！

湖南人中的第一伟人——毛泽东

会当水击三千里

自信人生两百年

——青年毛泽东自励

人民共和国的缔造者——毛泽东

毛泽东，1893年12月26日生于湖南湘潭韶山冲一个农民家庭。1976年9月9日在北京逝世。中国人民的领袖，马克思主义者，伟大的无产阶级革命家、战略家和理论家，中国共产党、中国人民解放军和中华人民共和国的主要缔造者和领导人，诗人，书法家。

毛泽东始终坚持反对帝国主义、霸权主义，维护民族的独立和国家的主权，维护世界和平。就他一生来看，他对中国革命建立的不可磨灭的巨大功绩，远远大于他的过失，他仍然受到中国人民的崇高尊敬。1981年6月，中共中央十一届六中全会通过的《关于建国以来党的若干历史问题的决议》，对毛泽东的历史地位作出全面、公正、实事求是的科学结论。

毛泽东思想作为马克思主义在中国的发展，仍然是中国共产党的指导思想，是中国人民宝贵的精神财富。其主要著作收入《毛泽东选集》，其他已公开发行的著作有《毛泽东文集》、《毛泽东书信选集》、《毛泽东农村调查文集》、《毛泽东新闻工作文选》和《毛泽东诗词集》等。

在80年前开天辟地的峥嵘岁月里,与“南陈北李”一同创建中国共产党的,还有那位风华正茂的湖南青年,即后来四十多年间担任党的最高领袖的毛泽东。

那是一个需要巨人和产生巨人的时代。毛泽东的一生，恰处于我们这个有着悠久历史的古国多难兴邦的岁月。时势造就了英雄，而英雄又创造了时代的辉煌。纵观中国几千年历史，江山易主之事不可胜数，而出身平民得天下者，仅刘邦、朱元璋、毛泽东三人。毛泽东与他人不同之处，又在于不仅夺取了江山，还用他的思想改造了中国，并改变了世界格局。

毛泽东的主席之路

毛泽东，字润之，1893年出生于湘潭县韶山冲一务农之家，后身历农、兵、学三界。少年读私塾，16岁入新式的东山小学堂。1911年辛亥革命爆发时入湖南新军当兵半年，退伍入长沙师范学校。1918年毕业后进京，曾在北京大学工作，后返湘，于1920年秋在长沙创建共产主义组织。1921年7月赴上海参加中共“一大”，为13名代表之一。1923年在中共“三大”上，毛泽东又担任中央局秘书，党内地位一度仅次于陈独秀而居二把手。

在当时普遍矮小的南方人中，毛泽东身材高大，又清秀英俊。按郭沫若当年所记的见面第一印象，是“貌如妇人好女”。直至90年代初，粤港时髦小生又曾争相佩戴一种嵌有青年毛泽东照片的像章，即那张中间分头的英俊形象。

三湘有名的“润之先生”，1927年又走上井冈山与“山大王”交朋友，搞武装斗争，成为组织红军的“毛委员”。1931年在瑞金成立中华苏维埃共和国后，他又是政府的“毛主席”。从此，他同红军总司令朱德一起，以“朱毛”之称闻名天下，成为中国革命力量的象征。

1935年的遵义会议上，毛泽东被选为政治局常委，实际上成为党的最高领导者，翌年又成为军委主席团主席即全国红军最高指挥者。1943年任中央政治局主席，1945年在中共“七大”上，毛泽东思想也写入了党章。新中国成立后，他又是首任国家主席，一直任党的主席、军委主席。直至1976年去世前，国人一提“总理”皆知是指周恩来，一讲“主席”都知道是指毛泽东。

20世纪全球发行最多的书之一就是《毛泽东选集》

在毛泽东去世之前，整个一部中国共产党的历史、中华人民共和国的历史，都与他的名字紧紧相连。今天，巨幅毛主席像仍挂在天安门。他的基本思想仍被全党奉为行动准则。有着传奇经历的卡斯特罗在祝贺中共建党纪念日时曾这样评价说：“毛泽东领导下的中国革命是人类历史上最壮丽的史诗！”

在20世纪，全球发行量最大的书之一，就是《毛泽东选集》，不仅在中国出版几亿册，还被翻译成上百种文字，发行到世界上一百多个国家。

美国前总统尼克松是共产主义的敌人，但出于尊重现实，对毛泽东及其著作的威力还是感到钦佩。1972年他访华时与毛泽东一见面，就出自内心而非客套地说：“主席的著作推动了一个民族，改变了整个世界。”

对于当今大多数中国人来说，毛泽东始终是心中最崇敬的领袖，他领导的革命带来的人间巨变仍是老一辈毕生最难忘的幸福。尽管有过“大跃进”和“文革”，然而人们能谅解其初衷还是为使国家尽快脱贫和清除腐败，只不过方式不当。毛泽东刚接管国家时，主要生产方式还是木犁手推车，人均寿命只35岁；他逝世时人民虽不富裕，华夏却已是有“两弹一星”的世界五强之一，国民人均寿命达到67岁。

法国钢琴王子弹出一曲《太阳最红，毛主席最亲》

进入90年代后，“寻找毛泽东”的热潮又波及到新一代。当法国钢琴王子弹出一曲《太阳最红，毛主席最亲》时，乐厅里马上群情鼎沸。许多“打的”者还愿意找挂毛主席像的出租车，因按照常人所思，如果司机是听毛主席话的人，就应该“为人民服务”，“向雷锋同志学习”，一般不会“宰人”。

在我们这个日新月异的小小寰球上，尽管商品炫目、物欲横流，仍有着严重的社会不公和歧视压迫，因此革命及其代表人物始终能赢得许多群众。纵观毛泽东一生，在出现强国与弱国、富者与穷人的矛盾时，他总习惯站在弱者和被压迫者一边。50年代观看《白蛇传》时，面对白娘子的遭遇毛泽东竟流下眼泪，在剧场上站起来大喊：“不革命行吗？”演出结束后，他仍余气未消，不肯与饰法海的演员握手。

毛泽东这种人格魅力，在亚洲原野、非洲丛林直至美国黑人区都使无数人为之倾倒。连那个拳王泰森，得意时花天酒地，入狱后学毛选则深有感触，于是在自己臂肌刺上这个敬仰者的头像。如同当今世界上许多人仍举着切·格瓦拉的画像高呼“切”一样，同样有千千万万不同肤色的人总在呼喊着“毛”。

毛泽东还是一位伟大的诗人

毛泽东自走上求学之路，就相伴着学诗，终生与诗词结缘。新中国成立后，毛主席诗词以“史无前例”的广度传遍天下，其影响所及熏陶了几代国人。

论及诗词，文笔清秀，细腻柔情，有如赠杨开慧之《虞美人·枕上》。若不署名毛润之，人或惊为新发现的李后主佚作。谈起豪气勃发，《沁园春·雪》则被词家普遍推崇，认为辛弃疾、苏东坡亦所不及。

旧诗人多崇尚婉约，早年的毛泽东撰写律诗亦受此影响。自踏革命征途,其桀骜不驯的性格与浪漫主义结合,多填写长短句以抒发奔腾之气。作为职业革命家，此种雅兴虽是闲时消遣，然而无论是在唤起工农千百万的奔走演讲之余，或是在戎马倥偬的战争年代里，还是在新中国建立后日理万机的悠悠岁月中,毛泽东长期乐此。尤其在烽火征程上,如同他后来所说的那样，许多词作是在马背上哼成。雨后斜阳七彩光下观战后弹洞之惬意,迈步雄险的娄山关之悲凉,放眼陕北千里冰封的大自然雕塑之豪情……诗人风采，跃然纸上。临终卧于病榻时，仍请人代读《别赋》、《恨赋》、《枯树赋》,由未泯的悲壮诗心相伴。

毛泽东好写旧体诗词，曾讲过反正我不读新诗，给我一百

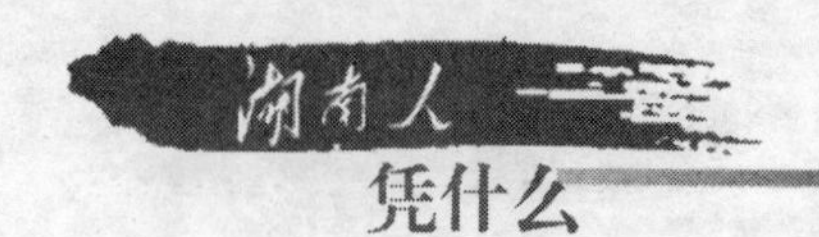

块大洋也不看。然而在他身上始终存在一个难以自解的矛盾——喜好旧体诗词却又不提倡，认为会贻误青年；不喜欢新诗却为文化普及予以推广。毛泽东主张与传统决裂，身上又带着深重的历史积淀。作为一个革命家，他无情地扫荡一切阻碍其前进的对立面；作为一个诗人，他又珍爱古典传统。这两重表现在毛泽东身上合而为一，恰恰构成了一个革命家兼诗人的完整形象。

被誉为中国近代诗圣的柳亚子称誉“老友润之”：“才华信美多娇，看千古词人共折腰。”逝者如斯，毛泽东留下的那些瑰丽诗词，不愧为中国革命史上的千古绝唱。人们从中可以看到是人而不是神的毛泽东，品味到传统文学所带来的艺术享受……

毛泽东一生有两爱两不爱

毛泽东一生有两不爱：长期坚信“枪杆子里面出政权”，个人却不爱带枪和摆弄武器；毛泽东要求节省每一个铜板为了革命和战争，手上却从不愿摸钱。井冈山突围时，别人都注重身边武器，他却要贺子珍缝个随身文具袋，并说要用文房四宝打天下。毛泽东毕生追求的理想，是没有压迫剥削、不需要金钱、人们平等劳动的共产大同。

出于乡土习俗和斗争生活养成，毛泽东又有两大爱好：吃饭不离辣椒（条件允许时再加些红烧肉），写作不离抽烟，经常一天吸 50 支。当年同他握手的人，就能发现他半截手指被熏黄。然而去重庆与蒋介石会面时，得知对方不抽烟，相谈半天也不动一支。蒋介石对此小事格外震惊，对身边秘书讲：

"此人的决心和精神不可小视啊！"

中晚年的毛泽东有两难，便秘和入睡难。前者与长期嗜辣有关，后者是由于头脑紧张过度。黄克诚大将曾回忆说："从大革命失败以后，他就苦心焦虑，经常昼夜不眠地考虑问题。1958年我同他接触时就感到他虽然只有六十多岁，但脑子已经紧张过度了。"由此造成的精神过敏，对晚年的失误也不无影响。由此看来，"终身制"作为一种"政治胆固醇"，愈到老年愈会造成恶果。这又不能归咎于个人，主要是体制和传统的悲剧。

（摘自徐焰先生等《八十年八十人》）

毛泽东的名字

"毛泽东"三字在湖南,在中国乃至整个世界,都是非同凡响的。其实,毛主席除了使用过正名毛泽东外,还使用过毛石山，润之，杨子任等等名字。

1910年，毛泽东离开家乡韶山冲去湘乡东山高等小学读书时，给自己取了个笔名叫"子任"，其原因是仰慕梁启超（字任公）的思想和文笔，其意义是"以天下为己任"。

1915年，毛泽东正就读于湖南省立第一师苑，为寻觅志同道合的战友，在长沙各学校发起了署名为"二十八画生"（毛泽东三字的繁体笔画数为28画）的"征友启事"。

在第一师范读书时，他还有个外号叫"毛奇"，是同学们给他取的。"毛奇"一名本是德意志建国时一位文韬武略的著名将领的名字（德文为MOLKT），这一外号表现了学友们对青年时代的毛泽东的推崇与爱戴。

1923年，毛泽东在给林伯渠，彭素民的信中署名“毛石山”。原来小时候，母亲曾要他拜石头菩萨做干娘，故而小名叫“石山”。

1929年7月至10月，毛泽东离开红四军领导岗位，到福建农村疗养。他化名为杨引之，夫人贺子珍化名贺紫英。其“引”为“隐”的谐音。

1936年，毛泽东在致国民党统治区的老同学易礼容的信中，署名“杨子任”。毛泽东与老同学以“子任”共勉，而杨姓则寄托了对前妻杨开慧烈士的无限深情。

1947年3月，国民党反动派向陕北、山东等地发起重点进攻，党中央以退为进，决定撤离延安。此时，毛泽东化名为“李得胜”，取“离得胜”的谐音，意为革命即将取得胜利。

此外，毛泽东的文稿书信中，常署名“润之”，即毛泽东的字。其实，据《中湘韶山毛氏族谱》，毛泽东的字应为“咏芝”，可因为他自小仰慕湘军领袖胡林翼（字润芝），所以写成了润之。

毛泽东和湖湘文化

毛泽东是湖南第一师范的毕业生。关于他的学历，晚年的毛泽东有这样的谈话：我这个人没有上过大学，也没有出国留学，主要是靠自学。我受过的正规教育是在湖南第一师范，那是个很好的学校，有很多很好的先生。我从那里学到了做人做事，受益终身。（原文请参见《毛泽东和他的24位老师》）

由此可见，没有读过大学也没有出过国的毛泽东的主要教育经历是在湖南度过的，是湖湘文化给了毛泽东最多的根底和营养。

说到毛泽东与湖湘文化的不解之缘，就应该谈到毛泽东与湖湘文化的重镇岳麓书院的关系。

毛泽东可以说是岳麓书院的正牌毕业生：

首先，毛泽东的最重要的老师杨昌济本身就是岳麓书院的弟子，也是湖湘文化的代表人物；

其二，青年毛泽东多次到岳麓书院寓居学习。在第一师范学习的毛泽东非常喜欢到岳麓书院游学锻炼，他的空气浴、冷水浴就是在岳麓山上进行的，岳麓书院的赫曦台是毛泽东露宿嬉玩的佳处。1917年—1919年，青年毛泽东曾数次寓居岳麓书院半学斋，在这里主编过《湘江评论》和《新湖南》。1955年6月，毛泽东回湖南考察，重游岳麓。同年10月，毛泽东挥笔写下了一首七律，其中专门写道：莫叹韶华容易逝，卅年仍到赫曦台。

其三，毛泽东深受岳麓书院学术传统的影响。毛泽东思想的精髓是实事求是，而这恰恰是岳麓书院的学训。在岳麓书院的讲堂上，至今挂着“实事求是”匾。匾为民国初年湖南工业专科学校校长宾步程撰，1917年湖南工专迁入岳麓书院办学，匾悬挂于此。毛泽东青年时代修学于此，“实事求是”匾给他留下了深刻印象。1937年毛泽东在延安抗日军政大学讲课后，曾仿岳麓书院，书“实事求是”作为该校校训。在后来的革命实践中，毛泽东发展了“实事求是”的内涵，使之成为毛泽东思想的精华。不仅如此，毛泽东对岳麓书院的办学形式一直念念不忘，早年的毛泽东倡办湖南自修大学的模板就是岳麓书院，直到晚年，毛泽东关于高等教育的多次谈话，还是赞赏书院式的大学。

毛泽东可以说是湖湘文化的集大成者，又是湖湘文化推陈出新的典范。他的身上，既体现出了湖湘文化自强不息的奋斗精神，又凝结了湖湘文化智慧灵动的大智慧。毛泽东是湖湘文化知行合一的典范。走出书院大门的毛泽东，成为撼动世界的一根巨大的杠杆。这个杠杆的支点之一，就是古老的湖湘文化。

点评毛泽东

中国历史5000年，有三个人物对中国历史影响最大，那就是孔夫子、秦始皇、毛泽东。毛泽东的影响力之大，可见一斑。

毛泽东是一本大书，他是中国文化的代表，又是马克思主义与中国文化融合的产物，凝结在毛泽东身上的文化问题太多了，多得一代又一代的学者们汗牛充栋也研究不完。

从湖湘文化的源流变化的角度研究毛泽东是近年来湖湘学派的一个新发展，也是一个很巧妙的角度。

作为一个土生土长的湖南人，毛氏终身乡音未改，其湖南人的食性亦保持终身。毛泽东自称是孔夫子、秦始皇加马克思的结合。但是，究其根本，他还是一个地地道道的湖南人。他从来没有走出湖湘文化的浩瀚天空。

人永远走不出自己的文化，就像人永远走不出自己的皮肤一样。毛泽东也不例外，让人感兴趣的是，毛泽东身体力行，把湖湘文化推到了一个时代巅峰。充分反映了湖湘文化的革新精神。

海到极处天作岸，山临绝顶我为峰。

走到了时代巅峰的湖湘文化，又该怎样续写自己的下篇呢？

这是毛泽东时代之后，交给湖南人的一道最大的考题。

湖南人中的第一完人——刘少奇

好在历史是人民写的

——刘少奇

人民的勤务员

刘少奇(1898年11月24日～1969年11月12日)湖南宁乡人。刘少奇是中国共产党最早的党员之一。他也是中华人民共和国重要的缔造者之一。1949年9月，刘少奇同志在中国人民政治协商会议上，当选为中央人民政府副主席。1959年4月，刘少奇同志在第二届全国人民代表大会第一次会议上当选为中华人民共和国主席。

刘少奇特别体恤群众的疾苦，关心群众的生活，受到人民群众的爱戴。

在我国早期职工运动中他竭力倡导的重视工会组织作用、提高职工群众觉悟、关心广大工人切身利益的思想，至今仍然具有指导意义。

新中国成立以后，刘少奇同志作为党和国家的主要领导人之一，积极参与制定和贯彻执行社会主义革命和社会主义建设的路线、方针、政策。他坚持社会主义道路，坚持无产阶级专政，坚持共产党的领导，坚持马克思列宁主义、毛泽东思想。在我国生产资料所有制的社会主义改造基本完成以后，他代表党中央在党的第八次代表大会所做的报告中，主张把党的工作着重点转移到经济建设上来，集中力量提高社会生产力。在60年代初经济困难时期，他深入了解实际情况，倾听群众呼声，深切关怀国家的安危和人民的疾苦，坚决支持调整、巩固、充实、提高的正确方针，并取得了卓越的成效。

刘少奇同志和人民同呼吸共命运。他强调国家主席是人民的勤务员，革命工作没有高低贵贱之分，在任何岗位上都应该全心全意地为人民服务。对于工作中的缺点和错误，他总是从人民的利益出发，勇于纠正，勇于承担责任。

好在历史是人民写的

刘少奇在新中国最惨痛的10年历史上演出了一幕不忍卒睹的悲剧。这不仅是一个老人的悲惨命运，一位国家主席的不白之冤，更是一个民族鲜血淋漓的伤口。刘少奇是在他70岁生日的前一个月被打成“叛徒、内奸、工贼”，被“永远”开除出党的；是在他71岁生日差12天含冤离世的。后来人们还知道，在这一年当中，这位老人乌唇紧锁，一言未发，当他躺在火化炉前的时候，中国人民所熟悉的刘主席的那一头银发，竟有一尺多长！在刘少奇最后的岁月里，他的心髓脑髓，甚至骨髓里只剩下了九个字：好在历史是人民写的！

“零落成泥碾作尘，只有香如故。”刘少奇用他的生命，为我们的国家走向民主与法治，走向富足与强大，走向和平与幸福铺下了基石。他的国家终将繁花似锦，而他永远长埋地下。我们只能用一个信念告慰他的亡灵——“好在历史是人民写的”，好在历史到了由人民来写的时代。

儿时被乡友们称做“刘九书柜”，革命后被中国共产党公认为理论家的他，生性温良，一辈子写下无数文章，极难得见他使用惊叹号，而在“好在历史是人民写的”这九个字后面，想必他会用，该用。如果他还是没用，那么有人会为他用！

1980年5月17日，中共党史与新中国历史上最大的一桩冤案得以昭雪。如今又是20年过去，好在人民已写清“四人帮”的历史，好在人民已写清许多好人、恶人，以及又好又恶的人的历史。但是历史究竟多大程度地还给了人民一个真实的刘少奇，特别是历史将多大可能地为中国的后代留下刘少奇的全部？！这实实在在是一个令人扼腕的问题、令人痛心的问题。

刘主席，原来是一个地地道道、厚厚道道的平民主席。

刘少奇为了他的人民奋斗了半个多世纪，在白区，他把自己藏在人民中间；在红区，他把自己化在人民中间，他给人民留下的除了一个名字，再有就是一个朴素而又朴素的“同志”。1954年9月27日，在中华人民共和国第一届全国人民代表大会上，刘少奇当选为首届委员长，在那天夜里，他的秘书走进他的办公室，三呼“委员长”不得其应，事后刘少奇郑重地告诫身边工作人员：“在我们党内，只有三个人：一个是毛主席，一个是周总理，一个是朱总司令，大家称他们主席、总理、总司令，都习惯了，不必改。其他人，应该一律互相称同志。”

至死，刘少奇未改不称其他人职务，也不许他人称其职务的戒条。刘少奇所著的《论共产党员的修养》，填补了马列主义关于共产党自身建设的学说，他自己则为这学说扎扎实实地树立了一个纯粹的范本，直到他走进历史，想记住的人更多地也仅是记住了一个“少奇同志”，而不是“刘主席”。共产党员，将自己的身前身后修养到此等境界，普天之下，能有几人？

刘少奇，他坐在主席的椅子上，想的是国家的事，办的是百姓的事。打下了天下，他是真的把老百姓的小日子当做“中心”！导致他被打倒的“错误”也大多是来自他的“小民意识”！

刘主席，原来是一个地地道道、厚厚道道的平民主席。

这，便是人民在历史暗房中对于刘少奇的最初显影。

真人真理终归要大白于天下。正如新中国早晚要重新梳理它的大事记，中国人民早晚会与他们的所有领袖平起平坐，搞清楚他们共同的开国史，古老的中华民族也早晚能够接受发生在它命运当中的全部的经验教训，在符合它的国情民俗的道路上迅跑疾奔，兴旺发达。一个人的悲欢史与一个国家的兴衰史，像刘少奇与新中国这样一息一脉，丝丝相扣者，中外罕见。

（参见徐焰先生《八十年八十人》等著作）

点评刘少奇

关于刘少奇，为什么要说的更多一点，是因为包括湖南人在内的中国人基本上对他都不算很了解。“文革”中，刘少奇受到了极大的污蔑和打击，覆盖在他身上的许多淤泥浊水还没有完全擦拭干净，再加上少奇同志本人谦虚谨慎、低调平和的做人风格，使他的个性没有能够彰显出来，使得这样一个伟大人物在大众当中的形象始终模模糊糊。

人们还不太认知这位平民领袖，却无损于他的历史地位和未来的影响力。孔夫子说：人生三件大事——立德、立功、立言。刘少奇在这三件大事都做得完美卓越，他的人格高尚、人品端正、位高权重却一尘不染，其亲和睿智的形象党内无出其右；刘少奇是共和国的主要缔造者之一，其文治武功都可以列入前三名之列，功业之巨，举世公认，而且像他这样在军事、经济、政治和文化上均不同凡响，党内很少有人可以媲美；刘少奇还是卓越的理论家和笔杆子，不要说他的《刘少奇选集》，就是那本《共产党人的修养》，就堪称“党内《论语》”。

还有一点常常被人忽视，那就是刘少奇是因为坚持真理而死的，他是马克思理论科学发展史上的布鲁诺，为了坚持真理，不惜献出生命，这是怎样的大智大勇！

对人民无限真诚，是所谓忠；

为真理不惜献身，是所谓勇；

驭己甚严而对人甚宽，是所谓仁；

大事小事均不糊涂，是所谓智。

忠勇仁智俱备，文治武功齐全，而且其身后的评价越来越高，湖南人中无出其右，刘少奇，的的确确是湖南人中的第一完人。

湖南人中的第一直人——彭德怀

我为人民鼓与呼！

——彭德怀

正气直言的彭老总

谈起彭德怀这个名字，无数人会从心中升腾起敬佩和感叹。战争年代，毛泽东曾为他赋诗——“谁敢横刀立马，唯我彭大将军。”他的同乡、早年同在湘军一个班当兵、后又一起长期战斗的陈赓大将也曾评价说：“他可算是我党我军内头号正直的人。”彭德怀对敌人的雷霆之威，对人民的赤子之爱和生活作风的冰雪之洁，在党内军内树立起光辉的榜样。

我从小饿怕了，后来总是怕人民挨饿

彭德怀，原名清宗，字怀归，号得华，1898年出生湖南湘潭县，与毛泽东是同乡。据他自述，小时“家贫如洗”，只读过短期私塾。因母亡父病，和祖母及两个弟弟讨过饭，因不愿受欺负经常不去而挨饿。

几十年后，彭德怀每忆至此便伤心落泪。为家人生计，他

13岁便到煤窑做工，闲暇时又喜欢读书，在苦难中形成倔强性格和反抗的志向。

1916年，彭德怀参加湘军，六年后因路见不平杀了恶霸，逃离部队入湘军讲武堂。毕业后虽官阶不断升迁，他却痛感社会黑暗。1926年，他结识了共产党员段德昌，了解到革命道理，明确了解救穷人应走的道路。1928年，彭德怀秘密加入共产党，7月间他以团长身份奉命到湖南平江镇压农民，却乘机发动起义，将所部改为红五军，并担任军长。

为了学习建军经验，他率红五军一部上了井冈山与朱毛会合。在敌人攻山、部队突围时，他裹着一条毯子从峻岭上滚下来，两日内粒米未进，仍率部突围成功。1930年，他任红三军团总指挥，率部一度攻占长沙。之后，他随毛泽东进入中央苏区，在反“围剿”和长征中战功卓著。到达陕北后，他任红一方面军司令员。

抗战时期，他率八路军总部东进，任副总司令，直至全国解放，与朱德并列为全军正副总司令。在抗日战场上，彭德怀指挥过百团大战，并担任中共北方局代理书记，统一领导华北地区党的各项工作。

在1945年的中共“七大”上，他当选中央委员和政治局委员。解放战争期间，他负责西北战场，指挥只有几万人的西北解放军同国民党数十万大军周旋，完成了战略牵制任务并最后解放了西北。

1950年10月，朝鲜战局恶化。面对美国的嚣张侵略气焰，彭德怀坚决支持毛泽东出兵参战的主张，并担任中国人民志愿军司令员。在与世界上现代化水平最高的对手的较量中，我人民志愿军打出国威军威，将美军由鸭绿江边赶回到三八线。

彭德怀于1952年回国主持军委工作，1954年任国防部长，翌年在授十大元帅军衔时排名第二。1959年，他通过调查发现“大跃进”的严重问题，便在庐山会议上对“左”的错误提出尖锐批评，因此被错误打击和撤职。此后，他住颐和园附近的挂甲屯六年，一面参加中央党校的学习，一面决心“自食其力”，主要吃自己种的粮和菜，并苦苦思考建设问题。

1965年秋，毛泽东找他谈话。说到庐山会议时，毛泽东表示“也许真理在你那边”，并要他到西南任三线建设副总指挥。“文革”开始后，他被造反派揪到北京，在关押审查期间患重病，于1974年11月去世。

当癌扩散病势垂危时，主持军委工作的叶剑英派人问他有什么话说。彭德怀虽已肢体瘫痪、说话不清，但记录本上仍留下他断断续续挣扎着发出的言语——“我们国家建设，战略防御设施不完备，国防工业和科研跟不上需要，这是我最担心的……”

耿直成就一生

在党内和军内，彭德怀都是一个在特定环境中成长起来的独特人物。他从小生活极艰难，没有多少读书条件却毕生愿意研究思考；他戎马一生，虽身负军旅重任却总在关心民间生活疾苦。这是因为他正处在中国新旧思想和新旧社会交替的历史变革时代，最切身地感受到乡村人民的艰苦，又长期目睹旧官场的腐朽黑暗。巨大的反差和小时就形成的倔强性格，使他在战场上能舍身冲杀，面对党内和社会上的不平事能拍案而起。

彭德怀的杰出之处，还在于他始终在探索真理。上井冈山后，他视毛泽东为兄长、老师，从此系统学到了革命理论。但是他不盲从，在党内领导中他是最晚由叫“老毛”而改称“主席”的人。后人看来，他在庐山上与党的最高领导的分歧，属于他们对建设社会主义都缺乏经验时的探讨争论。不过正由于有这种探讨争论，才能最后找到真理。1978年末，中共中央十一届三中全会正式为彭德怀平反昭雪，并宣布了他去世的消息。许多干部群众闻讯后悲欣交加。

回顾彭德怀个人及他所深爱的国家和军队的这一曲折历程，人们不禁会发出感叹：要想强国富民，永远驱走让彭德怀始终担心的那种贫困和饥饿的阴影，赶超世界先进水平，固然需要艰辛的工作，同时也需要学习彭德怀这种探索真理时敢于直言的无畏精神。

不吃摆宴招待，节俭出了名

解放军中的老一代都知道，彭老总的生活节俭是出了名的。他走到哪里，没有人敢摆宴招待，因为他不但不吃反而会骂。在西北战场上，他身为野战军司令员，却和战士一样吃大灶。警卫员给他买一只鸡，受到严厉批评后还被撤换。入朝初期，部队几个月吃不上菜，彭德怀自己也坚持不吃。当时官兵一年换一套棉衣，他以自己磨损少为理由两年领一件。

他无儿无女，工资大都用于接济同志。被罢官到西南，他还看望当年为红军在大渡河摆渡的老船工，告别时把口袋中的钱都掏出相赠。“文革”中有人揭发这是“收买人心”，彭德怀听后拍案而起：“人家当年是拼命给红军干的，我给什么能把人家收买得了啊！”彭德怀身为国防部长时，却总愿去农村调查。

1959年回到故乡，他看到虚假的统计数字下，群众却是饥饿浮肿，难过得流下眼泪。尽管一些老友已提醒他“功高震主”、“言多必失”，他却仍全然不顾。彭德怀把一位老红军赠来的诗修改了一下，拿来对“大炼钢铁”提出尖锐批评——“谷撒地，薯叶枯，青壮炼铁去，收禾童与姑。来年的日子怎么过？我为人民鼓与呼！”

尽管为此他个人受到批判，却在亿万人民心目中树立起丰碑。　　（摘自徐焰先生《八十年八十人》）

点评彭德怀

“横刀立马为民谋，

晚景凄凉千古忧。

刚正不阿耻权术，

万言上书誉神州。”

这是上将张爱萍悼念彭大将军的一首著名的诗篇。这首诗准确地表现了彭德怀的两大品格：爱人民，讲直话。

因为爱人民所以讲直话，这是湖湘文化的一大传统。湖南人的导师屈原不就是因为爱国家和人民而进忠言最后获罪的吗？

湖南人生猛，是因为他们心底无私；

湖南人刚直，是因为他们无私无畏。

生猛刚直的人，应不应该得到保护和发扬？是一个摆在每个人良心面前的重大课题。彭大将军因为这一点付出了血的代价，希望他的后继者能够免除“说直话获罪”的恐惧。

湖南人中的第一好人——雷锋

我愿做革命的螺丝钉

——雷锋

普通一战士生活为人民，在中国共产党和人民解放军的队伍中，人人都记得毛泽东提出的“向雷锋同志学习”的号召。这位解放军的普通战士，在党的培养下成长为全国人民的好榜样，他身上的魅力不仅是共产主义精神的体现，同时也是对中华民族传统美德的最好诠释。

不满7岁成了孤儿，新中国成立后走上一条由儿童团长、政府公务员、农场拖拉机手、工人到解放军汽车兵的道路。

身高、体重均不符合征兵条件，因政治素质过硬和有经验技术，被破例批准入伍；牺牲后抚顺市近10万普通市民自发护送他的灵柩。

雷锋，原名雷正兴，1940年出生在湖南省望城县一个贫苦农家。父亲在湖南农民运动中当过自卫队长，后遭国民党和日寇毒打致死。母亲张元满在受到地主的凌辱后，于1947年中秋之夜悬梁自尽。雷锋不满7岁就成了孤儿，被好心的六叔奶奶收养。幼年雷锋上附近蛇形山砍柴时，被地主婆用刀在左手背上连砍三刀。所以，他从小对黑暗社会充满仇恨。

1949年8月，湖南解放时，小雷锋便找到路过的解放军连长要求当兵。连长没同意，但把一支钢笔送给他。1950年，雷锋当了儿童团长，积极参加土改。同年夏，乡政府保送他免费读书，后来加入少先队。1956年夏天，他小学毕业后在乡政府当了通信员，不久调到望城县委当公务员，被评为机关模范工作者，并于1957年加入共青团。1958年春，雷锋到团山湖农场，只用了一周的时间就学会了开拖拉机。同年9月，雷锋响应支援鞍钢的号召，到鞍山做了一名推土机手。翌年8月，他又来到条件艰苦的弓长岭焦化厂参加基础建设，曾带领伙伴们冒雨奋战保住了7200袋水泥免受损失，当时的《辽阳日报》报道了这一事迹。在鞍山和焦化厂工作期间，他曾3次被评为先进工作者，5次被评为标兵，18次被评为红旗手，并荣获“青年社会主义建设积极分子”的光荣称号。

1959年12月征兵开始，雷锋迫切要求参军，焦化厂领导舍不得放他走。雷锋跑了几十里路来到辽阳市兵役局（现人武部）表明参军的决心。他身高只有1．54米，体重不足55公斤，均不符合征兵条件，但因政治素质过硬和有经验技术，最后被破例批准入伍。

雷锋入伍后，他被编入工程兵某部运输连四班当汽车兵。1960年11月，他加入了中国共产党。他入伍后表现突出，沈阳军区《前线报》开辟了“向雷锋学习”的专栏。在不到三年的时间里，他荣立二等功一次、三等功两次，被评为节约标兵，荣获“模范共青团员”，出席过沈阳部队共青团代表会议。1961年，雷锋晋升为班长，被选为抚顺市人民代表。1962年8月15日，他因事故不幸殉职。两天后，抚顺市望花区政府礼堂召开了隆重的追悼会。近十万普通市民自发地护送雷锋的灵柩向烈士陵园走去，很多人泣不成声。

雷锋成了英模之后有些人不服气。卸车时，有人指着装满200斤高粱米的麻袋让他扛。雷锋心里很不好受，事后却心平气和："我虽然扛不动200斤的麻袋，但我能干好能干的工作，并且比别人干得更出色。"

1963年3月5日，毛泽东发表了"向雷锋同志学习"的题词，在全国范围内掀起轰轰烈烈的学雷锋运动。雷锋精神的传播，极大地改变了社会风貌，教育影响了几代人。

几十年来，每逢3月，人们就以学雷锋的具体行动纪念他。在极"左"时期，有人将雷锋神化；商品经济时期，又有人竭力将他贬低。但是，任何社会都需要美好的事物，雷锋不仅仅属于一代人，他的精神已穿越了时空。

雷锋被人们称为共产主义战士，是因为他有着高尚的理想、信念、道德和情操；他的价值，在于他把自己火热的青春全部献给了党，献给了人民。他常说："革命需要我去烧木炭，我就去做张思德；革命需要我去堵枪眼，我就去做黄继光。"他干一行爱一行，入伍时由于身小臂力弱，投手榴弹不合格。他天不亮就悄悄地出去练习，终于在考核中取得优秀成绩。

有关雷锋做好事的故事多少年来脍炙人口，他的名字成了做好事的象征。有一次，雷锋因腹疼到团部卫生连开了些药回来，见本溪路小学的大楼正施工，便推起一辆小车帮着运砖。当市二建公司敲锣打鼓送来感谢信时，部队领导才知道这件好事。雷锋是孤儿又是单身汉，在工厂有工资，入伍时有200元的积蓄。后来，他把100元钱捐献给公社，辽阳地区遭受水灾时，他又将100元寄给了辽阳市委。雷锋入伍当年每月有6元钱的津贴，全用于做好事。自己的袜子补了又补，平时舍不得喝一瓶汽水。

从 1961 年开始，雷锋经常应邀去外地作报告，人们流传着这样一句话："雷锋出差一千里，好事做了一火车。"一次，雷锋外出换车发现一个背着小孩的中年妇女车票和钱丢了，就用自己的津贴费买了一张去吉林的火车票塞到大嫂手里。这样的事情不胜枚举。

在部队里，雷锋对待同志像春天般温暖，帮助同班战友乔安山认字、学算术；为小周病重的父亲写信寄钱；为小韩缝补棉裤。每逢年节，雷锋想到服务和运输部门最忙，便叫上同班战友直奔附近的瓢儿屯车站，帮着打扫候车室，给旅客倒水。孩子们学雷锋做好事，曾受到一些人在背后非议。不少同学不解，问雷锋为什么做好事这么难？雷锋朴实地说："做好事就不要计较别人说什么，只要对人民有益，就应该坚持做下去。"

《雷锋日记》当年曾印刷过数千万本，里面的许多警句教育了全国几代人。毛泽东看过也称赞"此人懂些哲学"。

1962 年 8 月 15 日上午 8 点多钟，雷锋和助手乔安山驾车从工地回到连队车场，不顾长途行车的疲劳立即去洗车。当时，战士们在路边栽了一排约两米高的晒衣服的木杆，顶上用 8 号铁丝拉着。雷锋让乔安山开车，自己下车引导，指挥乔安山倒车转弯。汽车的前轮过去了，但后轮胎外侧将木杆从根部挤压断。受顶部铁丝的作用，木杆反弹过来，正好击中雷锋的右太阳穴，当场就打出血来，雷锋昏倒在地。战友们立即用担架把他送到抚顺矿务局西部职工医院抢救，副连长又开车飞速赶到沈阳 202 医院请来医疗专家。但由于颅骨损伤，脑颅出血，导致脑机能障碍，雷锋不幸去世，年仅22岁。

（摘自徐焰先生《八十年八十人》）

点评雷锋

对于那些70年代后出生的一代，雷锋是勾起我们过往回忆的一个英雄。是我党有史以来最成功推出的一个榜样人物。

与“雷锋”这一关键字密不可分的，是“助人为乐”，本不是成语，但这四个字与成语一样牢不可分。雷锋的功劳至少为中文发展了一个成语。现代人抗拒被人“洗脑”。现在我们更愿意讲“自我实现”。但细思量，“自我实现”与“助人为乐”殊道同途，自身价值何从体现，不就是自己有为别人利用的价值吗？所以，至少，对别人来利用自己，应该持欢迎态度吧。如果你更进化一点，那就主动创造条件去被别人利用。雷锋的助人为乐，其内核不正如此吗？

我们活着，其内驱力不就是快乐吗？助人也是获得快乐的重要途经。哪天你不快乐了，逮住一个机会向身边人伸出援助之手。心头即升起艳阳天。这不是传教，是心理疗法。与其说去帮别人，不如说是帮自己。

故此，不管怎么说，“雷锋”只是一个载体，载体似乎已经老朽，但所承载的精神依然鲜活。

雷锋，一个最纯粹的湖南人，因为他纯粹得不能再纯粹，所以，也成为最难效法的中国第一好人。

第三章 中国人中的珍稀品种

——湖南人现象分析

湖南人现象——世界人才史上的奇观

“中国如今是希腊，湖南当作斯巴达，中国将为德意志，湖南当作普鲁士，若道中华国灭亡，除非湖南人尽死。”——湖南人“天下兴亡，匹夫有责”的精神加上断头洒血、粉骨碎身也在所不惜的顽强劲头决定了他们具有稀有的血性精神。

钱钟书先生曾说：中国只有三个半人，两广算一个人，湖南算一个人，江浙算一个人，山东算半个人。但湖南人的影响似乎要更深远一些。

这句话说出了湖南人的特性：湖南人虽然人口不多，但是却卓然屹立于中国大家庭，成为个性峥嵘贡献至伟的特殊人群。

从这个意义上说，湖南人可以算是中国人中的珍稀品种。为什么这样说？概之有三：

一、湖南人不多，地不大，却人才辈出，引领中国历史近200年。

湖南省的地域面积在全国属于后排，占国土面积的2.2%，且处于内陆。湖南省的人口也不算多，全国每20个人中还不到一个湖南人。但是恰恰是这个多山闭塞而且开发历史不长的省份，担负起了领导中国历史潮流的任务。近200年来，湖南涌现的人才不仅仅是领导了中国，而且影响了世界。

清末出现了曾国藩、左宗棠、胡林翼、罗泽南、彭玉麟、曾国荃、郭嵩焘等挽救清朝危机的“中兴名臣”，曾、左位至军机大学士，彭玉麟位至兵部尚书。整个湘军系统中，位至总督者15人（其中有4位非湘籍，但都是曾国藩保举的，包括原湘军幕宾李鸿章等）；位至巡抚者14人；位至布政使、按察使、提督、总兵、参将、副将、州、府道员的不可胜计。

从旧民主主义革命开始，湖南则涌出黄兴、蔡锷、宋教仁、陈天华、禹之漠、马益福、刘道一、刘揆一、杨毓麟、焦达峰等一大批民主革命的领袖人物和革命英雄。

至于像魏源这样杰出的思想家，谭嗣同、唐才常这样的维新志士，是用智慧和鲜血点亮了照彻暗夜的薪火。

毛泽东、刘少奇、彭德怀、贺龙、罗荣桓、任弼时、林伯渠、李富春、陶铸、胡耀邦……这些党和国家的高级领导人、无产阶级革命家几乎尽人皆知。

有历史学家说，中国的近代史有一半是湖南人给写出来的。这决不为过。湖南人在中国的近代历史进程中担负起一个中流砥柱的作用。

二、湖南人总是在历史的关键时刻发挥力挽狂澜、承先启后的关键作用。

是谁去维护中国的西北边疆的土地？是谁第一批睁眼看世界？是谁想到要开办近代工业以图自强？是谁奠定了中国近代海军的地位以防外敌入侵？是谁为中国的维新改革留下第一滴血？是谁为缔造了一个让人民当家作主的国家而献出六位亲人的生命？是谁为了人民利益进尽忠言九死无悔？……

是湖南人！

湖南的特有的湖湘文化造就了特有的湖南人，刚强、吃苦、勇猛、顽固、开拓、自强、识大局、敢为天下先的精神指引着湖南人。连傲慢的日本民族都说，就苦干硬干不要命的这一条上看，湖南人特别像日本人。

湖南人能在近代中国奋发有为的历史一再证明，大凡湖南人只要认准了一个目标，有了一种思想主张，就不会轻易改变。而总是以“虽百万人军中，吾往矣”的无畏气概，为这种目标、主张的实现而进行不折不挠的搏击，至于势之顺逆，人之毁誉，则全然不去顾及，即使断头洒血、粉骨碎身也在所不惜。总的说来，湖南人的性格是很特殊的一种，刚是其内核，韧是其灵魂，灵是其气质，它是一种自强不息的精神，是一种敢为天下先的气概。

三、湖南人现象是中国和世界人才史上的奇迹。

战国时期的屈原，论对中国文化的影响，其重要作用不多说，起码没有屈原就没有今天的“端午节”。东汉时期蔡伦的

"造纸术"其意义怎么评价都不为过。从这之后，在中国漫长的历史长河中很难再看到颇有影响的湖南人的身影。细想起来，这也没什么奇怪，因为在这相当长的时期内，中国社会没有发生称得上是改变中国命运的重大事件，有的只不过是朝代的更替、诸侯的割据、分而统、统而分而已。中国仍按其固有的轨迹运行着，没有跳出历史的大循环。所以，梁启超说：一部中国史，3000年如一日。

历史学家说，是湖南人把中国的3000年的封建史给扭了一个方向。从魏源等近代湖湘学者坚决冲破顽固派的"祖宗之法不可变"的陈腐观念，强调只有变法才是出路，使统治了中国3000年的封建史受到了挑战。最终也是在湖南人手里结束了中国的王朝循环史，中国从此走上了新的历史轨道。

湖南刚开始是最不引人注目的地方之一，一位历史作家说：5000年中国历史，基本上可以不用湖南两个字。

然而，湖南人的一声呐喊，犹如石破天惊。发出这声呐喊的是湖南邵阳人魏源。

魏源可以说是中国最早倡导改革开放的理论家。他喊出了"师夷之长技以制夷"的口号，唤醒中国人睁开眼睛看世界。5000年的梦醒了。

而曾国藩、左宗棠等湘军头目，则是以自己的社会政治实践实施"师夷长技"的理论，他们就成为中国近代化运动的第一阶段——洋务运动的领袖人物。

近代史中，最令人尊崇者当为发出名言"我自横刀向天笑"的为中国近代改革第一个流血的烈士——谭嗣同。戊戌变法，湖南是唯一推行光绪帝新法省份。变法失败，唐才常在两湖发动自立军起义失败，死者千数，此皆为谭嗣同所办时务学堂学生。以后大批志士仁人投身湖南人黄兴的民主革命旗下（孙中山长年海外筹款），再加上解散后的湘军加入哥老会，十年之后，辛亥革命终于在两湖地区起义成功。

再造共和初时，孙中山为大局着想，功成身退，袁世凯手握兵权，于国民军与清庭间翻云覆雨，最后竟刺死湘人宋教仁，重新恢复帝制。这时曾辑录《曾胡治兵语录》的谭嗣同的学生军事思想家湖南人蔡锷，以两千云南兵起义，对抗袁的十万大军，恢复了共和。

蒋介石的中华民国并没有实现国家统一和民族自尊。直到毛泽东领导的中国共产党才实现国家的独立自强。湖南人出了毛泽东、刘少奇、彭德怀、贺龙、罗荣桓等军事家及政治家，前赴后继，为中国的独立繁荣和富强不懈奋斗。

如今的湖南人依然在中国政治舞台上发挥特殊的作用。长沙人朱镕基，担任国务院总理，他铁面无私，严惩贪官污吏，为中国经济的稳定、健康、快速发展立下汗马功勋。

现在的湘人仍在政治、经济、军事、文化上接续湖湘学派“道不离器”、“明体达用”的经世致用哲学，其积极作用犹如长江之波连绵不断，而且一浪高过一浪。湖南因地理环境的特点和人文传统的优势，在中国近代史上，人才辈出，精英云集，自曾国藩以来，左右中国政局百余年，至今不衰。正如毛泽东的先生杨昌济所指出的，“湘省士风，云兴雷奋，咸、同以还，人才辈出，为各省所难能，古来所未有。”

中国的很多地方都出人才，但像湖南这样成批次不间断地推出杰出人才群体的地方，却是绝无仅有的。像湖南人这样的人才群落，堪称世界人才史上的奇迹。

第一节 不得了的湖南人

人不多，地不大，却人才辈出，领导中国，影响世界

湖南人很聪明，这几乎是大半个中国人的共识，从很多民间的传说，我们也能窥出一斑，据说，随便找一个不识字的湖南老倌，他会从三皇五帝一直谈到慈禧太后，说得头头是道。

湖南人聪明，在湖南至今流传着一个故事：说的是唐代向朝廷纳粮，由澧水下洞庭，经水路到京城，由于历时太长，皇粮成了霉米，于是湖南人便想出了只纳钱、不纳粮的主意。可这样的大事如何向皇帝开口？湖南的新科状元便在皇帝每日必经的路口用蜜糖写了“澧州粮米可免”六个字。皇帝出恭，看路旁蚂蚁堆成了字，便随口念了出来，语音刚落，暗隐在侧的状元便跪下谢恩。这传说真实性如何且不论，但湖南人的聪明才智从这传说中便可见一斑。

有一种说法：“半部中国近代史乃湘人写就。”

湖南的地域范围在全国算不上大省，人数也算不上全国的前几位，还是一个内陆省份，但是自鸦片战争爆发以来到中华民国草创之初，时间不到100年，湖南涌现出来的人才，论质论量，在全国都是首屈一指的。

魏源、曾国藩、左宗棠、彭玉麟、胡林翼、刘坤一、郭嵩

泰、谭嗣同、杨度、熊希龄、黄兴、蔡锷、宋教仁……屈指一数，至少有百余为荦荦英豪，在政治、军事、文化、艺术、宗教等诸方面，对近代、现代中国产生了强有力的辐射波，毫不夸张地说，国家之兴衰和民族之存亡曾系于他们一身。

湖南人从“无湘不成军”到“无湘不成事”，从当初“蛮荒之地，人才鲜少”到后来“湖南一省之幸运，即为全国诸省之不幸”，近代湖南人才辈出超出常人的想象。现代文人汤增璧曾说：“湖南人士矜气节而喜功名。”另一位湘籍人士说：“湖南人有特性，特性者为何？曰：好持其理之所自信，而行其心之所能安；势之顺逆，人之毁誉，不遑顾也。”以此言证之曾国藩、谭嗣同、黄兴、蔡锷以及毛泽东，无一例外。

从旧民主主义革命开始，湖南则涌出黄兴、蔡锷、宋教仁、陈天华、禹之谟、马益福、刘道一、刘揆一、杨毓麟、焦达峰等一大批民主革命的领袖人物和革命英雄。

至于魏源这样杰出的思想家，谭嗣同、唐才常这样的维新志士，是用智慧和鲜血点亮了照彻暗夜的薪火。

毛泽东、刘少奇、彭德怀、贺龙、罗荣恒、任弼时、林伯渠、李富春、陶铸、胡耀邦……这些党和国家的高级领导人、无产阶级革命家几乎尽人皆知。

1955年授衔的十大元帅，湖南有3位（彭德怀、贺龙、罗荣桓）；十员大将，湖南人占了6位（粟裕、黄克诚、陈赓、谭政、肖劲光、许光达）；57员上将，湖南人有19位（王震、邓华、甘泗淇、朱良才、苏振华、李涛、李志民、李聚奎、杨勇、杨得志、肖克、宋任穷、宋时轮、陈明仁、钟期光、唐亮、陶峙岳、彭绍辉、傅秋涛）；100多名中将，湖南人有45位。

著名的革命先烈，还有蔡和森、何叔衡、邓中夏、郭亮、毛泽民、毛泽覃、杨开慧、黄公略、王尔琢、左权、段德昌、向警予……

湖南长沙在文化、教育、艺术方面的名人数量虽不及江浙一带，但为数也不少。特别是近代湖南知识界实行教育救国以来，这类人才大量涌现。大致可分三大人才群体：

一是社会科学家群体，以哲学家和历史学家居多。如哲学家李达、金岳霖、蔡仪、李泽厚，历史学家周谷城、翦伯赞、吕振羽、杨荣国，以及语言文字学家杨树达等。

二是教育家群体。这是湘城人民最引以为荣的一个人才群体，他们创立和培育了一批全国知名学校，向海内外各条战线输送了无以数计的优秀人才。明德中学创始人胡元倓、周南女中创始人朱剑凡、省立一中校长符定一、第一师范校长易培基、湖南大学校长胡庶华、长郡中学校长王季范、雅礼中学校长劳启祥等，无一不为湘城父老和湖湘学子所敬仰。

三是文学艺术家群体，谓之“文艺湘军”。如作家萧三、丁玲、谢冰莹、周立波，美术家齐白石、杨应修、李立、陈白一，剧作家田流、欧阳予倩，音乐家黎锦晖、贺绿汀、吕骥，电影明星黎明晖、王人美、胡萍等，名气之大，作品流传之广，可谓家喻户晓。

20世纪进入下半期，三湘大地又崛起了一个令世界瞩目的人才群体，这就是湖南院士群体。早在1948年3月，中央研究院首次选聘院士81人，湖南就有6人当选，其中5人为长沙籍。中华人民共和国成立后，自1955年中国科学院先聘学部委员（1994年改称院士）和中国工程院1994年选聘院士以来，全国的两院院士已有1000多人，其中湖南院士达百余名。湖南院士包括湘籍院士和长期在长沙工作的外省市籍院士。据初步调查，湖南院士共有104名，其中湘籍院士82名(湘籍院士中长沙籍和曾在长沙读书的达52名)，在长沙工作的院士目前还有22名。不少院士在国际上享有很高声誉，在国际科技某一领域创下了许多第一，或成为某学科的创始人和开拓者。1992年邮电部发行一套四枚的“中国著名科学家”纪念邮票，长沙就占去2人，一位是世界上第一个分离出沙眼病毒依原体的微生物学家汤飞凡；一位是中国骨肠病学创始人之一的医学家老孝骞。还有在国际上首先提出粒子旋转态振幅的理论物理学家周光召，被誉为“杂交水稻之父”的农学家袁隆平，有“地洼学说之父”美誉的地质学家陈国达等。像这样享有国际盛誉，在某一领域有开拓性创新的两院院士，长沙不下数十人。

从上述介绍可知，“长沙名人”集中于政治、军事、文化和科技领域，在工商业和经济管理领域鲜有像荣毅仁、王光英、胡厥文那样显赫人物的出现。“实业界名人”寥寥无几。这不能不说是湖南近代人才结构的一种缺陷。

对此，正如毛泽东的老师杨昌济所指出的，“湘省士风，云兴雷奋，咸、同以还，人才辈出，为各省所难能，古来所未有。自是以来，薪尽火传，绵延不绝。近岁革新运动，湘人靡役不从，舍身殉国，前仆后继，固由山国之人气质刚劲，实亦学风所播，志士朋兴。夫支持国势原不限于一地之人，然人才所集，大势所趋，亦未始无偏重之处。”

无湘不成军

湖南人会打仗，这是历史对湖南人的评价。从曾国藩、左宗棠组建湘军开始，湖南近代就有从军习武的风气，没打过仗的曾国藩建湘军，得了“无湘不成军”的美名。

关于湖南有两句话，第一句是“惟楚有才”，第二句是“无湘不成军”。可见其文武兼备，湖南文人众多，但湖南文人有一股湘民的“蛮”劲，才有谭嗣同之类的硬汉文人，有沈从文之类的“乡下人”，有丁玲之类的“武将军”，湖南人重事功，所以文人似乎喜从军，“宁为百夫长，胜做一书生”；湖南军人骁勇善战，湘军名声显赫，但从曾国藩到毛泽东，湘将大多有儒雅之风。

浏阳河边出了个伟大领袖毛泽东，至于刘少奇、彭德怀、任弼时、贺龙等等数不胜数的伟人也都是湖南人。湘人多骁勇，战争的检验，是最合适的了。共和国成立之后，被封的十大元帅中有三位湖南人在三位湘籍元帅中，彭德怀和贺龙均为行伍出身，而罗荣桓是书生出身。而十位大将中，湘人竟占了六位。可见湖南人与勇敢是紧紧相连的。

蒋介石组织的四十五个军，有十六个军长是湖南人。蒋介石当校长的黄埔军校中，被老蒋最欣赏的“黄埔三杰”（贺衷寒、蒋先云、陈赓）全都是湖南人。在当时的国民党军中一直流传着四句话：

广东人出钱，

湖南人出力，

浙江人做官，

江苏出“太太”。

这话未免刻薄，江苏人听了也不高兴。然而，它却反映了一定的现实。

杨度曾经用诗描绘过湖南人的“尚武精神”：只今海内水

陆军，无营无队无湘人。

从军征战，生死未卜，本是常人避之不及的事情，但湖南人却争先恐后，"城中一下招兵令，乡间共道从军乐"，在中国传统的士农工商四大职业之外，湖南人单独开辟出了一个军人职业，使参军成为湖南人的一门显赫的职业。

湖南这块地方，家有三兄弟的，几乎就有二人参加军队。在那兵荒马乱的岁月，仿佛只有当兵才是唯一的出路。比如说红军著名将领黄公略为例，黄公略高小毕业后，本来在山冲里当孩子头，教蒙馆。可是，他不甘于跟孩子们打交道，十六岁那年，便一投笔从戎，成了湘军中的一个下等兵，爬到少校营长，花了十三四年，经过数不清的大小战斗和九死一生的炮火洗礼，终于成为"偏师借重黄公略"的红军重要统帅。

在湖南，"士乃嚣然喜言兵事"，"无湘不成军"，几成传统和特殊的社会风气。

说起来，大批湘军将领多是从"一介书生"、"布衣寒士"而投笔从戎的，其"司马九伐之威"，"踔厉中原、震铄水陆，剑械西域，戈横南交；东挞瓯粤，北棱辽海"，以殊勋生拥位号，死而受谥者数百人。而成千上万出身农民、受过战争锻炼的湘军中下级军官和士兵，却在湘军解散后纷纷加入哥老会。正如《湘军兵志》所言："再过二十年，辛亥革命，哥老会与同盟会联合，就把清皇朝推翻了。当年曾挽回过清皇朝国运的湘军，如今竟然做了清皇朝的掘墓人。"

所有的这些，都说明湘军的崛起无非是湖南特殊的文化传统的必然产物。

无湘不成国

史学家在谈到中国近现代史时，常有“无湘不成国”的概叹。

无湘不成国，的确也是历史检验出来的，毛泽东、刘少奇、彭德怀这些新中国的缔造者都是湖南人，在新中国几十年中国的政坛上就没有少过湖南人，胡耀邦，朱镕基等等都是杰出湖南人的代表。湖南人在中国近200年的历史中占据了显赫的地位。

湖南原来并不是中国的一个重要省份，曾经史学家有“3000年中国历史可以不写湖南二字”的说法。

可就是这样一个不起眼的省份，却能在中国最关键的时期，涌现出一大批风云人物——其他省份是一个一个的出，惟独湖南是一批一批的出“精英分子”，在中国的紧要关头，在我们眼前晃来晃去的大多是湖南人的身影，中国的命运似乎总是和湖南人联系在一起。

鸦片战争后，湖南出了曾国藩、左宗棠、彭玉麟等人物。曾国藩在这一时期的重要作用远比历史学家所评价的要重要得多。我们不妨想想，没有曾国藩及其统率的“湘军”，洪秀全很有可能攻占北京，中国历史上出现一个“太平天国王朝”也不足为奇，至少也会出现南北对峙的局面。所以，对曾国藩的评价应当是，缩短了中国封建社会的历史，维护了国家的统一。

“百日维新”以广东人为主，但掉脑袋的却是湖南人谭嗣同，从此开湖南人闹革命必流血之先例。

“辛亥革命”推翻了帝制，改变了中国的命运。它虽由孙中山领导，但做事的大都是湖南人，所以当时流传这样一句话：广东人革命，湖南人流血。这一时期主要的湘籍人物有：黄兴、宋教仁、陈天华、蔡锷、熊秉坤（打响武昌起义第一枪）、杨度、焦达峰等等。

至于“民国建立”、“新中国成立”等重要时期，湖南人起的作用可以说是决定性的，其风云人物数不胜数。

上个世纪50年代的“抗美援朝”是湖南人毛泽东领导，由湖南人彭德怀指挥的。彭德怀向世界庄严宣告：几个世纪以来帝国主义在世界的东方调来一艘军舰、架起几门大炮就能制服一个国家的时代，从此一去不复返了。

“文革”是湖南人搞起来的，而受害最深的也是湖南人刘少奇。“四人帮”倒台后，中国出现了“解放思想”运动，湖南人胡耀邦起着重大作用。今天中国经济的飞速发展，湖南人朱镕基功不可没。加入世贸，使湖南人龙永图成了家喻户晓的人物。

宝岛台湾也能看见湘人的身影晃来荡去，“政治明星”马英九、亲民党主席宋楚瑜都是湖南人。

如果说悉尼奥运会是中国体育史上的一件大事，那么湖南人起的作用就太大了，8人参赛，拿7金1银3铜，占中国金牌总数的1/4。如果要评选全国最有爱心的人，湖南人雷锋肯定高票当选。

此外，还有一批湖南人在思想、文化、科技、教育等领域有着不可低估的影响，如：魏源、徐特立、章士钊、成仿吾、沈从文、丁玲、田汉、袁隆平、琼瑶等等。

因此有人形象地将湖南人为中国做的贡献总结如下：毛泽

东领导中国人民解放了自己；雷锋为中国人民贡献了无穷的精神食粮；袁隆平所发明的杂交水稻解决了中国人吃饭问题。一个区域为一个国家所做的贡献有如此之大，应该是值得骄傲和光荣的。

无湘不成史

“自清季以降，湖南人才辈出，举世无出其右者”，历史学家谭其骧这样评价湖南人在近现代的历史作为。是的，湖南文有“唯楚有材，于斯为盛”之盛誉，武有“无湘不成军”之美称，以至余秋雨在岳麓书院演讲时就说：近百多年来的中国历史不就在这个地方决定得差不多了吗？

陶澍、贺长龄、魏源等人，他们一个共同点是特别注重学以致用、大力改革吏治，像陶澍在两江总督任上就对盐务漕运等进行了大的改革，成为名震一时的封疆大吏。陶贺诸人廉洁，勤政是有口皆碑，流传不衰的。陶澍等人开湖南风气之先，一改湘省以往碌碌无为的现象，自此之后，湖湘大地，群雄并起，一时蔚为壮观，对湖南的影响是十分巨大的。

曾国藩以一介书生起家，秉承“男儿以无刚为耻”的信念、敢于“打脱牙和血吞”，在湖南创办团练，屡败屡战，敢于扎硬寨，打大仗，终于铸就湘军，扫平太平天国。

湘军将领英勇善战，左宗棠为了收复新疆，历尽千辛万苦，抬棺出阵，为后人赢得了160万平方公里的土地，后虽年老体弱，仍坚持对法作战，甚至亲临前线，直至去世，这位自称“今亮”的左公，真如古亮之“鞠躬尽瘁，死而后已”了，当时人们有言：天下不可一日无湖南，湖南不可一日无宗棠。

可见左公当时的影响。

彭玉麟，这位被曾国藩视为南岳奇男子的湘军水师统领，是一位真正的大丈夫，一生淡泊名利，从军时屡有归隐之心，但只要听说国有危难，便挺身而出，而且彭也是一位至情至性之人，当他心爱的妻子去世之后，便再未有婚娶。可以说正是因为有这样一大批极具血性的将领，才有湘军后来之成功。曾国藩有感于此，大发感慨："方今大难削平，弓知载櫜，湘中子弟忠义之气，雄不可遏抑之风，郁而发之为文，道德之宏，文章之富，必将震耀于寰区。"曾国藩显然在预言，作为湘军的故乡，湖南不久将以其宏毅雄丰的道德文章而卓立于世，震耀中华。

历史到了19世纪末，20世纪初。曾国藩诸人创办的洋务运动，没有使爱新觉罗的江山更加巩固，反而随着经济社会的发展成了其掘墓人。时代的发展，清政府的皇权统治已经越来越不能适应时代的发展，君主立宪、限制皇权成了历史潮流，湖湘子弟以极强的历史使命感，胸怀着湘军成功的荣耀，再次成为社会维新运动的中流砥柱。

在此过程中，最为有名的当数谭嗣同，这位"少任侠、善剑术"的湖南浏阳人，为了维新运动，四处呼喊，为了变法竭尽心智。维新变法失败后，嗣同抱着"有心杀贼，无力回天"的遗恨而从容就义。在此之后，无数湖南后人就在他的启迪下走上新的近代化路程，林圭在谭嗣同逝世后即发誓，"中国流血自谭君始，我承其后"，参加自立军起义失败时年仅26岁。

唐才常是维新变法中又一颗耀眼的明星，谭的牺牲使他认识到不暴力不足以改革旧制度，作诗曰："剩好头颅酬死友”，发愤“树大节，倡大难，行大改革”，遂举行自立军起义，不幸以失败告终，唐才常与林圭等五十余名湘籍志士英勇遇难，给湖南士人又一次巨大震动。

正是烈士的鲜血和他们“本救国之宏愿，不惜牺牲一切，以为我四万万同胞请命”的献身精神，在20世纪初惊醒了一大批湖南年轻士子，禹之谟领悟到幻想清廷实行新华是“与虎谋皮”、转而“大声疾呼，唤醒世人无为奴隶”。焦达峰少年时就表示，“吾惟有从谭嗣同，唐才常之后耳”。黄兴、杨毓麟……等从此立志革命，湘中青年前赴后继，“尽掷头颅不足痛”，在资产阶级民主革命史上写下新的悲壮一页。

黄兴，从小跟人学乌家拳术，“只手能举百钧”，是民主革命中的栋梁之才，他百折不挠，断指尤战，带领几百湘军在汉阳抵挡大队清军人马，为革命的成功立下了汗马功劳，是以有“无公即无民国，有史必有斯人”之称。

蔡锷，在20世纪初作诗曰：“湖湘人杰销未沉，敢渝吾华尚足匡；流血救民吾辈事，千秋肝胆有轮囷”，而后力昌军国民主义，疾呼民主共和，当袁世凯复辟帝制时，在云南发起护国军，当时虽已身负重病，仍然冲锋陷阵，这种不折不挠之湖南之精神当为万世流传。

民主革命中，还有一位很有影响的人物——宋教仁，宋是湖南桃江人，一直对民主共和，开国会、立宪政抱有极大期望，并为此作了不懈努力，后来被袁引以为心腹大患而惨遭暗杀，但是其历史贡献不可抹杀，后人以“为宪法流血，公真第一人”来评价他，确实恰如其分。

在民主革命中奋不顾身的还有陈天华、宁调元等许多湖湘子弟，他们中不少为革命献出了宝贵的生命，而其奋斗造桥的精神也将永垂不朽。

前辈的奋斗精神激起了湖湘子弟不懈的努力，他们把这种精神与湖湘文化经世致用的传统一结合，产生了极强的使命感和责任感，并有高度的自信。常言“救中国请自湖南始”。在后来中国共产党几十年的革命过程中，湖湘大地又产生了一个庞大的人才群体，英才辈出，灿若群星。其传统的刚劲作风，直率性格，为后人留下了丰富的精神财富。

毛泽东的大气与豪迈，大无畏的精神相信不必在此多费口舌，少奇的坚持真理也让人尊敬，而“谁敢横刀立马”的彭大将军也是名垂千史，除此之外，还有贺龙的两把菜刀闹革命的传奇故事，还有政治元帅罗元桓的心有雄兵百万，还有党的骆驼任弼时的感人事迹，诸此种种，不胜枚举。这个人才群体是继湘军集团以后湖南最大的人才群体了，毛泽东与曾国藩也因此成为这两个群体的灵魂人物。在这个群体之中，那些平凡中的不平凡人物，像雷锋、欧阳海、罗盛教、向秀丽等的献身精神，同样让后人尊敬不已。

至于改革开放以后，胡耀邦同志的一袖青风，一身正气为世人景仰，是故被人称为“大地之子”。

今日的朱总理，“横眉冷对千夫指，俯首甘为孺子牛”，“不管前面是地雷阵还是万丈深渊，都将义无反顾，勇往之前……”的豪情壮志，曾让国人为之感动不已，是湖南人精神的再一次体现。

一百多年来，从新疆天山南北，到朝鲜上甘岭，到越南热带雨林，到宝岛台湾（宋楚瑜、马英九、李元簇等人都是湖南人），以及国内指点江山，躬行政务，都有湘人奋斗着的身影。历史将记住湖湘子弟的英勇，刚烈，无畏。

应该指出，湖南人的传统性格加上湖湘文化经世致用的悠久传统，再加上前辈乡贤的显赫事功，使湘人有极强的历史使命感与自信心，大有以天下为己任，舍我其谁的气概，人称“自咸同中兴，湘中子弟忠义之气仰，古所谓楚虽三户，亡秦者必楚也。”他们抱着“救中国必从湖南始”，“吾湘变，则中国变；吾湘存，则国存”的殉道气概，奋力推动着中国历史的巨轮。

杨度的《湖南歌》唱出了“中国如今是希腊，湖南当作斯巴达，中国将为德意志，湖南当作普鲁士”的不朽心声。这种使命感，自信心，是一种历史遗传，而且这种遗传的效应愈来愈大，可以称作遗传之扩大性。这就是回答所谓湖南人喜欢自我陶醉的最佳答案。

第二节 不得了的湖南人

湖南人是世界上最倔强的三大种群之一

很久以来，世界上就有“英国的爱尔兰人，德国的普鲁士人，中国的湖南人，是世界上三个最倔强的种群”的说法。

湖南人的倔强在全国肯定是首屈一指的。

从历史渊源上看，当年炎帝为南方各部落领袖，与黄帝同时逐鹿，在南方诸省中，湘人受到北方文化的影响，他们真诚坦率，热情豪放，最接近北方性格，号称“中国斯巴达”。

后来的楚国，在强势的中原文化面前，又显得另类。他们认为，既然不被中原正统认可，我就索性当蛮子。所以，楚国国王在周王面前，经常以蛮夷自居。他们奋力开疆拓土，为的就是争一口气，终于使楚国成为战国七雄中仅次于秦国的二号强国。

后来的湖南人虽然受到中原文化的熏陶，但是这股犟脾气却没有丝毫改变，反而有愈演愈烈的趋势。

这种犟脾气发展到后来，就带有强烈的反叛性和斗争性，就是说不管环境如何恶劣，不管情势如何危险，也不管压力有多大，湖南人都要由着自己的性子干，只要认准了，就一往无前，只有向前冲的份，没有回头的可能。

所以，碰上湖南人，人们常常感叹：湖南人了不得！（湖南方言，包含着管不住、没办法对付的意思）。

倔强的湖南人被人们称为骡子脾气。骡子具有驴的坚韧愚钝，又具有马的刚烈奔放，是一种坚韧和刚烈的奇妙结合。这样的湖南人吃苦耐劳，很有韧劲，然而又性如烈火，刚直不阿。所以，人们眼中的湖南男人，经常是不修边幅，寡言少语，然而自主性极强，除了自己认定的事情，决不屈从于别人的安排。湖南的女人则麻利泼辣，说话如机关枪，做事风风火火，个性很强，爱憎分明，是典型的直肠子。

19世纪60年代布政使李榕（川人）曾言湘人之“气太强”；90年代，巡抚陈宝箴（赣人）言湘人“好胜尚气”；湘人皮锡瑞亦有相同的评语。郭嵩焘则直接谓湖南为“愚顽之乡”。民国22年国立清华大学考察团至湘，所得印象与古人的观察无二。该考察团提出的报告书说：“一入长沙，即深觉湖南之团结力量特别坚强，然同时亦觉气量偏狭，吵嘴打架，殆属常事，民风剽悍，殆即以此。”

综合而言，湖南人个性坚强，凡事认定一个目标，勇往直前，不计成败，不计利害，不屑更改；是一种“不信邪”的“骡子脾气”，在中华民族之中，自成一地区的性格。此种性格由来以久，稳定而少变化，与心理学家的关于湖南国民性的定义是吻合的。

俗话说:“江西老表,湖南骡子”。形容的是江西人待人客气亲切，湖南人脾气倔强、吃苦耐劳。

为什么湖南人有“骡子”的雅号？有学者分析道:“骡子是母马和公驴杂交的产物。其体形颇似马,而叫声像驴,堪粗食,耐劳苦,抗病力强,适应性强,力气也大。同时,它又像驴子,有它的‘倔劲’与执拗。说明湖南人性格中有一种遗传基因——倔强。”

黄兴曾经被战友们称为“湖南骡子”，此人外表敦厚，皮实如老农，说话慢慢吞吞，显得老实巴角，外人容易把他当成没有什么个性的人。然而知情者都知道，黄兴是同盟会中最倔强、最有主见的人，他的实干精神在同盟会中无出其右，所以，他屡次革命，屡战屡败，却决不妥协，广州黄花岗起义失败后，同盟会陷入革命最苦闷的时候，同盟会会员都悲观绝望，“终日悲号沮丧”，独有黄兴终日不做声，只管擦枪准备，不久后，他潜回国内，领导辛亥革命，一举成功。黄兴的成功，靠的是一种“韧”的精神，像骡子一样忍辱负重，不屈不挠。骡子比马更有韧劲，比驴更有灵活性。

曾国藩外表温柔敦厚，喜怒不形于色，做人非常低调，常人很容易把他看成江浙人。其实此人骨子里是个不折不扣的湖南骡子。在与太平天国的战斗中，前10年曾国藩基本都是在做赔本生意，同僚献给他四个字“屡战屡败”，以羞辱他。他一声不吭，只是把四个字掉了个个，变成“屡败屡战”，以至于满座笑倒。“屡败屡战”体现的就是湖南人的发狠心、打硬仗、一息尚存、决不放弃的“骡子”脾气。这样的骡子有驴的老实外表，却有千里马式的进取心。

湖南人执着，按湖南话说是“犟”，认死理，一条道走到底。说起来，在很多方面，湖南人并不是说比别人更有天赋，因此开始不一定起眼，但时间一长，却总是能脱颖而出，因为湖南人有一股犟劲，认准了就能吃苦耐劳坚持下去。

人们常常看到，在一些冷门的领域中，很多人耐不住寂寞，而只剩下湖南人还坚守着，到了后来，自然而然，这些领域里就显得湖南人一枝独秀了。这也算是湖南人成功学的一条定律吧。

犟脾气的湖湘政治家

由于地理环境、历史文化、社会条件等方面的原因，一定区域内的人往往带着共同的性格特征和人文精神，特别是一个地区一旦遇到某种突临的契机，产生出一二位为世所重的人物后，人们争相仿效，互相影响，互为激励，一发不可收拾，将该区域特有的性格特征痛快淋漓地发挥到极至。近千年来，随着湖湘地区历史文化的演变与发展，湖南人共同的性格和精神特征越来越凸显出来，湖湘学人和政治家在这方面也留下了自己的思想和精神遗产，影响十分深远。

目前，许多学者对湖南人的性格特征，对湖湘学人的传统精神，对湘籍政治家的品格特质都有过许多研究和论述。而我们在考察许多湘籍思想家、政治家的有关资料后，明显感觉到真正的湘人精神可用八个字来概括，就是“忧国忧民、无私无畏”。按照湖南话来说：湖南盛产犟脾气的政治家。

最早表现出“忧国忧民、无私无畏”典型性格的著名政治家就是屈原。屈原出生于楚国的一个贵族世家，年轻时就具有渊博的学识，曾受到楚怀王的重任，被封为“左徒”。在职时，也以楚的兴亡为己任，积极要求改革内政，变法图强，并出使齐国，订立齐楚联盟，以共抗强秦。然而，屈原的一系列主张却遭到楚国许多权贵的嫉恨。而怀王听信谗言，贬他为“三闾大夫”。怀王死后，继位的顷襄王听信令尹子兰、上官大夫靳尚谗言，再次将屈原放逐江南。屈原过着贫病交加的生活，环境十分恶劣，但他的心没有屈服，表示“吾不能变心而从俗兮”，“余将壹道而不豫兮”，决不改变志向随从流俗，仍循正道一如初心，对祖国和故乡满怀赤诚，最后怀石投江，以身殉国。

无私，而忧国忧民；无畏，而不苟且偷生。这就是屈原的品格。这种品格就成了以后湘籍政治家立德、立功、立言的不朽目标。

在湘籍政治家中，郭嵩焘是一个因重视“夷务”遭非议和诽谤而固执己见、敢于坚持真理的人。是典型的犟脾气。

他 19 岁中进士、翰林。第一次鸦片战争中，他在浙江学政罗文俊幕中，得以“亲见海防之失，相与愤言战过守机宜。”主张既要学西方“直夺天地造化之工厂”，又要学西方的政教，认为：“欲循西洋之法，以求进于富强，未有舍政教而可收效者。”后来他作为钦差大臣在英居留两年，实地考察了西方科技文明、政教风俗、经济发展并广泛接触英各界人士，了解各个方面的成就。为消除夷夏之辨，他以强弱为标准，把各国放在平等地位上来评价得失优劣，体现了世界一体的眼光。他一直主张在对外交涉中注重国际公法的概念，这在当时是颇具识见的。然而，郭嵩焘对西方文明的深刻见解，并不能见容于当时那个愚昧自大的中国社会，反而被视惊世骇俗、离经叛道的荒谬言论。1876年，他被任命为驻英法公使时京师遍传“出乎其类，拔乎其萃，不容于尧舜之世”、“未能事人，焉能事鬼，何必去父母之邦”的攻击口谣。一些湘籍人士更表示“耻于为伍”，甚至欲聚众捣毁他的住宅。郭嵩焘逝世后，虽由王先谦等具呈，李鸿章代奏朝廷请谥，慈禧太后还是不许给他立传赐谥。义和团运动京城搜杀“二毛子”时，仍有官员奏清戳其尸以谢天下。但是性格坚毅的郭嵩焘生前对嚣嚣世议却颇不以为然。他说：“谤毁遍天下，而吾心泰然。自谓考诸三王而不谬，俟诸百世圣人而不惑，于悠悠之毁誉何有哉？”

临终前不久，他还作自题小像诗云：“流传百代千龄后，定识人间有此人。”虽负独醒之累，却充满着坚定的信心和无私无畏的精神。

湖南人能在近代中国奋发有为的历史一再证明，大凡湖南人只要认准了一个目标，有了一种思想主张，就不会轻易改变。这是一种极其倔强九头牛也拉不转的犟劲。

毛泽东生前极其推崇这种倔强的做人态度。《毛泽东语录》中的“世上无难事，只要肯登攀”、“世界上最怕的就是认真二字”等论断，就是对湖湘政治家倔强不服输精神的最好的诠释。

第三节 不怕死的湖南人

死不服输的湖南人

沧海横流方显英雄本色。

关键时刻最能考验人。

湖南人在平常时期总是默默无闻，他们木讷的个性，和先天性的语言劣势（湖南人的普通话水平实在不敢恭维），使他们平时在争夺发言权时，总是要吃亏，再加上崇尚实干的传统，使湖南人的做人方式显得低调务实，湖南是全国最讨厌空谈家的地方了。“一张寡嘴有什么用？”湖南人对空谈家总是要反问这么一句。

湖南人中最反传统的革命家毛泽东对孔夫子不怎么感冒，但是对孔夫子推崇实干家的精神却不反感。孔夫子曾说：讷于言而敏于行。毛泽东对这句话大为欣赏，所以特地为两个女儿起名：李讷、李敏。

关键时刻顶不顶得上去，非常时刻能不能把非常之事摆平，是湖南人衡量英雄好汉的标准。

湖南人的这种价值观的发轫要从春秋战国说起。

湖南在中国的古代被称为楚地，虽然秦始皇征服了楚地，统一了中国。但是是楚国的农民陈胜、吴广揭竿而起的农民起义推翻了秦政府的暴政。“楚虽三户，亡秦必楚”，象征了湖南人敢于斗争，敢于为自己的命运，为他人的命运而拼搏的精神，后来成为了湖湘文化中一个不可或缺的重要组成部分。谈到这里，陈胜，吴广的那句“王侯将相宁有种乎”又振聋发聩地回响在湖南人的耳边。

“你们湖南人天生的就是造反派。”这是外省人对湖南人的一种总结。

“楚虽三户，亡秦必楚”一典出自《史记·项羽本纪》。此典一出，即被视作为楚人必胜信念的强烈表达。其后，每逢到了民族生存的危亡之际，此典便频频被提出以鼓舞人心、激励斗志，并成为湖南人自强不息的精神象征。其实，这句产生于反抗暴秦统治的时代名言，除其代表了一种情绪化了的坚定信念之外，又不可思议地与历史演进的过程吻合。它先验而无比正确地预言了亡秦的真谛：即亡秦这一事业乃起于楚，又终成于楚。而仅就亡秦这一事实，这句名言还有着双重应验。首先，亡秦大业虽成于天下民众，但真正起决定性作用的确实只有三个楚人——陈胜、项羽、刘邦。其次，亡秦的决定性战役就是在三户水（今河北省临漳县西）一带展开，楚将项羽率军战胜秦军主力，并接受其投降。从此，秦亡便成了不可逆转之势。

据说，湖南人的霸蛮精神中就发源于“楚虽三户，亡秦必楚”。试想一想，秦朝的军队那样的强大，对付那些手无寸铁的农民军应该说是小菜一叠，而陈胜、吴广没有惧怕，没有退缩，揭竿而起，这需要的是一种怎样的勇气。在斗争的过程中，陈胜的军队几近被秦军消灭殆尽，而陈胜丝毫没有泄气，而是重立政权继续革命。这是一种怎样的革命彻底性啊！

而到中国的近代，湖南人又用这种精神不屈不挠夺取了一个又一个的革命的胜利，不仅打败了日本、俄国的外敌入侵，还打败了不得民心的国民党反动势力的统治，还有抗美援朝的战争都是在湖南人的带领下取得了节节胜利，湖南人也曾有失败的记录，但是湖南人能把失败变成一种胜利的积蓄，人们当记得红军的万里长征，是毛泽东这位湖南人扭转了当时的局势，确立了以他为核心的领导地位，带着红军从失败的低谷走了出来，并且在长征路上磨练了我们的意志、丰富了和敌人斗争的经验。

无论多大的困难，湖南人都敢冲上去。所以，湖南人在中国历史上总是扮演堵枪眼、消防队、开路先锋等角色。死不服输，九死不悔。这就是湖南人。他们有斯巴达人的勇敢，有罗马斗士的强悍，却又包含着东方文化的平实。所以，德国地理文化学家里希霍芬说：湖南人是中国的一个士兵之乡，以盛产勇士而著名。

拼死到底的湖南人

在近代的中国历史上，湖南人多次在国家处于十字街头的时候挺身而出，为维护国家领土的完整，为维护国家的尊严，为抵抗外敌的入侵，为维护正义的革命果实，为国家选择一条正确的发展道路在做着斯巴达和普鲁士人样的工作。日本人对湖南的文化特别感兴趣，他们发现湖南人身上有一种和日本文化很相似的东西，在攻打湖南的战役里，他们发现湖南人是最不怕死，最顽固到底的，而且他们是三败而归，教训惨痛。一百多年来，美国的军队在世界上横行无阻，但在越南和朝鲜战场，偏偏吃了湖南人的亏！

日本人特别崇尚一种血型理论，他们认为湖南和日本是相似的血型结构，是以A型血为主的民族，经过他们的研究发现，湖南人A型血的比例非常高，是中国各省中A型血比例最高的。但是他们没有考虑到一个文化的因素，湖南是湖湘文化的策源地和影响地。而湖湘文化中，就有与斯巴达的“勇士精神”和普鲁士的“铁血精神”极其类似的“死士精神”。

死亡，意味着生命的终结。蝼蚁尚且偷生，何况人乎？

但是，湖南人却在张扬着一种不怕死的精神。

“楚虽三户，亡秦必楚”说的是楚文化中有一种死不服输的精神。据历史记载，历代楚王有一个传统，一旦战败，君王要自杀殉国。所以，楚王中“自杀”的比例很高，至于将相就更多了。屈原写的《国殇》说的就是这样一种为国牺牲、不怕死亡的精神。即使是死了，也要“魂魄毅兮为鬼雄”。

楚文化中的这种“死不足畏”的传统被近代湖南人进一步阐释放大。最典型的是湖南湘潭才子杨度。

“若道中华国果亡，除非湖南人尽死。”这句话是湖南人杨度的1903年写的《湖南少年歌》中的一句，这句诗弘扬的是一种更高境界的“死士精神”。

所谓死士精神，就是不怕死，不惜死，舍生取义，敢于杀身成仁，拼命苦干，至死方休。生命不息，奋斗不止，鞠躬尽瘁，死而后已。

这种死士精神是楚人不怕死精神发展到了极至的表现。

自杨度的“若道中华国果亡，除非湖南人尽死”的诗一问世，立即成为湖南人的“省歌”，凡湖南志士莫不交口传诵，激励了多少湖南少年的豪情，陈天华、黄兴等人就是在这首歌中得到了一种革命的激情。

受死士精神的激励，湖南人中自己主动“求死报国”的人数之多，也是别的省份无法相比的。

1905年，湖南人陈天华不满日本人横蛮对待中国人，为激励中国人的斗志，自沉于日本海，以死来惊醒国人。

不久后，湖南人姚宏业也自沉于海，希望在绝望中以血为刺激，扎痛国人麻木的神经。

与此同时，湖南人杨毓麟在英吉利海湾自杀，给风雨如晦、鸡鸣不已的国事增加了血红的亮色。

“为有牺牲多壮志，敢教日月换新天。”毛泽东的这句豪气干云的诗道出了湖南人死士精神的内核。

视死如归的湖南人

湖南人不怕死不是放在嘴巴上，而是放在行动上。

说起来，拼斗之惨烈、气贯霄汉，用血与火照亮历史，撼人心魄者，要数宋末知谭州、湖南安抚使李芾的壮烈殉难了。

德佑元年7月，元大将阿里海牙率数万大军南下，长沙城的宋军已外调征战，城内空虚。李芾临时募兵不足3000。9月，城被围困，李芾亲冒矢石，与诸将分兵死守，城中百姓亦纷纷助战。日久，矢尽粮绝，李芾令百姓集羽扇造箭，抓雀捉鼠充饥。将士受伤，芾亲临抚慰，元兵派人招降，当场诛杀以示坚贞，部属皆同仇敌忾，誓作殊死战。城死守百日余，援兵不至，危在旦夕。长沙人尹谷得知元兵已登城，便积薪肩户，举火自焚。邻人来救，但见尹谷正冠端坐于烈焰中。李芾得知，感叹不已，洒酒祭奠。当日正是除夕，李芾留宾佐会饮，众人皆悲愤刚介，誓与长沙共存亡。随后，李芾召来帐下部属沈忠，给他一些银两，令他处死自己一家。沈忠无奈，怀不忍之心先将李芾全家人灌醉，然后逐个杀之，共十九人，李芾也从容就戮。沈忠放火焚烧了知潭州府熊湘阁，再回家杀了自己的妻子，继而跑到火场，放声大哭，自刎而死。城破之后，与李芾协力守城的安抚司参议杨霆则跳水自尽，妻妾奔救无及、也一道殉情。其时在岳麓书院读书的数百学子，与元兵搏杀，破城后大部分都献出了生命。

再又说说湖南人和日本人殊死血战的四次长沙会战。

1938 年 10 月武汉、广州沦陷后，中国的抗战进入战略相持阶段。位于武汉与广州之间的长沙，成为这一时期中国阻止日本打通“大陆交通线”的最前沿堡垒。为攻取长沙这一战略要点，日军以第十一军为主体，从 1939 年 9 月至 1944 年 5 月先后四次进犯长沙，以第九战区为主体的中国军队采取“后退决战”战略，与日军展开四次大规模作战。

1939 年 9 月 14 日，第一次长沙会战首先在赣北揭开序幕。18 日开始，日军主力由湖北正面向我守军阵地发起猛攻。26 日占领汨罗江防线，然后继续南侵，一部进至离长沙约 30 公里的捞刀河，大部进人伏击圈内。中国军队突然发起反攻，在福临铺、三姐桥、青山市伏击敌军，给敌人大量杀伤。此时，孤军深入的敌军既没有捕杀我军主力，又缺乏后续增援，形势十分不利，被迫撤退。国民党第九战区代理司令官薛岳组织全力追击，10 月 7 日，日军退过新墙河，凭险据守。第一次长沙会战结束。是役，我军伤亡 4 万，歼敌万余，史称“第一次湘北大捷”。

1941 年 6 月，苏德战争爆发，日本为与英美争霸远东和太平洋地区，侵华日军第十一军司令官阿南惟畿调集10余万大军，改用“中间突破”、“两翼迂回”的“雷击战”战术，于9月上旬，对长沙发动第二次大规模进攻。薛岳仍采用“诱敌深入”的战术。在长沙及周围地区部署30万兵力，计划“诱之于汨罗江以南、捞刀河西岸反击而歼灭之”。7日晚，日军主力向湘北全线猛攻。由于对日军估计不足，选择决战地区不当，加之日方破译我方几次指挥密电，因而会战前期，我方处处被动，新墙河、汨罗江、捞刀河防线被突破。日军速挺进长沙外围并株洲。27日晚攻入长沙城。日军占领长沙后，敌我形势逆转。日军后方遭到我第六战区主力攻击。我军各军重整旗鼓。3天后，日军撤退。薛岳令各部乘势追击，予敌以大量杀伤。敌我双方回复到战前状态。是役敌军死伤7000人，我军损失近7万。但日军迫使我方屈服的目的没有达到。近卫内阁也因此下台。史称“第二次湘北大捷”。

1941年12月8日，日军偷袭珍珠港成功。12月24日，日军再度犯长沙，声称“要到长沙过新年”。薛岳制定“天炉战”计划，决定将敌人诱至炉底，即捞刀河与浏阳河之间，予以围歼。战始，湖南民众以“焦土抗战”、“与日俱亡”的悲壮气慨使日军在战区内无法获得一粒米、一根草，大小公路也沟壑纵横，日军重武器无法通行。长沙守军誓与敌人拼死抵抗，使无可一世的“皇军精锐”在长沙城下无法越雷池一步。我军在岳麓山架重炮居高临下，轰击敌人。1942年1月4日拂晓，我军三面合围日军，弹尽粮绝的日军狼狈突围。我军以秋风扫落叶之势，杀得敌人溃不成军。是役日军死伤更惨，达5万余人。这是太平洋战争初期同盟国军一连串失败中首开胜利的记录，大大提高了中国的国际地位，亦有力地支援了南洋英美友军。当时，英国《泰唔士报》评论指出："12月7日以来，同盟军惟一决定性胜利系华军之长沙大捷。"蒋介石也说："此次长沙胜利，实为'七七'以来最确实而得意之作。"

第四次会战是在1944年5月。各路日军避开我军的侧翼迂回，分途向长沙外围发起攻势。6月16日开始向长沙城和岳麓山主阵地发起猛攻。守军顽强抵抗，但由于隔江分阵，力不能支，日军以优势兵力自背后攻破岳麓山阵地，城内守军被迫突围，长沙沦陷。

四次会战，虽最终未能阻止住敌人进攻，但屡败敌军，给敌以重创，有力地配合了全国范围内的正面作战并在战略上配合和支援了敌后战场的反扫荡斗争，为抗战最后胜利作出了巨大贡献。

在抗日战争中，湖南人为抗战胜利做出了杰出的贡献，然而湖南人也付出了极大的代价。湖南损失最惨重是1938年11月12日的长沙大火，使这座中国历史文化名城完全毁于一炬。1938年10月武汉失守后，日军进犯湘北，国民党军决定对长沙采取"焚城阻敌"的战术，11月12日，岳阳弃守的第三天，日军先头部队已抵达汨罗江北。长沙陷入巨大的惊恐之中，入夜，国民党军的放火队员开始纵火焚城，美丽的长沙顿时成为一片火海。

这场被史学家称为"文夕大火"的无情浩劫，对长沙造成了空前的浩劫。长沙的地面建筑基本荡然无存，直接死于火灾的有3000多人。文夕大火加上四次长沙会战，使长沙彻底成为一片焦土，长沙也成为第二次世界大战中四个破坏最严重的城市（另外三个是斯大林格勒、广岛、长崎）。

据湖湘学者谭小平先生的研究，长沙大火不仅仅造成长沙财产和生命的巨大损失，更使得这座从明清以来一直繁荣的著名城市元气大伤，人才财富流失殆尽，“以至于若干年长沙市场始终没有恢复到大火前的水平”。

长沙会战，湖南人以死不妥协的精神，誓与湖南共存亡的劲头，给了不可一世的日本军以沉重的打击。让以武士道精神自居的日本人领教了湖南人的死士精神的厉害。长沙失陷后，没有出现汉奸维持会。湖南人在最危难的关头，宁可舍生取义，也决不苟且偷生，表现出了视死如归的气概。

宁为玉碎，不为瓦全。

决不允许“黄钟毁弃，瓦釜雷鸣”。

眼里容不下沙子。

关键时刻冲锋在前，生死关头，决不后退。

这就是湖南人！

也正是湖南人夏明翰的一首诗揭示了湖南人的死士精神的底蕴：砍头不要紧，只要主义真。杀了夏明翰，还有后来人。

连死都不怕，你说湖南人还怕什么？

连死都不放在眼里，还有什么吓得倒湖南人？

第四章　中国人的大辣子

——湖南人的性格解读

透心辣的湖南人

湖南人喜欢把湖南人的性格基因概括为不怕邪、不怕压、不怕辣。

湖南人吃辣椒厉害，所以人胆子大，不信邪。这是全国人民对湖南人的共同理解。四川人不怕辣，贵州人辣不怕，湖南人怕不辣。说明湖南人吃辣椒确实厉害。

甜酸苦辣咸之五味，辣最鲜明，鲜红鲜红的一撮，湖南人见了就兴奋，外地不食辣的人看了直吐舌头"这玩意儿就那么香吗？"湖南人喜欢将小辣椒剁碎如末，装入瓶中，成为一种调料，就像北方人的芥茉，南方人的胡椒，系于腰间，一柄油纸伞，一方小布包，走南闯北而无忧无虑。一碗面，一碗饭，随手撒些辣椒粉，可以无菜，但不能一日无辣椒；湖南人只要有辣子，就可以非常快乐地生活下来。

吃湖南菜，大家伙趁着的就是那个“辣”字。湖南有句话，“无辣不成宴”，湘资沅澧，鸡鸭鱼肉，没有哪一样菜里头是没有辣椒的，没有辣椒饭就吃不香。关于辣椒的格言最著名的要数那句“不吃辣椒就不能革命”，说这话说的就是湖南人毛泽东，多多少少有点“地方保护主义”，但其中也有道理，你想想看，湖南人能够把那火药般的辣椒眉头也不皱地一骨碌地吞进肚子里，这世上还有什么事能难住他?当然，吃辣椒的不单是湖南人，四川人、贵州人也吃，“四川人不怕辣，贵州人辣不怕，湖南人则怕不辣”，从这里就分得出吃辣方面到底谁优谁劣?

辣，熏冶了湖南人的性格：刚毅、简朴。

辣造就了湖南人的事业，一部中国近代政治史，就是一部湘人为旗帜的演义史，湘人是这一百多年来中国政治风云中的猎猎帅旗。曾国藩练湘军，率左宗棠、胡林翼，以书生带兵，“扎硬寨打死仗”、“不问收获”、“但知耕耘”，这是辣的刚毅。以后戊戌变法中，六君子中最勇敢壮烈的一幕当属浏阳谭嗣同，百日新政流产，谭嗣同拒绝出逃，在菜市口的刑场上，仰天感慨：“有心杀贼，无力回天，死得其所，快哉快哉！”唐才常狱中长叹：“剩好头颅酬死友，无真面目见群魔”，说得爱憎分明，就像那暴烈的辣味；以后反袁健将蔡锷、辛亥革命的黄兴、宋教仁，表现出辣的威猛；新民主主义革命时期更是湘人的辉煌，从毛泽东到刘少奇、彭德怀、贺龙、胡耀邦，文武双全。如今的朱镕基总理也以“刚毅而肃贪、勤政尚实际”而受到国人的击掌赞叹。这是辣得透底。

“我们湖南人天生就不怕邪，对我们来说，冇得（方言：没有）干不了的，干不好的事情。”湖南人经常在遇到挑战的时候要讲的一句话。湖南人说，我们的字典里没有“困难”这两个字，我们连死都不怕，还怕什么？湖南人好执着，坚持，决断，有意志力，一条路走到黑。辣椒考验人的意志，这是辣的透心。

长沙火车站顶上有一只火炬雕塑，外地人看起来像一只红辣椒。这种辣椒形象，像火炬，更像长矛，像斗牛的牛角，更像梭标的尖刃。这种标志犹如湖南人的图腾，尖锐、刚烈、富有战斗性。这就是辣呵呵的湖南人。

辛辣的文化辛辣的人

在历史发展的长河中，在中国广袤的土地上，不同的民族不同的区域之间，一方面互相交往、互相融合，从而逐步形成统一的中华民族和共同的民族文化；另一方面，在这种交往和融合的进程中，不同的民族和不同的区域之间在互相影响、扬长补短的同时，却仍然保持和发扬着自身固有的特点，从而成了不同民族的不同文化特征和不同地域的不同文化传统，它们之间，既具有某些共性，又具有鲜明的个性；由于地理环境不同，生存条件各异，历史机遇有别，也造成了同一民族各个地域文化的差别。由心理沉积和行为模式所体现的这种区域文化差异，经过千百年漫长的历史进化，已经根深蒂固地融汇在本区域每一个成员的血液与灵魂之中，一个人的言论和行为有意无意总会打上区域文化的烙印。

生活在湖湘地区的湖南人，在千百年漫长的历史进程中不断地形成了自己的地域文化特征，并且由于区域文化具有遗传性，使得一代一代的湖南人具有了一种相对稳定的性格特质。

如果要问湖南人的性格特质是什么?

湖南人十有八九会告诉你：辣呗!

辣椒是湖南的一大特产，湖南的辣椒色红似火，形状瘦削尖锐，犹如长矛的矛尖，又好比尖利的梭镖，小的如匕首，大的如斗牛的牛角。

湖南辣椒味道威猛，够狠、够辣、够烈、够刺激，可湖南人偏爱吃它。

湖南人吃辣的水平驰誉天下，湖南人的性格也奇迹般的与辣椒结合在一起了。

毛泽东有句名言：不吃辣椒不革命。

当年这句话弄得生于山东的江青很不高兴。

但是，近代史家确实提出过中国的辛辣文化圈理论，证明毛泽东的话却有些个道理。

有学者写了一篇《辛辣文化传播与辣椒革命》的论文指出：以往传统认为食辣仅主要是去湿驱寒，现在最新研究表明，冬季日照少、湿润而寒冷是形成辛辣重区的主要环境因素。辣椒因环境而具有生命力，而辣椒又赋予了食辣者革命情怀。

历史就是这样怪，辣椒传入中国并在饮食中流行，也只有清代乾隆、嘉庆以来的200多年时间，也正是在食辣核心圈里的湖南、四川地区，近代却辣出了一大批在中国近现代史上叱咤风云的人物，请看：刘光弟、邹容、杨锐、向楚、张澜、彭家珍、蒲殿俊、吴虞、郭沫若、邓小平、朱德、陈毅、刘伯承、聂荣臻、张爱萍、陈独秀、魏源、曾国藩、左宗棠、胡林翼、陈宝琛、黄兴、蔡锷、宋教仁、陈天华、焦达峰、毛泽东、彭德怀、罗荣桓、任弼时、林伯渠、李富春、邓中夏、何叔衡、李立三、陶铸、胡耀邦。毛泽东曾说："不吃辣子不革命。"辣椒与革命看来还真有关系了。

毛泽东对辣椒理论情有独钟，曾经还跟外宾论证过这一理论。

不过，辣椒理论更多的是表现了毛泽东幽默的政治家情怀。近代以来的湖湘学者则更多的是文化学角度论证湖南人的辣椒性格。

著名艺术家黄永玉在岳麓书院主持千年论坛时，就专门谈到了湖南人的辣性子："有时候我的朋友们开玩笑说，生物有遗传因子，遗传基因。历史也有历史的经验，但历史光是经验吗？历史有没有遗传基因呢？"

黄永玉说：很多地方都能找到例子。不是骨肉的遗传基因，是个奇妙的历史基因遗传现象。当然我现在想讲的不是我不熟悉的山西省。我想讲的是湖南我们自己的故乡。我觉得我们湖南和我们湖南人以及山水都有颇特别的地方，长沙火车站、天然巧合那一个火炬纪念塔，给外省人的观感就是一个辣椒。红极了的辣椒。社会效益比原来的火炬还要好，恰好道尽我们湖南人的精神。

黄永玉就历史的基因学说继续借题发挥："楚虽三户，亡秦必楚"是自古就有的。有抱负，有理想，置自身悲欢于不顾，这不是哪一个家族遗传基因的问题。所以我跟朋友开玩笑的说，遗传基因之外还有个历史基因的问题。毛主席教导我们说，历史的经验值得注意。历史的经验当然值得注意，历史的基因，至少是个值得有兴趣的问题，近百余年来，湖南出了那么多惊天动地的风云人物，曾国藩、左宗棠、谭嗣同、黄兴、熊希龄、毛泽东、刘少奇、胡耀邦，还包括朱德同志。朱德老人家原来也是湖南人，这些老人家的过世，于是有的人就说，湖南的气数尽了、完了，风水转了。没有想到几年以后又出了一个历尽折磨的能干的朱镕基总理。

对黄永玉先生的话可以做更深层次的理解，就是说以辛辣文化为特质的近代湖湘文化，对近代湖南人的影响是不言而喻的。

另一位湖湘学者彭漱芬教授出了一本《丁玲与湖湘文化》，其中不少章节对湖南人的代表丁玲的分析深刻细腻且饶有趣味。如她把丁玲的个性气质归结为“蛮”、“倔”、“辣”，并将此作为一种湖湘文化的遗传基因加以考证，作了令人信服的阐释。她认为：“辣味”，“这是湘菜的标志，也是湖南人秉赋个性的主调”。

的确如此，宋祖英的《辣妹子》、何纪光的《辣椒歌》，唱出了湖南人的这一性格特点。丁玲也是一个“辣妹子”。她对待工作、对待群众、待人接物都是热情、火辣的。“湖南人的朴实勤奋、火辣热情、劲直勇悍、好胜尚气，不怕鬼、不信邪的乡俗民风，在丁玲身上有最为明显的标记”。曾记得大学者王力先生说过：“辣椒之动人，在辣，不在诱。而且它激得凶，一进口就像刺入了你的舌头，不像咖啡的慢性刺激，只凭这一点说，它已经具有‘刚者’之强。湖南人之喜欢革命，有人归功于辣椒”。

对此，王力先生颇有情趣地论证了辣椒与湖南人火热、刚勇的性情、甚至“辣椒”与湖南人的喜欢“革命”的关系。

初看起来，这样的分析似乎莫名其妙。但究其实，这种“从小辣不怕”、“长大怕不辣”的乡风民俗正蕴含着一种天不怕、地不怕、生性激烈的精神个性。正是这种精神个性孕育了近百年来叱咤神州大地的湖南英才。

除了“辣”之外，丁玲的个性气质中还有其他重要因素。俗话说：“江西老表，湖南骡子”。湖南人性格中有一种遗传基因——倔强。沐浴着湖湘文化风雨的丁玲，是典型的‘倔驴’，只要她认定是正确的，就一条道走到底，十条牛也拉她不回转，‘虽九死其犹未悔’”。彭著还引用了丁玲自己说过的两段话作为佐证：其一是丁玲曾说过，“青年时代我表面温顺之下是掩藏了一种倔强高傲的气质”。其二是她在《我与雪峰的交往》一文中说道：“我这个人有点倔脾气，湖南人的倔脾气”。三十年代上海有一家杂志曾为出版女作家专号向丁玲约稿，她回答说：“我卖稿子，不卖‘女’字”。彭著分析道：“这话颇为‘辣人’，这家杂志编辑也许并没有什么恶意，但丁玲为什么这么反感呢？不外乎有这么些原因：如不愿因为女子而接受特殊待遇；也许还有一种想法，即自己的作品与男性作家放在一起，也是毫不逊色的，并不需要‘照顾’。这些都体现了丁玲的‘辣’和‘傲’”。

著名歌唱家李谷一说：“我们湖南人霸得蛮，吃得苦，耐得烦”。这是对湖南人群体性格特征的绝妙概括。彭著认为，丁玲这种个性气质“有其家庭的遗传基因，同时又是一系列的环境因素和湖湘文化的濡染所形成的，是丁玲长期社会实践的产物”。这些见解是极为精当的。

不管怎么说，湖南人与辣已经结下了不解之缘。

湖南人的性格

——中通外直　不蔓不枝

湖南人率直、开朗，容易给人一种一见如故的感觉，他们的爱与憎，喜与怒，哀与乐，是十分鲜明的。政治上的坚定，思想上的坚毅和行动上的坚韧三者结合，集中体现出湖湘士人群体的浩然正气。正气成为湖湘地区士人群体的文化心理习惯，影响着社会各阶层，涉及各个领域，成为湖湘地区人们的共同文化心理习惯。这种共同的文化心理习惯反映在性格上便形成了湖南人特有的性格：刚正质直，勇猛强悍，桀骜不驯，好胜尚气等等。

湖南人真诚、率直，湖南人稍欠幽默感，似乎是哪怕只轻轻一笑，也会减弱他们对生命沉重的体验和认知。他们不怕死、重义气和气节。普希金年纪轻轻为争一口气死于决斗，很多文明人不理解，湖南人懂。换了湖南人，也会这么作。沈从文说湖南人是乡下人，没错。

“中通外直，不蔓不枝”是湖南人周敦颐的《爱莲说》的一句话用来形容湖南人的性格，真的是再适合不过。湖南人的性格是出了名的特别直。外省人说，湖南人到底是吃辣椒的主，说话都特别的冲，特别的直肠子。

湖南人的性格是中国人中最有特色的一种，湖南人倔强、刚烈、直率、热情似火又爱恨分明，这与中国人的传统性格是有很大区别的。关于湖南人的性格，汉代司马迁就在《史记》中称其十分骠悍，《隋书》中又谓“劲悍决烈”。以后湖南地方志中，“劲直任气”、“刚劲勇悍”、“好勇尚俭”……种种评语触目皆是，不胜枚举。

现代有人认为湖南人性格直是源于它“辛辣”的饮食文化。但是也有人说，食辣一族也不仅仅是湖南人，这就得归结于一种地域文化。

而湖南人的这种直往往容易得罪人。有一位湖南妹子找了个外省的老公，老公家的人对这位湘妹子十分满意，嘴巴也甜，有什么说什么，可是过了一些时日，发现这个媳妇还挺厉害，有时候直得不给面子。比方，在家只要是看不惯的，和自己生活习惯不对劲的地方，一顿噼里啪啦全说出来，还有对人的看法应该是窃窃私语的东西，也会摆到饭桌上全抖搂出来，把人说得就像赤身裸体地晾起来一样尴尬。于是，公公婆婆就开始有点受不了，又不敢说，只好找儿子，儿子和媳妇一讲，媳妇说，那有什么，我这还不算直的，我的话还省了很多呢！

直，造就了湖南人火辣辣的形象，同时也让人感到了湖南人刚正不阿的正直形象。很多外省人都说，湖南人，不可怕，就是一点炮筒子脾气，有什么话全在桌面上哇啦哇啦说完了。

最有名的湖南的直爽人要算彭德怀元帅，毛主席给彭大元帅他赋诗——“谁敢横刀立马，惟我彭大将军。”他的同乡、早年同在湘军一个班当兵、后又一起长期战斗的陈赓大将也曾评价说：“他可算是我党我军内头号正直的人。”彭德怀对敌人的雷霆之威，对人民的赤子之爱和生活作风的冰雪之洁，在党内军内树立起光辉的榜样。彭德怀于 1952 年回国主持军委工作，1954年任国防部长，翌年在授十大元帅军衔时排名第二。1959年，他通过调查发现“大跃进”的严重问题，便在庐山会议上对“左”的错误提出尖锐批评，因此被错误打击和撤职。此后，他住颐和园附近的挂甲屯六年，一面参加中央党校的学习，一面决心“自食其力”，主要吃自己种的粮和菜，并苦苦思考建设问题。1965年秋，毛泽东找他谈话。说到庐山会议时，毛泽东表示“也许真理在你那边”，并要他到西南任三线建设副总指挥。“文革”开始后，他被造反派揪到北京，在关押审查期间患重病，于1974年11月去世。

耿直成就一生的彭德怀都是一个在特定环境中成长起来的独特人物。他从小生活极艰难，没有多少读书条件却毕生愿意研究思考；他戎马一生，虽身负军旅重任却总在关心民间生活疾苦。这是因为他正处在中国新旧思想和新旧社会交替的历史变革时代，最切身地感受到乡村人民的艰苦，又长期目睹旧官场的腐朽黑暗。巨大的反差和小时就形成的倔强性格，使他在战场上能舍身冲杀，面对党内和社会上的不平事能拍案而起。

彭德怀的杰出之处，还在于他始终在探索真理。上井冈山后，他视毛泽东为兄长、老师，从此系统学到了革命理论。但是他不盲从，在党内领导中他是最晚由叫“老毛”而改称“主席”的人。后人看来，他在庐山上与党的最高领导的分歧，属于他们对建设社会主义都缺乏经验时的探讨争论。不过正由于有这种探讨争论，才能最后找到真理。1978年末，中共中央十一届三中全会正式为彭德怀平反昭雪，并宣布了他去世的消息。许多干部群众闻讯后悲欣交加。

谈到直的个性我们不能不提到新中国的开国元勋之一刘少奇。1937年，刘少奇在党内第一个指出此前十年中央存在

"左"的错误，引起留苏回来的领导人的不满，毛泽东称赞他是"一针见血的医生"。由于他带头批"左"，为后来抗日民族统一战线的发展创造了很好的基础。

湖南人吃过很多性格直给他们带来的亏，但是湖南人依然我行我素，湖南人说，只要我是说的做的是对的，就不怕别人讲，就不怕别人怎么议论，时间会告诉他们，我们是最真诚的，最值得信赖的朋友，掌握真理的是我们。

湖南人的基因

——不怕邪 不怕压 不怕辣

有人对中国人的性格进行过研究，有十几种专业性的报告。学者杨国枢根据各家研究的结果综合观察，认为中国人的气质与需要侧重于静的一面：求助、谦卑、依赖、顺从、秩序、消极、退缩、世故、谨慎、多疑、羞怯、慎思。换言之，缺乏健壮性、激动性、表露自己、支配、改变、攻击、竞争等动的一面。如果这一结论是正确的，则湖南人的性格正好相反。湖南地区近代的发展证明他们确实如此，湖南人强悍性格所表现的内涵是积极的人生观，是强烈的权威感，是高度的成就需要。

这就是湖南特有的霸蛮文化的表现：不怕邪，不怕压，不怕辣。19世纪60年代布政使李榕（川人）曾言湘人之"气太强”；19世纪90年代，巡抚陈宝箴（赣人）言湘人“好胜尚气”；湘人皮锡瑞亦有相同的评语。郭嵩焘则直接谓湖南为“愚顽之乡”。民国22年国立清华大学考察团至湘，所得印象与古人的观察无二。该考察团提出的报告书说：“一入长沙，即深觉湖南之团结力量特别坚强，然同时亦觉气量偏狭，吵嘴打架，殆属常事，民风剽悍，殆即以此。”综合而言，湖南人个性坚强，凡事认定一个目标，勇往直前，不计成败，不计利害，不屑更改；是一种“不信邪”的“骡子脾气”，在中华民族之中，自成一地区的性格。此种性格由来已久，稳定而少变化，与心理学家的国民性定义是吻合的。

不怕邪、不怕压，有时可以解释成一种冒险的精神。湖南人有极强的冒险精神，吃得苦，耐得劳，不信邪，不怕鬼，不怕死。像毛泽东就是这种性格的典型代表。他在世时，中国虽穷，然而超级大国美苏皆望他而生畏。南中国海周围的国家，也无一敢与他有领土纠纷。这是搞政治，搞革命不可或缺的东西。这种不信邪的骡子脾气也是成就大人物的重要条件之一，有史为证，曾国藩，一介书生，根本就不懂得带兵打仗，居然敢训练湘军，还亲自带领湘军上沙场，如果没有这骡子脾气，恐怕是不行的。毛泽东对待不可一世的比自己强大很多的美军，照样“雄赳赳，气昂昂，跨过鸭绿江。”把装备精良、队伍强大的美军给整服了。

有一则笑话，说的是各地打架的区别。东北人先吵后打，越吵越凶，凶到极处就“噼噼叭叭”地打起来；山东人则先打后吵，三句话不对路就要抄起家伙，把人抬进医院再认是非曲直；四川人则只吵不打，吵得青筋暴露，骂人的话伤筋伤骨，但握着的拳头就是不敢往人身上打；惟有湖南人是边打边吵，文攻武略，拳头不软，嘴里也不示弱。这就体现出湖南人的性格，有那种不要命的、霸蛮的精神，这是吃辣椒使然，叫做勇，但并不是独勇，还有智，也懂得勇中用智。还是说咱湖南人吃辣椒吧，湖南人在吃辣椒的时候，并不像四川人那样一味地猛吃，而是留有余地，辣而不狠，烈而不尖，用湖南话说，叫做有“手味”，正因为湖南人有“手味”，懂得进退攻守，勇猛之余讲究谋略，所以，湖南人做大官、做统帅的多。

湖南人永远相信，患得患失，摇摆不定，便不可能成就大事业。这种不怕打，不怕压，不信邪的精神使湖南人极具反抗精神，极少奴颜媚骨和崇洋恐洋。这种精神在国难当头时尤为重要和可贵。一种文化的形成，“影响着社会各阶层，涉及各个领域”。影响到有识之士，便造就出了像谭嗣同、黄兴、蔡锷、刘揆一、刘道一、陈天华、姚宏业、蒋翊武、禹之漠……这样的革命先烈、志士仁人。他们为着民族的独立解放而英勇奋斗、百折不挠，或舍生取义或慷慨捐躯。这是湖湘文化孕育的结果，是主流。而影响到普通平民百姓、市井之辈，便也产生了一些“好胜尚气”，“桀骜不驯”之徒。这大概算是湖湘文化的副产品吧。

冈村宁次是日军高级将领中有名的“中国通”，就任第11军司令官以来，也潜心研究了他的主要对手第9战区部队的诸方面特点。但是，有一点却不曾被他所真正认识，那就是湘北战区中国老百姓的力量。千千万万的湖南民众在当地政府和中国军队的组织下，把新墙河至捞刀河之间广大地区上的公路和马路翻成了新土，将这一地区的铁桥、木桥甚至石头桥也炸了个精光。他的部队进攻得越远，运送补给就越困难；而就地搜寻给养，又因当地百姓坚壁清野，几乎使日军什么也得不到。冈村宁次不明白中国腹地湖南省老百姓的特殊性格。此战结束后，他返回武汉忙中偷闲捧起了神田正雄著的《湖南省要览》，其中对“湖南人之性格”一节亲自摘录如下：自尊心强，排外思想旺盛，富于尚武风气，信仰释、道，笃于崇拜祖先，淡于金钱，反抗心理强，迷信思想深，有嫉妒、排挤风气，多慷慨悲歌之情……冈村宁次不考虑当地社情、民情的因素就采取行动，历来是进攻者的大忌。在长沙会战中，他犯了这忌。结果在长沙会战被湖南军民三次打败。

一个被评为“世界500位最有影响力的领导人物”北京大学教授潘爱华，一个既具有商业意识的科学家又具有科学头脑的企业家，在几年时间里创造了一系列的神奇：攻读生化博士学位，他只用了2年；没做过生意，却使一个只有40万注册资金，几名兼职员工的小公司在几年里发展为数亿元的高科技企业集团；接管一个濒临倒闭的公司，不到两年，利润急剧增长了十多倍，现在已经成为中国最大的基因工程药物产业化基地，市场占有率达到60%以上；一个连绿卡都没有的人却担任了美国著名的赛若金有限公司总裁。他说，世上有两种人，一种是人家创造机会他把握；还有一种是自己创造机会自己把握。我属于后者。我都是自己创造机会然后自己利用机会。我想这可能和我的性格有关系。我是湖南人，湖南人的性格就是遇到困难勇往直前。每次遇到挫折和困难时我就对自己说：没事的，肯定能做好。然后每次我就很有信心地去解决这个问题。其实一个人他能不能成功，主要取决于他的思维方式，他的性格和方法。那种善于把坏事变成好事，把危机变成良机，把挑战变成机遇，把压力变成动力的人一定能成功。从这个意义上说，湖南人属于开创型的人才。

总之，湖南人的性格在中国人当中极具特点。它既有更比南方人的柔情似水（湘女多情），又有更比北方人的刚烈直率（湖南犟骡子）。它是冰炭两极共存一体的性格，使得其性格张力极大。

湖南人的这些性格特质通过中国近代史上叱咤风云的湖南人影响了近几百年的中国，特别在矫枉必须过正的时候，湖南人的性格力量表现得格外突出。

不怕邪、不怕压的湖南人的确给中国创了不少业，干了不少事情，但是他们性格中那种火的特质实在是太猛了，使得湖南人的性格中少了一些包容的气质。

湖南人的世界观
——实事求是

湖南人的世界观就是实事求是，不照搬书本，也不拘泥于前人的思想，湖南做事、看问题都是实事求是，审时度势。

湖南人的实事求是一方面表现在思变和求新，是王船山的“道莫盛于趋变”的思变思想则是吹响了湖湘文化发展走向第二个高峰的进军号，形成了王船山——曾国藩——杨昌济——毛泽东的发展源流。研究王船山的思变理念，对于理解中国共产党的现行指导思想中与时俱进实事求是的灵魂和本质，具有重要的意义。

王船山针对“法先王”，“祖宗之法，不可变也”的思想，提出了“事随势迁而法必变”和“趋时更新”的政治主张，王船山认为“祖宗之法，未可恃也”。他认为，不断前进的历史和时代，不存在一成不变的制度和法令，“就今日而必尧舜也，即有娓娓长言为委曲因时之论者，不可听也”。这与商鞅的“治世不一道，使国不必法古”和韩非的“世异则事异”,“事异则备变”的思想是一脉相承。

王船山则认为，历史发展是有一定规律和趋势的，即“势”和“理”。“顺必然之势，理也。理之自然者，天也”。百多年来，王船山的思变理念养育了一代又一代革故求新的志士仁人。从魏源、曾国藩、左宗棠等湖南人开始为中国想出路，求新求变。

湖南人的实事求是还表现在湖南人经世致用的哲学。《沁园春·长沙》一词中“指点江山，激扬文字”的青年毛泽东表现出来的壮志豪情以及改造社会的强大愿望，其实如果我们对湖湘文化有所了解的话，我们就可以看到，这种指点江山的热情未免不是湖湘文化经世致用的一个体现罢了，毛只是众多讲究经世致用的湖湘精英之中的杰出代表而已。再说毛泽东思想之精髓“实事求是”归根结底也与湖湘文化非常注重“务实”有关。

湖南人的世界观是实事求是，湖南人感情是浓烈的，而且义气用事的时候也很多，但是湖南人在真正做事的时候又是很务实的。湖南不服从权威，但是服从真理，为了真理，他们即使吃再大的苦也不会去委曲求全。说到这里我们不能不说说刘少奇的故事。

刘少奇主持的“安源工运”以不流血方式得到开展。这些虽在“文革”中被诬陷者罗织为“工贼”罪状，客观地看，恰恰是实事求是精神的体现。

刘少奇在20世纪20年代就能以工人运动领袖扬名社会，最早是由于他在安源路矿担任工会的领导。他于1922年夏天从上海回到长沙，与中共湘区委员会书记毛泽东相识，随即接受了去湘赣交界处的萍乡安源路矿工作的任务。

此时，这个中国南部最大的产业正发起罢工，李立三在隐蔽地点担任总指挥，让刚到这里而不被当局熟悉的刘少奇作为工人俱乐部全权代表。9月14日，随着汽笛长鸣，路矿1.3万名工人为改善生活和工作条件发起大罢工。

经商会居中调解，24岁的刘少奇代表工人去戒严司令部与矿局谈判。当他穿过两侧全是长枪和刺刀的走廊进入办公大楼后，矿长和戒严司令以审问的口气质问："你们俱乐部为什么要鼓动工人作乱？"刘少奇义正辞严地讲清了工人为什么要罢工。戒严司令听后威吓道："如果坚持作乱，就把代表先行正法"！

面对死的威胁，刘少奇严正回答说："万余工人如此要求，虽把代表砍成肉泥，仍是不能解决！"这时，大楼外数千工人大喝："谁敢动刘代表半根毫毛，我们就打得路矿两局片瓦不留！"在此声势下，路矿当局不得不同意工人的条件。当时，许多工人都对刘少奇敬佩不已，有的说他有十三块金牌护身，有的说他一身是胆。刘少奇则归功于工友团结的力量。

工人斗争取得一定成果后，刘少奇也注意适可而止，反对提出无限度的、资方不可能接受的条件，从而使他主持的"安源工运"在两年多的时间里以不流血的方式得到开展。这些虽在"文革"中被诬陷者罗织为"工贼"罪状，客观地看，恰恰是实事求是精神的体现。

1941年皖南事变后，党内群情激愤要对国民党反攻，刘少奇则提出政治上取攻势，军事上取守势，不宜借此与国民党分裂。由于实践的检验证明了这些意见正确，他终于在党内确立了“二把手”的地位。

1945年8月苏联出兵东北时，与蒋介石派去的宋子文、蒋经国等谈妥并签订条约，规定只能将东北交给国民政府。在这种形势下，中共能否派兵夺取这块全国的重工业集中之地?

这时，毛泽东去重庆谈判。代理主席的刘少奇决定首先派小部队前往东北，实施战略侦察。9月中旬得到报告，知道苏军对八路军进入采取默许态度后，刘少奇连夜开会，决定立即调集主力进军东北，并说这次“真乃千载一时之机”。

十几万大军立即以乘渔船、乘马、徒步等方式前往东北，而南方拉长的战线形成空虚。于是，刘少奇又主持中央作出“向北发展，向南防御”的战略方针，并得到远在重庆的毛泽东的同意。这次战略大调整，成为在较短时间内夺取解放战争全胜的关键一环。

历史证明，刘少奇在解放后某些方面如“四清”等工作中确有错误，但是多数见解是合乎中国实际的正确主张。他之所以在许多方面正确，关键在于他长期深入实际，注重务实而不发空想。这种脚踏实地的工作精神，值得湖南人很好地学习。

湖南人的方法论

——重战略轻战术

湖南人崇尚高明，但是不在意是否精明。湖南人做事特别讲究的是高明，就是一定要在谋略上胜人一筹，而不在乎那些做事的细节问题是不是精到。

最典型的代表还是要算毛泽东。毛泽东文韬武略，运筹帷幄，带领中国人民推翻了“三座大山”，是一个身经百战的军事家，但是毛泽东一生有两不爱：长期坚信“枪杆子里面出政权”，个人却不爱带枪和摆弄武器；毛泽东要求节省每一个铜板为了革命和战争，手上却从不愿摸钱，视货币为最肮脏之物。井冈山突围时，别人都注重身边武器，他却要贺子珍缝个随身文具袋，并说要用文房四宝打天下。毛泽东毕生追求的理想，是没有压迫剥削、不需要金钱、人们平等劳动的共产大同。

湖南人做事特别的顾大局，只要是大局利益，就是牺牲一点自己的东西也不会很计较。很多湖南人在近代的历史上也表现出了这种高明的英雄气质，他们从来不顾惜小家的利益，想到的确是中国这个大家的利益，很多湘籍革命者的家庭都是家境很殷实的，但是他们没有陶醉在那种和美的小家庭生活里，而是作出了抛头颅，洒热血的为国奋斗的道路。

只要是湖南人，大多都有一种要做一翻大事的雄心壮志，这就使他们不能特别的小心眼，或者精明过了头。湖南人有句话：这一辈子不做点事情，即使活得再好，活10年和50年没有任何区别。这就注定了湖南人是要成就一番大事。湖南人不是很崇尚做生意，挣大钱，他们认为即使挣了很多的钱也不能说明自己是在干大事。所以他们常常会选择从政、从军或者教化人的思想的职业，如传媒、文化等。

湖南人非常懂得人的作用，这也是湖湘文化的一个特点，他们认为人才是最革命的因素。所以，他们会在钱财和人才方面更加偏重于人才。在交朋待友的时候，湖南人是不会特别在乎那几个铜板。而且他们不会拘泥于一些小事，为了一点点芝麻大的事情就生气或者得罪人，他们的眼光长远，不会在乎做事的时候别人多得一些或者自己少得一些，但是他们喜欢在桌面上摊开了讲。

湖南人做事还是很讲谋略的，虽然我们前面谈到湖南人耿直、刚烈，但是湖南人绝对不傻，他们做什么事情，先会对自己的优劣势揣度得很清楚，对别人的情况也摸得很熟，然后审时度势地决策问题。只要是对事情有利的，他们就非常舍得投入，也很能放弃自己的眼前利益，所以他们不会表现出一种做事很小心谨慎的形象，而是运筹帷幄，张弛有度。

湖南人的价值观

——重才不重财

湖南这个地方的文化似乎与外乡的文化有些不同，就是出奇的重视读书，他们认为“万般皆下品，惟有读书高”。

湖南人重才是出了名的。在湖南，只要你说你是大学生，就是在街上碰到一个不熟悉的人，也能讨到一瓶汽水。湖南人特别喜欢读书人，就是再粗俗的人见到读书人也要硬着头皮说几句客气话，礼貌语。

湖南近代的人才辈出使得湖南人在全国特别“长”脸面。也使湖南人相信只有发狠读书才能寻求一条最光明的道路，你看毛泽东这样的伟人不就是读了很多的书，所以才会打仗，才比别人高一篾片（湖南话：高一筹的意思）。

湖南人见面最喜欢问的一句话不是说“你家买了什么，吃了什么，赚了多少钱”，而是“你家里细伢子会不会读书罗，成绩好不？”要是孩子成绩好，家长出去特别有面子。湖南的家长对孩子的学习都特别上心，家里有限的工资全给孩子买书，请家教，而自己就是几年也不添置新衣服，家长们说，孩子就是家里的财富。我们搞智力投资，回报是最高的。

所以湖南是非常重视教育的，并且他们的应试教育是抓的特别的狠。在湖南的重点中学，老师们都会跟学生讲：“谁说不要题海战术，不做几箱子的书能考上大学才怪！”也难怪，湖南的高等教育并不很发达，多半只能靠外省的一些重点学校来本省招生，而名额数也就只能在湖湘子弟中百里挑一了。

要想做湖南女婿，娶一个湘妹子当老婆，恐怕就要肚子里有一点真家伙了，湖南的家长在送女儿上大学前都要耳提面命地告诉小姑娘，大学里要发狠读书，争取考研保博之类的。然后就是语重心长地告诉女儿，一定要给我们找一个有真才实学的女婿，不要找那些花花架子，没有用的，人老老实实的就行。

有一位湖南姑娘找了一位男朋友，家里是农村的，非常穷，都读到研究生了,身上连一套像样的衣服都没有。但是,那位姑娘的父母很快就接纳了他，还帮着小伙子说话，这样的孩子才是有出息的。结果没过两年，这个男的娶了姑娘一块出国了，读了博士，在美国生了孩子，然后把当年知遇之恩的岳父岳母接到了美国。

这个故事是湖南人经常传唱教育女儿的，说，读书才是最光荣的出路，那个女孩多有眼光之类云云。而湖南的姑娘从小的耳濡目染，特别的崇拜才子，他们认为“多情湘女加才子”是很好的一条婚姻模式。湖南姑娘说，没有本事的男人才不嫁呢。

最有名的湖南重视才学的经典故事要算毛泽东娶杨开慧的故事了。两个都是才华横溢，思想进步的青年，就使得对方更加惺惺相惜了。

杨开慧的父亲杨昌济是毛泽东的老师。他特别重视人才。湖南学界名流、曾留学日本和英国十年的杨昌济教授的弟子满三湘认为，最好的学生是毛泽东、蔡和森二人，并说过：“二子海内人才，前途远大。君不言救国则已，救国必先重二子。”

杨昌济教授对毛泽东十分器重，女儿杨开慧也喜欢上了这个有才学，有抱负的好青年。

20世纪20年代，杨开慧堪称社会上少有的蔑视封建习俗的思想解放的女性。这不仅体现为自由恋爱、不举行婚礼便组成家庭,更重要的在于她跟随毛泽东走上革命道路,在共产党正式建立的几个月后便加入。她不惜牺牲,也不仅是忠于爱情,更主要体现为信仰坚定。

在社会传统观念仍是“女子无才便是德”、大户人家不让女孩抛头露面的环境中,杨开慧所走的道路,与其家庭和外来新思想的影响密不可分。她父亲杨昌济在国外留学时，就来信嘱咐一定要送开慧上学,使她成为“新政”后长沙创办的初级小学中的第一批女生。

杨开慧到北京时，又遇到“五四”运动的开展，父亲的教诲和环境影响，使杨开慧有了许多新思想。她到长沙上教会办的湘福女中时，是全校唯一剪短发的学生，校方认为这是“过激派”的象征，限令其三月内蓄起发来，杨开慧则坚持剪发是自己的自由。

思想如此解放的女子，同毛泽东交往才有许多共同语言。从政治角度上讲，这位站在时代前列的女性，确实无愧于“骄杨”之称！

杨开慧选择爱人是非常认真的。据她说，看到毛泽东的许多信“表示他的爱意”，才表示同意。1920年两人返湘后，毛泽东对杨开慧仍一往情深。不过，“风华正茂”的毛泽东也是长沙城内别的才女追求的对象，杨开慧非常不安。她当时的嫂子、杨开智的妻子李一纯（后又嫁过李立三、蔡和森），直接去向毛泽东挑明杨开慧的心思。毛泽东则说明心爱的人只有“霞姑”。据李淑一回忆，杨开慧随即收到毛泽东一首抒情的《虞美人》——“堆来枕上愁何状？江海翻波浪。夜长天色怎难明，无奈披衣起坐薄寒中。晓来百念皆灰烬，倦极身无凭。一勾残月向西流，对此不抛眼泪也无由。”

不久，二人结婚。1922年，杨开慧生下第一个儿子毛岸英。翌年，毛泽东离湘到上海工作，把已经怀上第二个孩子的妻子留在家中。杨开慧生性要强，本想独立工作，但家中有幼儿，丈夫又忙于事业，一时不大好受，夫妻间也产生了毛泽东所讲的“误会”。在婚后第一次离别时，毛泽东写下了一首致妻子的词《贺新郎》，说明“算人间知己吾与汝”，并期待“重比翼，和云翥”。

“八七”会议后，毛泽东潜回湖南时，先秘密赶到板仓看望在此隐蔽的妻子和三个孩子。8月16日，他又在杨开慧陪伴下潜入长沙，住进了岳父留下的那座挂着“板仓杨”匾额的房子。毛泽东日夜进行暴动的准备，杨开慧则照料着丈夫的生活。8月底，毛泽东去指挥秋收起义，行前嘱咐杨开慧照顾好孩子，参加一些农民运动。杨开慧给丈夫带上草鞋，要堂弟杨开明送一程，并叮嘱毛泽东最好扮成郎中（医生）。这次话别，就成为这对夫妇的永诀！

1930年夏，军阀何键到处搜杀共产党人及其家属，杨开慧于10月间不幸被捕。她几乎每天都被提去过堂，遭到皮鞭、木棍的毒打，还被压杠子，被打昏后又用凉水泼醒。她回到牢房，和年仅8岁的毛岸英抱在一起，告诉他父亲一定回来打“坏人”。曾任湖南省委书记的叛徒任卓宣向何键献策称：“杨开慧如能自首，胜过千万人自首。”于是，审讯官提出，杨开慧只要宣布同毛泽东脱离关系即可自由。杨开慧则毅然回答："死不足惜，惟愿润之革命早日成功。"

这时，杨母找到蔡元培等，请他们发电报保释。军阀何键接电后，马上下令行刑，并回复蔡元培等诡称接到电报前已经处决。11月14日，杨开慧在长沙被杀害。此时在江西指挥红军反"围剿"的毛泽东，得知杨开慧牺牲的消息，寄信给杨家说："开慧之死，百身莫赎。"解放后，毛泽东仍常怀念杨开慧。1957年,他给故人柳直荀的遗孀李淑一回信时,写下了《蝶恋花·答李淑一》,第一句就是"我失骄杨君失柳"。对女子的称呼本应用"娇"字，当年推荐杨昌济去北京大学任教的章士钊曾问"骄杨"当作何解，毛泽东说："女子为革命而丧其元(头),焉得不骄？"

湖南人的婚恋观

——风流不下流

湖南的女孩子吧，"湘女多情"，这是大家都知道的，但湘女不"纵情"，所以很多人说湖南的女孩子漂亮，也不难追，但要想玩她们就不太容易，人家早就看穿你的那点花花肠子，游鱼似地跟你捉迷藏，还不知谁玩谁呢?

这是一位外乡人对湖南女孩的看法。其实这是有一定道理的。

湖南人思想特别的活跃，男人是惟楚有材，就难免垂涎天下美色，而湘女多情，就避免不了要多几个追求者。湖南的男人很有几分英雄气，敢作敢当，所以是很多美眉青睐的对象。所以湖南人天生就是比较风流倜傥的啦。

上个世纪 70 年代末，在湖南师范大学，突然传出一则新闻，一位湖南大学生与从美国来湘讲学的外语老师同居上了，虽然有人嫉妒，但绝无人忌恨，尽管当时的人刚从禁锢了十几年的“文化大革命”中起出来，视异性之间的往来为忌讳，视异国男女之间的往来为怪物，但还是有不少人敏锐地把这件风流艳闻，演成中美关系上的一件大事。果不然，当这位还在校读书的同学与大学请来的专家提出结婚时，不但在校内校外引起震动，而且还惊动了国家最高层，据说还是当时最有权威的人亲自批准了这桩“文革”以来的第一宗在校大学生涉外婚姻，便又成全了一阙湖南人唱主角的风流才子佳人戏。

现代湖南风流人物很多，尤以现代中国文坛的几位著名人物为代表。如有中国话剧皇帝之称的金山，风流倜傥的周扬，稳坐中国文坛女性首席位子的丁玲等等。他们的生活罗曼史都很丰富，但又有谁被安上“流氓加才子”的呢？当然，我们还能举许多例子，不过，相信接触过湖南人的都能有所认同的，不再举例也罢了。

湖南女人对风流文化是能接受的，她们认为男人吗，有本事，对老婆好，偶尔花一下也是很正常的。大凡聪明才子，精力都是出奇地好。这大概也算是一条规律吧。

但是湖南人不崇尚肉体文化，在他们看来那是下流。肉体接触也必须是情之所至，决不是一种交易，更不能成为一种发泄。

人们说湖南人风流不下流，湖南人的艳遇重情调，以蔡锷为例，与小凤仙打得很火热，却被称为知音，成为千古美谈。

从风流的蔡锷，我们还记得那个浙江的烟花女子“小凤仙”。小凤仙出生于杭州，父母早逝，14岁上落入曾家为婢女。主母是从良的妓女，主人是个落魄的风流文人。

小凤仙15岁上被主人强奸，主母发怒将她卖给上海清和坊的媚莲小榭妓院为妓。正逢上“二次革命”失败，旧官僚富豪返集北京，大肆享乐，上海许多妓女北上淘金，小凤仙也随流入北京的八大胡同，成了陕西巷云吉班的当家名妓。她身姿柔美，天生丽质，读书懂诗，能歌善舞，本一口好听的吴侬软语，进京很快又学得一口悦耳的京腔，加上她能作歌度曲，又侠义心肠，很快就名传北京，为士流爱慕的侠义名妓。

1913年，袁世凯密谋复辟称帝，担心当时威镇滇湘的云南都督蔡锷坏他大事，便把蔡锷骗进北京，封他参政员的闲职，赠他巨金和华丽住宅，却派人暗中监视他，实际上是把他软禁起来不让他南去带兵。

蔡将军知道上了当，不动声色，假装拥护复辟，不问政务，纵情声色以麻痹袁世凯。他慕名到云吉班访小凤仙。小凤仙见这位自称商人的男子气度非凡，便暗暗试探他，以国家和民族的大义来刺激他，蔡锷虽以风月场中套话来应付，却在心里极佩服这位“侠妓”的见识、胆量和人品。小凤仙看出他的赞赏之情，离席抚琴，奏一曲《高山流水》，情真意切，蔡锷十分感动，赞叹不已。小凤仙请他写副对联，他挥毫写道：“不信美人终薄命，自古侠女出英雄”，下署“松坡”二字，那是他的字哩。小凤仙知是蔡将军，十分惊喜，相约长谈，竟成知音，从此两人真心相爱，相见恨晚。

表面上，蔡锷贪小凤仙美色，日夜不舍，满京城传着将军狎美妓的风流事，蔡夫人大哭大闹，离开蔡锷回云南去了。其实这是蔡将军的“醇酒美人计”，一方面他真爱小凤仙，同时小凤仙深明大义，机智勇敢地帮他秘密收发情报，掩护他进行讨袁护国活动。她用巧计帮助蔡锷把热血青年金云麓和薛丽清送往上海参加革命。最后又是她设计掩护蔡锷逃脱袁世凯的监视，蔡锷男扮女装乘火车安然离京返云南，指挥讨袁护国的活动，把袁世凯赶下台。“美人挟走蔡将军”一时在全国传为美谈。

当时小凤仙护送蔡锷到天津，写了几首词送别，道尽相思之情。她回北京后被传去审问了一整天，可她一句话也不说。

蔡锷久经劳累和征战之苦，讨袁成功，他却病倒了。1916年9月他被送到日本福冈治咽喉病，那是不治之症，11月8日死于福冈，第二年元月一日运柩回国，国葬于长沙岳麓山。

自蔡锷离京到死去，小凤仙日日梦绕魂萦，流干了眼泪，想断了肝肠。她极想去见蔡锷，可为他的清名而终不曾去，只写了许多诗词，诉说了对将军的爱慕和思念。在北京举行的追悼大会上，她送了一副挽联：“不幸周郎竟命短，早知李靖是英雄。”她把将军的才貌比作周郎，又把自己比作侠女红拂，十四字中含有无限的深情，有敬有爱有叹有赞。

悼罢将军，小凤仙悄然离开北京，去向不明。一代名妓随其心爱的将军一起消失了。对她的后世有不少猜测，但谁也不真清楚。

这种潸然泪下的情感故事是易动情的湖南人喜欢的一种，才子佳人，有情有义，不但体现了湖南男人的那种英雄的气质和爱国的情怀，还有醉入温柔乡的那份柔情蜜义，但又不是一种纯粹的肉体关系。这能说不就是“风流不下流吗？”

湖南人的成才观

——好男何不去当兵　好女不捏绣花针

湖南历来有送子当兵的传统，从曾国藩时期开始训练湘军开始，湖南人就把送子当兵看成是一件很光荣的事情。在湖南人的眼里，当兵是一个出人头地的机会，也是一个为国争光的机会。只有当兵才能满足湖南人的英雄气。湖南人最骄傲的是新中国成立后评选的中国的三大元帅，六位大将都出在湖南，而且都是赫赫有名的大人物。湖南的小孩从小就爱看打仗的故事片，如《小兵张嘎》、《闪闪的红星》等片子，父母亲也很支持孩子看，还告诉孩子，一定要向解放军叔叔学习。

当兵的种子是从小就播到孩子的心里。看到一身军服就特别兴奋，看到军人就特别崇敬。所以湖南有句话，就叫“好男何不去当兵。”

湖南的女孩子也不示弱，说，我们也要去当女兵。我们也要和男孩子一样读书，有出息。好在湖南的父母亲都没有重男轻女的思想。他们对待男孩子和女孩子基本上都是一样的。

现在湖南的父母亲都喜欢跟孩子说的一句话就是，不管你是伢子，还是妹子，只要好好读书，爸爸妈妈就喜欢。所以他们会把儿子和女儿作为同等重要的培养对象。儿子能当兵，女孩子也能去当兵。他们从来不认为男孩子才是干大事的，女孩子就应该去拿绣花针。

虽然湖南的刺绣在全国都是名闻遐迩的，他们也不怕湘绣失传，反正女儿也是要拿来给国家干大事的，不能埋没了他们的才能。所以能读书的湖南女孩子也成了湖南“湘女多情”文化的另一道美丽的风景。

杨开慧、蔡畅、向警予都是杰出的湖南女性的代表，她们和男人一样关心国家大事，和男人一样为国家的前途和命运舍小家，顾大家。

所以，湖南的女孩子不仅仅只是多情，只顾躲在自己的温柔乡，她们还英姿飒爽，挽起袖子要去为国家干大事。所以，后来便有了 8000 个湘妹子去开发我国的新疆的故事，一扎根就是好几十年，不仅仅把黄土和沙子变成了绿地，还在那里生儿育女。这应该是湘妹子的另一个侧面。

她们特别的吃苦耐劳，能干塌实，同时也心忧天下。

有一位湘女说，全国这么多的男人，大概也就只能在湖南挑自己的丈夫。因为湖南的男人才有我们欣赏的那种霸蛮劲。湘女也是能霸蛮的。湖南的女孩子很少有靠老公吃饭的嫌疑，他们特别的自强，说，要用自己的钱去养大自己的孩子。

所以，湖南男人在全国可以说是最不怕自己的老婆比自己强的，因为他们说，能干的女人更有魅力。

第五章 21 世纪湖南人的命运工程

——振兴湖南纵横谈

湖南人需要自我证明

在我们创作《湖南人，凭什么》这本书的时候，一本名为《河南人惹谁了》的书突然流行起来了。很多朋友让我们借鉴《河南人惹谁了》的写法，也吹一吹湖南人。

湖南人的自尊心本来就比较强，也许比“河南人”更强，所以，这样的提议对我们来说，是一个很大的诱惑。

但是，我们左思右想，觉得这种写法好像并不恰当。

应该说，《河南人惹谁了》这本书是一本替河南人“正名”的书，全书概括成一句话就是“我们河南人没有你们说的那么坏！”

而我们觉得，湖南人目前还不需要“正名”，因为别人还没有打出“防火防盗防湖南人”的横幅，但是，湖南人却非常需要“证明”。

为什么这样说呢?

湖南人在全国人民那里还享有不错的口碑，“东方红，太阳升，中国出了个毛泽东”的美誉就是全国人民赋予湖南人的优秀代表的一句至高无上的评价。

“湖南出人才!”、“惟楚有材”的赞誉更是把湖南当成了中国的人才首都。

湖南既然有这样良好的口碑，但是，是不是做出了与之相称的成就呢?

湖南的先辈应该说无愧于这样的美誉，可是今天的湖南人呢，下一代或下几代湖南人呢?是不是能证明自己是“湖南人”呢?

我们表示深深的怀疑和忧虑。

但我们理性思考良久后，我们认为最好的证明自己的方法是号召湖南人用行动来证明自己。

为了督促所有的湖湘子弟积极来证明自己，我们又撰写了这一章，目的很简单：湖南人，请证明你自己!而证明自己的最好方法是——发展湖南，振兴湖南!

第一节　先导工程

——改造湖南人的精神

A

鲁迅先生经常被人误解成为一个西化分子，因为他对中国的国民性和传统文化进行过尖锐的批判。

而鲁迅先生自己却不这么认为，他曾经这样剖析自己的心迹：中国的文化精神绵延数千年而不衰，历经劫难而不倒，其实是很了不起的。

在剖析湖南人的文化精神的时候，首先就应该采取鲁迅先生这样的方法论。

湖湘文化历经数千年而长盛不衰，尤其是近200年来竟然大放异彩，不能不说，湖湘文化是伟大的，湖南人的精神力量是经得起历史考验的。

但是，湖湘文化和湖南人的精神毕竟是脱胎于传统的农耕文明,有着与生俱来的局限性。在湖南迈向现代化的今天,这种局限性已经开始急剧放大,像一道无形的藩篱,正在约束着湖南人行进的步伐。在肯定湖湘文化和湖南人精神的主流的同时，也应该毫不留情地指出它的缺陷和不足。这才是比较明智的态度。

对于湖湘文化和湖南人的精神特性，历代湖湘文化的学者对此亦多有评论。这里只重点谈一谈在新世纪里湖南面对新的发展形势，如何改造湖湘文化和湖南人精神的应对思路。

精神是一种文化的高级形态，是价值观、人生观、世界观的集中体现。文化是基础，精神是表现。文化的状态如何，决定了人的精神特性，而人的精神状态如何，则直接决定着事业的兴衰成败。所以，任何一项重大的事业都必须进行精神动员，高明的领导人总是把精神动员和文化批判作为事业的先导性工作，做足做好。

面向新世纪，湖南面临着崭新的发展机遇，也将面对难以预计的巨大风险。湖南能不能实现振兴和繁荣，湖南人能不能续写200年来的辉煌史，首先就要看湖南人的精神状态调整得怎么样。

英国杰出的历史学家汤因比说：文明的演进总是围绕挑战和应战而进行的，文明的存亡决定于应战者的姿态和方法。

湖南人在新世纪的命运如何，首先就要看湖湘文化在新世纪里应战的姿态和方法。

任何一个文化性格都有一种“补结构”，就是说，有一种主导性的力量和一种制约性的力量相互补充相互制衡。

湖湘文化是一个典型的二元“补结构”，这种文化精神要么进取要么保守，要么理性要么感性，要么开放要么内敛，要么激越要么低沉。总之，表现为一种典型的极端特质的组合形态。这种活力因子和惰性因子的交锋结果，将直接决定湖湘文化的生存状态。

因此，改造湖南人的精神就是要强化湖湘文化中积极进取的符合时代要求的活力因子，弱化或淘汰其中消极的退化的惰性因子。

所以，要治理和振兴湖南也是这样，必须在关键时刻不失时机地推出改造湖南人精神的先导工程。只有解放思想、理清思路、理顺情绪、统一目标、振奋精神，才能谈得上建设湖南、振兴湖南。

从这个意义上说，先导工程是湖南面向21世纪的一场思想解放运动，一场文艺复兴运动，是前进的号角，是林中的响箭，是行军的旗帜，是精神上的一次洗礼。是湖南人21世纪能否复兴的先决条件。

B

湖南人的先导工程概而言之，可以称为“一二一”：

一就是要突出一个总纲：发展才是硬道理。

湖南太需要发展了，振兴湖南靠发展，解决湖南当前紧迫的现实问题靠发展，让湖南走向世界、为中华民族做出更大的贡献，也还得靠发展。不发展没出路，不发展没前途，不发展就不能解决任何问题。因此，湖南的一切工作都要围绕发展做文章，不利于湖南发展的事情要坚决抵制，不利于湖南发展的决策要坚决清理，不利于湖南发展的害群之马要坚决绳之以法。

要加快发展就得树立忧患意识。人生于忧患，死于安乐。湖南人不能再麻醉自己、欺骗自己和放纵自己了。湖南人不能自我陶醉，老是搞纵比，拿现在的发展水平与过去的凋敝贫穷相比较而获得自信心；湖南人也不能扯老祖宗的虎皮当大旗，习惯拿老祖宗的光荣说事，拿老祖宗的业绩来掩盖今天的不足和失误；湖南人不能再自以为是，更不能坐井观天，夜郎自大，只看到洞庭湖南边巴掌大的天地，而是要立足湖南，放眼世界，在全球化的坐标中寻找自己的方位。

湖南人还要切记的一点就是，不能满足于有条不紊、按部就班的发展思路，不能满足于在中不溜的发展速度上徘徊，而应该充分发挥后发优势，从较发达的兄弟省市中吸取先进的经验同时总结教训，扬长避短，实现跨越式发展。

“一万年太久，只争朝夕。”在发展湖南的过程中，湖南人太需要这种紧迫感了。湖南本身就在一个欠发达地区，又拖着一身的包袱在爬坡，再满足于“慢三拍”、“一慢二看三通过”的作法就会贻误战机，就会使差距越来越大，惰性就会上升，斗志就会衰退，振兴湖南就会变成空头支票。

近些年来的湖南，谈发展的少，谈守成的多；谈改革的少，谈享受的多；谈责任的少，谈回报的多……湖南对发展是硬道理，没有形成共识，而满足于把这样的道理写成口号、写成文件，而不去想办法、找路子，大部分情况，就是停留在纸面上的发展，最辛苦的要算那些统计部门的工作人员，为了“发展”而“发展”的数字游戏。

“等等看”、“不着急”、“左顾右盼”、“瞻前顾后”、“议而不决”、“不求有功，但求无过”的思想曾经让湖南人在前20年丢失了太多的机会，一次次耽误了湖南的前程，新世纪的湖南人再也丢不起这样的机会成本了，也无力再支付这样的学费了。

湖南人的发展意识中必须牢记两句话：无功就是过，平庸就是错。

C

二就是恢复两个学风：实事求是，与时俱进。

要是外地人对湖南人说这两句话，那就有班门弄斧、老调重弹的嫌疑。

因为这两句话本来就是湖南人的发明。

早在19世纪的第一个十年，湖南大学的前身岳麓书院的厅堂上就挂起了"实事求是"的大匾，这是可考证的中国第一个挂出"实事求是"匾牌的地方，后来年轻的毛泽东从岳麓书院的文化吸取了灵感，并赋予了它新的时代内涵，他在上个世纪30年代率先向全党发出了"实事求是"的学风倡议，实事求是也就成为中国共产党的核心指导思想，成为马克思主义学风的核心内容，在中央党校和中国人民大学，毛泽东同志题写的"实事求是"依然挂在最显赫的位置。可以说，实事求是是湖湘文化的固有的核心传统，也是湖湘文化为中国共产党和中华文化作出的一个重大贡献。在最先阐释和信奉实事求是的思想发源地重申实事求是的传统，不是班门弄斧，又是什么呢？

实事求是使湖南人魏源率先"睁开眼睛看世界"，打破了天朝上国的藩篱和固宥，中国历史从此开始了与世界文明碰撞、接触和交流，"这是3000年来未有的大变局"（曾国藩语），中国近代史由此拉开。

实事求是使湖南人毛泽东率先提出"将马克思主义的基本原理和中国革命的具体实际相结合"的思维方法，开创了世界共运史上从未有过的"农村包围城市，武装夺取政权"的中国革命模式，为探索有中国特色的社会主义的革命和建设道理肇启了先河。

但是，“历史老人总是难以琢磨的，同样的事情，他第一次总是以悲剧的形式出现，第二次则是以喜剧的形式出现”，就在湖南人的先驱以鲜血为代价找到实事求是的思维法宝以后，历史却跟湖南人开了个不大不小的玩笑，最讲究实事求是的地方却成了最回避实事求是的地方之一，“大跃进”和“文化大革命”的惟意志论，湖南是重灾区，经济文化几乎陷入崩溃，而造神运动则喧嚣尘上，之后的“真理标准大讨论”，湖南又成为最难以接受求实路线的地方之一，在“包产到户”的经济改革中，湖南是中国最后表态的省份之一（据说是倒数第一）。最富有求是精神的人群却最难以接受现实，最相信实践的人群却最不愿意接受实践检验，最相信唯物史观的地方却成了唯心史观的滥觞地，最尊重人民利益的地方却成了最漠视民生疾苦的人间悲剧的策源地……所以，中国共产党的大笔杆子、湖南出身的著名马克思主义哲学家李达曾感叹：湖南人中诞生过毛泽东这样的《实践论》大师，为什么湖南人偏偏最不务实?

湖南，为自己没有遵循自己优良的传统付出了沉重的代价，时至今日，湖南的一些领导干部仍然拒绝清醒地看待现实，对理论无所建树，对形势无所估计，对大局无所认知，对民生无所用心，对事业无所作为。惟意志主义、形式主义、官僚主义、冒进主义依然大有市场。

湖南人，再也不能在掩耳盗铃、文过饰非、闭目塞听、纸上谈兵中浪费大好时光了。可以说，实事求是的学风贯彻良好的时期，就是湖南稳定发展繁荣的时期，实事求是的学风遭到践踏的时期，就是湖南衰退坎坷的时期。

有人说，实事求是就是让湖南人服从现实，放弃理想，安安稳稳，四平八稳。其实这是对实事求是的极大误解。实事求是，就是让人理性客观，理性是蓝色的，它安详而清澈，明亮而包容，总是立足于掌握最准确的信息然后作出能达到利益最大化的选择。

湖湘文化中的实事求是的传统堪称中国传统文化中的一朵奇葩。中国传统的农耕文明，最盛产的是唯心主义、神秘主义、长官意志和小农意识，统治阶级最害怕的是真理之光被民众掌握，“民可使由之，不可使知之”的愚民政策鼓吹的是蒙昧主义、神秘主义，要么使百姓右倾的消极无为，要么让百姓左倾的盲动冒进，总之，就是千万别让大众达到理性平和。湖湘文化倡导的实事求是，是帮助人们客观全面认识和评价世界的锐利思想武器，湖湘文化倡导说真话、做实事，不浮夸，不冒进，既不能无所作为，又不能脱离现实，确实是帮助人们建立理性的有效途径。

但是能言之的人不一定能行之，湖南人是最先提出实事求是理论的人群，却很难说是执行得最好的。在湖南人的性格中，往往是盲动冒进和偏执古怪的成分占了优势，从湖南人近代以来的表现来看，很难得出湖南人是理性人群这样的结论。倒是在大部分时间里，湖南人要么是以极激进要么是以极保守的形象出现在世人的面前。

湖南人躁动的血气和清教徒的情结与湖南人千百年来沉淀至深的小农意识最容易融和，一旦融和，就像牛奶拌进水里一样，水乳交错，很难剥离。所以，近现代湖南挥之不去的痼疾就是“左”的危害。如果说，在革命战争或社会的非常时期矫枉过正的做法是可以理解的话，在商业社会和改革建设时期，

"左"的危害就比右更加具有破坏性。

"我们要警惕右，但主要是防止'左'！"湖南，作为一个农业省份，"左"的痼疾根深蒂固，如影随形，在这样一个"左"的成分极其深厚的盐碱地里，居然长出了弘扬自由理性的"实事求是"的认识论之花，不能不说是湖南人创造的一大奇迹，但是，我们对湖南人整体贯彻和执行"实事求是"的能力和水平不能评价过高。

毛泽东这位中国国情大师曾经喟叹：世界上最难的事情就是教育农民。

湖南是一个农业大省，农民意识有着非同一般的生命力。如何教育农民，改造农民意识，是湖南人的精神改造中始终摆在核心位置的一个重要课题。让湖南人从偏激、极端、盲目、蒙昧、狭隘的精神藩篱中脱离出来，重新建立实践理性，需要先知先觉的湖南人做出更大的努力。

说到与时俱进，人们普遍认为这是一句新话。直到前些年人民大学的一些哲学教授才在学术论文中使用这一提法，而正式成为新时期中国共产党的指导思想则是2001年夏天，江泽民总书记在《纪念中国共产党建党八十周年》上的讲话中，鲜明地提出"与时俱进"是马克思主义的灵魂的论断。

但是，鲜为人知的是，这句话其实也是湖湘文化对丰富中国共产党治党治国理论和当代马克思主义的另一个巨大贡献。

据湘籍历史学家、著名湖湘文化评论家唐浩明先生考证：最先提出与时俱进规律性认识的是明末清初的湖南哲学家王夫之先生，最先整理宣传这一概念的是著名维新人士、湖南人的英雄谭嗣同。

唐浩明指出：船山学说的精华，突出地体现在论人与时的关系。他说："善其救者，因其时也。""随时之义大矣哉！"又说："《易》曰，变通者，时也。""得天之时则不逆，应人以其时则志定。时者，圣人之所不能违也。"还说："夏、殷、周治法相仍，而犹随时以损益，况郡县之天下迥异于三代者哉？"故"时变而执其常，则不中而非礼，不宜而非义"。

湖湘士人的代表谭嗣同曾说过这样的话："五百年学者，真通天人之故者，船山一人而已。"我在新近出版的历史小说《张之洞》中写了一个情节：张之洞问谭嗣同用整整一年的时间通读了王夫之的书后，有什么特别的体会。谭嗣同答，船山的书体大思精，自己尚未入其门，若说体会倒有一点，那就是船山著述一生，无非是要向世人阐述他的一个信念，即人当与时共进。我写的虽是小说，但借谭嗣同的口，用"与时共进"四个字来概括船山学说，却不是瞎编的。（原文见《湖南日报》）

从以上的考据可以看出，与时俱进是湖南人考察"天人之际，古今之变"得出的规律性认识，与时俱进也是湖湘文化非常重要的一条主脉。

"六经劝我开新面，七尺从天乞活埋。"王夫之先生为了寻求历史发展的普遍真理而表现出来的理论勇气和威武气概，很好地诠释了湖南人渴望创新、追求卓越、敢开风气、自我加压的使命感和追求真理心和勇气。湖南人的这种境界和追求，是"与时俱进"的鲜明体现。

同时，湖南人又力图实践与时俱进的理念，一代又一代的湖南人用自己智慧的大脑、汗水和鲜血赋予了这个时代命题宝贵的思想内涵和人文精神。

湖南人魏源在近代中国率先提出"师夷之长技以制夷"，

指出了学习先进生产力和科学技术是中国实现独立自强的必由之路；

湖南人曾国藩在近代中国率先提出派遣留学生出国，依靠受过西方科学教育的人才来使中国渐图自强，并将之作为拯救中国开出的一剂良方。

湖南人蔡锷在近代中国率先起义讨袁，誓死捍卫共和政体，终于埋葬了中国人3000年来的皇帝梦，从政治制度层面上保卫了辛亥革命的成果，开创了中国现代民主政治的新航道。

这三个湖南人分别从科技、教育、制度三个方面，推进了中国走向世界的近代化历程。探讨一下他们的所思所为，就可以发现这里有一个共同的思想基础，即顺应人类社会的发展趋势，合乎时代的前进潮流。而后来毛泽东、刘少奇、胡耀邦等杰出的湖南人群体，又很好地传承和发挥了与时俱进的文化传统，为中国的革命和建设立下了前无古人的丰功伟绩。

而所有的这些，无非是湖南人自觉地贯彻了湖湘文化中由王夫之先生倡导的“与时俱进”的使命和追求。近代以来湖湘士人普遍具有的这种见识和品性，应该要归功于湖湘文化传统中绵延不断的创新意识和求变追求。

与时俱进的灵魂就是创新。江泽民总书记说：创新是一个民族的灵魂，是一个国家兴旺发达的不竭动力。

与时俱进就是要抓住创新这条主线，不断地抓住时代的脉搏，善于引导时代，不断地提升时代的价值。

从宏观层面上来说，与时俱进就是要谋大局，开风气，不断地领导时代潮流，开创新局面。

从微观层面上来说，与时俱进就是要谋长远，谋社会，不断地否定自我，在蜕变中实现再生。

《易经》里面的“日新，日新，又日新”是对领袖人物与时俱进的明确要求。

而毛泽东的“管却自家身与心，胸中日月常新美”则表现了优秀的湖南人对个体自觉地追求与时俱进做了形象的描绘。

可以不谦虚的说，湖南人是有着创新的勇气和与时俱进的传统的。正是禀承了这一创新求变的传统，湖南人能够引领时代200年，在中国近现代史上留下了辉煌的篇章。

但是，优点和缺点从来就是一对孪生兄弟，敢于创新的湖南人可能也是中国最刻板保守的人群之一了。甲午战前，湖南人的保守在全国是有名的。这不仅表现为对于沿海省份开展了30年的洋务运动无动于衷，而且表现为对于“反教排外”异乎寻常地积极，并且走在了全国各省的前列。湖南人不仅反洋教，而且对与外洋相关的一切人和事，都要反击。郭嵩焘是中国第一位驻外公使，他既是洋务运动的先驱，也是中国第一批倡导对外开放的知识分子，他死后，他的灵柩要用轮船从洞庭湖运回老家，湖南士绅和百姓竟沿路堵截，认为这样是有伤风化，不许其归葬。改革开放以来，不客气地说，湖南人又没有能够抓住时代的主旋律，不但“政治上偏热，经济上偏冷”的积习不改，还给自己套上层层桎梏，规定动作做不好，自选动作又不敢做。红灯来了不敢走，绿灯来了慢三拍。终于贻误了很多发展良机，经济发展水平再一次落在了兄弟省份的后边。

由此可见创新对湖南人的极端重要性。湖南没有资源优势，也没有区位优势，过去的湖南人就是靠超前的眼光谋生存、图发展，一旦湖南人眼睛“近视”了，湖南就不再有什么突出的优势。与时俱进，对于湖南人来说，绝不仅仅是一个哲

学命题，而是一个关系到湖南人生死存亡的重大命题。

创新需要勇气，创新需要眼光，创新需要“虽千万人吾往矣”的大无畏精神，创新还需要深厚的底蕴和求实的态度。这一切又恰恰又小农意识格格不入。湖南原本是身处内陆的小农经济的汪洋大海，从来就缺少欧风美雨的洗礼，湖南自古以来又是经济不发达地区，农业经济占绝对优势，连像样的现代商业也没有见过，所以，小农意识中的保守、狭隘、自私、盲从的特质畸形的发达，这些都是创新精神的大敌。湖南要实现大发展，就必须改造湖南人的精神，尤其要对湖湘文化进行细致的梳理，发扬其精华，抛弃其糟粕。特别是要注意恢复湖湘先进知识分子和高级领导干部中宝贵的创新精神，培养一批“国民表率，湖湘栋梁”，而后多管齐下，大力改造湖南人的小农意识以及小农意识寄生的经济土壤，这是摆在湖南人面前的一道最紧迫的问题。（关于湖湘文化的改造和建设，本文的后面将继续阐述）

D

先导工程的一个宗旨是要铸就一个心态：开放的心态。

湖南虽然是一个内陆省份，但湖南人不应该排斥海洋文明；湖南虽然是一个农业大省，但湖南人不应该甘心当一辈子农民；湖南虽然不是国家西部大开发的重点，但湖南人不应该靠政策扶植吃饭；湖南虽然不是经济发达地区，但湖南人不应该就自认为贫穷就是自己的宿命；湖南虽然不是科技和文化的中心，但是湖南人不应该否认自己有建立文化和科学创新中心的实力；湖南虽然不是人口最多的省区，但是不妨碍湖南人立志为中华民族做出更大贡献的雄心壮志。

湖南最大的劣势是区位劣势，内陆多山的地形使湖南难以与国际接轨，但是地理环境并不应该成为阻碍湖南人成为开放人群的决定性因素。湖南应该旗帜鲜明地向世界宣布：湖南虽然是内陆地区，但湖南人不是内向的人群；湖南虽然地盘不大，但湖南人胸怀很大。

湖湘文化历来具有一种博大的胸怀，虽然在一段时间里，“左”的指导思想和小农意识中狭隘的倾向合流之后，使湖南对外闭关自守，对内固步自封，使湖南的建设受到极大的损害。但这些不是湖南人的主流。湖南人杨昌济先生倡导的“贯通中西平视百家”的胸怀才是湖湘文化中的应有之义。

杨昌济先生曾指出：“非有世界之智识，不足以任指导社会之责。”

此言可谓至理。对今天的湖南来说，必须得树立世界性的眼光，建立世界性的心态，以海纳百川之胸怀，网罗全球之资源，方能振兴湖南。否则，湖南人满足于螺丝壳里做道场，指望在一亩三分地里做大文章，那无异于作茧自缚，自取其败。

反观今天的现实，湖南人很难说自己实现了“贯通中西平视百家”的气度。就拿开放程度最高的省城长沙的语言环境来说吧，市民以讲方言为荣，长沙里手们对外地人动不动要手腕，市内电视台也以讲长沙话为时髦，市府官员做报告也让外地人“不知所云”。据说，有一位外商到长沙，接待的厂长在介绍情况时照例操着一口流利的长沙话，外商的翻译忍无可忍：“老板，请讲中文。”这样的黑色幽默包含着这样的潜台词：湖南人不但不乐意与外界交流，还自我感觉良好呢！

开放的心态并不仅仅是敞开大门，把门打开并不难，难的是有不有与客人平等真诚自由交往的能力，从市场竞争中实现双赢。前些年湖南的一些地市提出来“只要到本市，一切好商量”的口号，就典型地反映了湖南的一些领导干部渴望开放又缺少成熟的心态：来到本地当然应该欢迎，但怎么能一切好商量呢？应该遵守的法律法规怎么能商量？应该遵循的国际惯例怎么能商量？应该尊重的文化和宗教习惯怎么能商量？

湖南人需要“引进来”，凡是世界上一切优秀文明成果，只要有利于湖南发展，湖南人都应该大肚能容。

湖南人需要“走出去”，凡是有用武之地、又能实现双赢互惠的，湖南人都应该大胆参与。

在一个全球化的时代，善于引领潮流的湖南人不能再抱残守缺自以为是了，三湘四水是我们的家园，但决不是我们全部的舞台；

1919 年 7 月，青年毛泽东在《湘江评论》创刊号上写道：时机到了！世界的大潮卷的更急了！洞庭湖的闸门动了，且开了！浩浩荡荡的新思潮业以奔腾澎湃于湘江两岸了！顺它的生，逆它的死。如何承受它？如何传播它？如何研究它？如何施行它？这是我们全体湘人最切最要的大问题……

世界潮流，顺之者昌，逆之者亡。

80 多年前的毛泽东以他诗一样的语言预告了湖南人的这种命运演绎的规律，时至今日，全球化的浪潮愈卷愈急，中国已经加入了世界贸易组织，湖南人的生存处境更趋严峻，湖南人又将怎样面对自己的未来呢？

湖南人再也不要把湖南当作中国的中心和世界的轴心，九曲十八湾的浏阳河最终要流入洞庭湖、进入长江、汇入浩瀚的太平洋才能实现其最大的价值和梦想。

21世纪的湖南人，当作国际化的湖南人。

人是需要一点精神的。事实上，在逆境中奋进的人精神状态可以说是决定性因素。精神状态如何，决定着事业的成败。

湖南要改革，要发展，要迎难而上，首要解决的就是一个精神状态的问题。以霸蛮精神著称于世的湖南人，如今那种锐意进取、敢打硬仗的雄风硬气，现在还存在多少？

海外曾有人将湖南两个字做了个谐音拆字游戏：湖类似于糊，就是糊里糊涂，浑浑噩噩；南等于难，就是害怕困难、懒懒散散。

糊里糊涂，懒里懒散。这样的精神状态如何能导引湖南人进入21世纪？

精神的先导工程，就是振奋湖南人精神的首要工程，是解决好湖南人精神状态的一号工程。湖南人，你能不能一路走好呢？

第二节 振兴工程

——发展湖南的经济

A

对湖南的经济状况，近年来舆论非议颇多。湖南人自己对此也颇为气馁。

确实，与湖南人在政治、军事、文化乃至科技教育事业上令人惊叹的建树相比，湖南的经济就分外地显得相形见绌。

无论从什么样的指标来衡量，湖南的经济在国内只能算中不溜。而湖南人在别的领域，几乎都可以挤进国内一流的行列。

这样一来，就更加印证了“湖南人，政治上偏热，经济上偏冷”的雅谑确实真切地道出了湖南人的强项和弱项。

在一个经济建设为中心的时代里，游离于经济中心之外的角色是可怕的，即使再出色，也只能算做一个边缘角色。

将湖南人称为没落的贵族，湖南人可以接受；

将湖南人称为落地的凤凰，湖南人也可以接受；

但是，让湖南人退出历史舞台的中心，扮演一个无足轻重的边缘角色，湖南人将很难接受。

所以，无论从什么角度来理解，振兴湖南的经济，都将是

21世纪湖南的治政者必须优先考虑的重中之重。

然而，也有好心人善意地指出：振兴湖南经济是“不可能完成的任务”。

对这样的议论应当怎么看？

首先必须承认的是，振兴湖南经济难度的确很大，“过去不是沿海，如今不是东西”，这是湖南人对自己尴尬地位的自我解嘲，实际上就是反映了湖南最大的劣势——区位劣势。身处内陆的位置，多山的地形，再加上基础设施的薄弱，使湖南深受地理环境的局限。失去了地利优势的湖南，如今又没有赶上好天时，既不是沿海开放地带，又不是西部大开发的热点，使湖南陷入了一种双重困境。

其次，湖南的省情并不理想。人多地少，资源短缺，历史包袱沉重，工业基础薄弱，农业人口偏高，环境透支严重等欠发达地区具有的毛病，湖南基本上都有。湖南最近一次的人口普查显示，湖南人口中小学文化以下的占六分之一以上，文盲绝对数目让人吃惊。这样的自然和人文环境是制约湖南发展的长期的瓶颈。

还有，湖南人对经济确实不太在行。湖南虽然诞生过陶澍、刘少奇、朱镕基这样的宏观经济管理高手，但湖南的商界名家却乏善可陈。即使历史上冒出过李烛尘这样的民族企业家，他的事业还不在湖南。缺乏商界人才，其实是商品经济不发达的表现。湖南过去可以诞生杰出的政治家、军事家和艺术家，可无法诞生出色的企业家，其原因就是由于湖南是一个小农经济占绝对优势的地方，缺乏商人生活的土壤。加上湖湘文化本身就具有浓厚的重农意识，使得湖南人对商品经济异常的陌生，更不要说现代市场经济了。湖南杰出的思想家王夫之，学究天人，可是连这位老人家对商业和商人都极为鄙夷，以至于后来的湘军抢掠江浙后曾经获得了一大笔原始积累后，湘军头领只知道买田置宅，却不应用于商业投资。与此形成鲜明对比的是，日本人在获得清朝政府《马关条约》的赔款后，首要的流向就是贷款给实业家扩大再生产。缺乏商业精神的湖南人和缺乏商业氛围的湖南，将如何搏击在现代市场经济的海洋里？这是一个值得焦虑的问题。

当然，政治和经济从来就不是可以彻底分家的，由于受“左”的思想的错误引导和计划经济的思路再加上一系列的政策失误，使湖南没有能够很好抓住机遇，致使经济发展受到很大的影响，这方面的教训也颇为深刻。至今湖南的市场化程度依然偏低，经济管理干部知识老化、观念陈旧、创新意识薄弱的问题显著存在，形成了制约经济发展的“橡皮墙”。

有这么多的掣肘因素，是不是就让湖南人在市场经济这只老虎面前俯首称臣呢？

也不尽然。

首先，对湖南人来说，能不能搞好经济不是一个可以讨论的问题。因为，不管能不能，湖南的经济都必须搞上去，这不是一个可以避让的问题。

其二，湖南尽管制约因素颇多，但毕竟不是中国最贫穷落后的省份，新中国 50 多年来的建设，湖南已经有了不薄的家底，再加上在中央的正确领导下，湖南的经济已经有了长足的发展。应该说，湖南经济能有今天，确属来之不易。对 21 世纪的湖南人来说，不是一个经济搞不搞的上去的问题，而是湖南能不能为全国经济发展做出更大的贡献的问题。

其三，人是生产力中最革命最有活力的因素，湖南人既然过去可以为中华民族的革命和建设做出杰出的贡献，就没有理由不相信湖南人今后仍将在市场经济社会中大有作为。“若道中华国果亡，除非湖南人尽死”，湖南人始终有这样一种强烈的使命感，他们特别能吃苦、特别能战斗的霸蛮精神仍然是21世纪鼓励湖南人奋勇前进的宝贵精神动力，而湖湘文化中“实事求是，与时俱进”的刚健进取的精神要素和经世济用、自强不息的建功立业传统，也将激励21世纪的湖南人为振兴湖南经济做出应有的贡献。可以说，尽管没有优厚的政策，尽管没有优越的环境，但是只要始终重视培养和相信湖南人中的优秀分子，始终将人才置于优先考虑的战略位置，湖南的经济就一定能够实现振兴。

振兴湖南经济的宏大工程当然千头万绪，但是其关键点却已经清晰可见。概而言之，就是称之为“一二三四工程”。

B

古人云：不谋全局者不足以谋一城。

湖南的经济要实现大发展，首要的一点就是要从宏观上确立一个目标。

经济发展目标其实是给湖南经济定位，这方面的研究和讨论非常的多，提法不一，争议颇多。本书作者和本书的经济顾问在经过仔细分析后认为，将湖南建设成为“中国农业工业化的中心”的定位是比较合适的。

现在不少湖南人对搞工业有畏难情绪，对搞农业又有一种抵触情绪：

许多人似乎一提湖南搞工业就是脱离湖南的农本，对湖南迈向工业大省信心不足；

而另一部分则一提搞农业就反感，认为湖南搞农业没有前途。

其实这两种想法都有其片面性。

前者是对现代工业的误解，后者是对现代农业的误读。

考虑湖南发展问题的第一条就是摸清家底。众所周知，湖南是一个农业大省，谈到湖南省的经济概况，首先要说的第一句话：湖南是农业经济大省，农业在经济结构中占据极高的比例。换句话说，忘记了农业大省的基本省情，就等于脱离了湖南的实际，这样来奢谈发展湖南经济就没有了基础。

面对湖南是一个农业大省的基本省情，从三个层面上来审读：

一、这一省情表明湖南的农业经济在省内 GDP 中占了很高的比例，农村是湖南的经济政治和文化的主体，农民在人口比例中占有极高的分量。所以，农业大省是一个三农问题的典型。谈湖南的农业，就得与农民、农村一起来分析。而其中农民问题又是三个问题的核心。改造湖南的农业经济，实际上就是要解决湖南的农民问题，换句话说，就是要解决湖南农村剩余劳动力的出路问题。所以说，农业是湖南的一个事关全局的核心问题，农业问题解决得好，经济发展就快，农村就能大发展，农民就有了出路，湖南就有了振兴的希望。

二、这一省情表明农业仍然是湖南经济的命脉。农业在省内 GDP 中的比例虽然已经有所下降，但目前的比例依然偏高，与国内经济较发达省份相比，这一比例就更是高得出奇。这就意味着，湖南的农业改造得好，可以成为湖南的一个最大的经济增长点，湖南的农业改造得不好，湖南的经济增长就要被农业拖后腿。即使是别的产业能够实现增长，但是农业经济如果徘徊不前，湖南的经济就无法实现腾飞。

三、这一省情表明湖南不能脱离农业谈增长。农业作为第一产业本身，其经济效益呈递减的规律，就是说，传统农业的经济效益很低，与现代工业和第三产业相比，其效益就更加惨不忍睹。但这样是不是就可以说，湖南的经济增长应该撇开农业，重新寻找出路？结论是，这种想法很好，但不切合实际。前文已经分析过了，离开农业谈湖南就是不懂湖南，脱离农业谈湖南，就是造空中楼阁，即使在农业之外找到了经济增长点，也不可能成为带动湖南经济的增长主体，不足以支撑湖南经济的全局，顶多是一个个新亮点。用一个简单的比喻来形容湖南的经济：农业是月亮，其他产业是星星，如果月亮亮不起来，即使是繁星满天，天空还是亮不起来。

对于传统农业的认识，湖南人中的行家里手多如牛毛。但是，对于现代农业应当怎么认识，特别是农业在现代世界经济中的地位、作用和发展态势，湖南人好像知之不多、知之不深，相反，误解倒不少，最典型的一种看法就是搞农业没前途。

所以，在此有必要对现代农业做一番简单的辨证：

一、农业不是夕阳产业，而是永远的朝阳产业。农业通常被称为第一产业，它是人类社会从原始社会中的第一次社会生产力分工中诞生的，就是说，农业第一次大幅度提高了人类的生产力，通过农业，人类第一次有了稳定的生活资料生产方式。没有农业，就没有文明演进史。后来的生产力分工，如第二产业工业，第三产业服务业都是脱胎于农业又服务于农业的。没有农业，工业和服务业就成了无源之水，无本之木。所以，农业被中国人称为农本，是非常准确的。农业是基础，农业是根本，农业是人类社会的基石，现代经济并没有消灭农业，而是促进了农业经济的极大发展。在现代国际经济中，农业的地位并没有削弱，反而进一步加强。要不然，中国和美国在进行“入世”谈判时，农业就不会成为反复交锋的焦点。

二、现代农业不是传统农业，而是农业工业。农业很重要，但是农业的传统生产方式的确效率低下。人们厌恶传统农业，不是因为农业不好，而是因为传统农业中的传统生产方式的确效率低、效益差。所以，现代农业的重点就是极大地革新了传统农业的生产方式，运用现代大工业的生产方式来搞农业。现代农业就其生产方式而言，是属于现代工业的范畴，就其交易方式而言，属于现代商业的范畴，就其文化辐射力而言，属于现代文化的范畴。简单地说，现代农业就是现代农业工业，忽略其产品的性质不算，现代农业与其他现代工业门类没有多大差别，如果把农产品看成是商品，那么现代农业就是现代市场经济的重要组成部分。说搞农业就落后的人其实是不了解现代市场经济，只要去看一看农业在美国、加拿大、澳大利亚、法国、英国、日本、德国等现代化发达国家中的地位就会明白：农业已经不是传统农业，农业的前途在于工业化，农业工业是大国的经济支柱。

三、现代农业需要成熟的现代化支撑系统。传统农业一旦转变成农业工业，其生产效率低下的毛病变迅速改观，成为与其他工业和服务业一样的高增长产业。然而仅仅进行生产方式的工业化改造还不够，农业还必须进入市场，农产品要成为商品，农民变成农业工人以后，还要转变成商人，农业的效益体现方式不是以产量来衡量，而是以货币的形式体现。从这种意义上说，农业已经成为现代市场经济中的一个重要环节，它与其他环节密不可分。换句话说，没有成熟的工业技术和成熟的市场交易体系和良好的现代金融、文化服务体系，就没有现代农业。所以，现代化的农业大省，照样是现代化的发达地区，农业的工业化对其他产业具有明显地带动作用，实现农业现代化的地区除了有农产品服务为主这个鲜明特色外，与其他现代化的发达地区没有任何逊色的地方。

综上所述，湖南搞农业并非走向没落，湖南的农业的前途在于工业化，一个现代农业发达的湖南一定是一个现代化的湖南。

在确立了湖南农业主体地位的时候，接下来要辨证的一个问题是：湖南为什么非要搞农业特色，为什么不能搞工业特色、为什么不能搞现代信息技术特色或者其他？

先撇开世界经济不谈，但从国内经济版图的现状来看湖南：

大家知道，区域经济发展定位的核心理论是比较优势理论，就是说必须明白什么是自己的长处，什么是自己的短处。

在弄清楚自己的长处之前，首先要摸清自己的短处。著名的“木桶原理”表明：木桶的容量不决定于最长的木板，而是决定于最短的木板。

湖南的最大的短处是区位劣势，正如前文所述，湖南地处内陆，不是沿海沿边地区，进行国际经济交流有先天的缺陷，湖南又不是西部大开发的筹划范围，今后很难得到国家优厚的投资支持，这样的区位决定湖南不可能成为中国与世界经济进行交流的桥头堡，也难以成为信息、文化和资金交流的前哨。这样的一个区位使湖南成为国家宏观经济计划中的金融、信息、文化、商贸和大工业中心是不可能的。

再来看湖南在中国经济版图布局中的现状。湖南的东边有中国的经济中心上海，西边有中国西部大开发的桥头堡重庆，南边有中国南方经济中心广东，北边有中国的政治经济和文化中心首都北京，可以说在中国的宏观经济中心布局中已经没有湖南的地位。

既然在全国的宏观经济版图上没有湖南重中之重的地位，在湖南的邻近地区内，湖南又能占据怎样的位置呢?

从华中地区来看，该地区的经济中心显然是武汉，而不是长沙，武汉九省通衢的地位是无法取代的，郑州为了中原的中心，其陆路交通无人可比，湖南难以成为华中地区的枢纽。

从中南地区来看，该地区的经济中心显然是以广州为中心的珠江三角洲地带，广东龙头老大的地位无人可以取代。

这样的分析表明，湖南要成为华中或者中南地区的经济中心，可能性微乎其微。

再从产业优势的角度来分析，湖南显然没有自己的优势支柱产业，本身是农业大省，却不是农业强省，工业实力不如湖北，不及重庆，更无法与广东匹敌，在现代新兴的信息产业中，湖南比不过北京、上海、深圳，也不如广州，只能是一个有特色的二流地位，而一个国家不大可能有若干个信息产业中心，连美国都只有一个硅谷，何况其他国家呢?

湖南的冶金、机械、化学、矿冶等产业在全国有一定影响力，但是既没有名牌，又无法进入国际一流，难以支撑起全省经济的大局。如果依仗湖南经济的几个亮点例如卷烟、空调、摩托、日用品等少数厂家，对湖南经济的全局不可能起显著带动作用，毕竟6500万人口不能靠纸烟盒吃饭呀!

通过这样的综合分析，湖南在经济目标定位上，剩下的空间确实不多。由于先天和现状的约束，决定湖南必须重新寻找定位，走适合自己发展的道路。

但是，湖南经济定位剩余空间狭小，并不表明湖南经济没有出路。

根据木桶原理的另一条定律：如果根据最短的木板重新设计形状容器，容器仍然可以实现容量最大化。

依照这个原理，如果将湖南的区位劣势和产业劣势重新设计湖南经济，就会发现别有一番洞天：

湖南地处中国中部内陆，处内陆之前沿，居沿海之腹地，控南北之枢纽，挟东西之要冲。接京华，连港澳，策南应北，邻华东，接西南，沟连东西，境内有湘水之便，紧连有长江之利，通江达海，自古为兵家必争之地，实乃中国的核心枢纽所在。

打开中国地图，可以发现湖南是连接中国东西南北四大经济中心（北京、上海、广东、重庆）的中心地带，以长沙为中心，抵达四大经济中心均十分便捷。如果与湖北连手组建两湖经济地带，便可一举控制中国经济辐射力最强的华中经济带。换句话说，中国的四大经济中心分居东南西北四个方向，惟独缺少一个中心地带，而这一中心地带便是湖北和湖南。

地理位置上这样一个安排，给了湖南沟通南北连贯东西的得天独厚的枢纽地位，难道不是老天爷对湖南人的偏爱？位于中国这样一个国内市场极其巨大的大型经济体的中心位置，湖南人为什么要抱怨呢？

这样的等距离辐射国内经济中心的区位最适合发展就是流通业，除了东北和西北之外，湖南都有中心辐射的优势。

与湖南在华中争雄的现在只剩下湖北，而庆幸的是，湖北和湖南的产业结构并不很相同，湖北的工业布局已经比较明显，湖北将要发展以机械、汽车、化工等重工业为主的工业经济模式，而湖南由于没有显著的工业特色，对未来的工业布局尚处于筹划阶段。这就决定湖南的工业经济不应该与湖北正面竞争，而应该另辟蹊径，重新安排。

很明显，湖南发展农业工业是一种上策的部署。既可以避开与湖北的产业结构雷同，又可以发挥湖南的区位优势。根据区域经济学家韦伯的理论：流通业的利润主要来自于运费。而农产品流通恰恰属于典型的高运费流通业。湖南发展以农产品为主的流通业，有两大天然的优势：湖南本身是农业大省，农产品加工的原料取之不尽，用之不竭，就地取材，这就节省了一大笔运费；而湖南将初级农产品或者加工后的农产品向外推销或者引进中国四方的农业原材料，其地处华中的区位优势又使得湖南成为运输成本最低的地区。

这样一来，将湖南定位为中国的农业工业化中心就顺理成章了。

作为中国的农业大省，湖南天然具备原材料优势。

作为中国内陆的省份，湖南具备运输流通的优势。

这样的一个中心地位使得全中国都成为了湖南的原材料供应地，同时，全中国的经济发达地区都成为湖南的消费市场。湖南，将一跃成为中国最大的消费材料生产和流通基地，中国人口多、消费旺盛的特点又成为了支持湖南经济快速发展的源源不断的动力。

既有无与伦比的区位和产业优势，又有世界上最大的农业产品消费人群，湖南得不到大发展，那才是怪事呢？

C

依据前文所述的湖南经济目标的定位，发展湖南农业就必须有重点地展开两大相关产业：生命生物产业和流通信息产业。

农业的发展前途在于工业化，而农业工业化又必须依仗高新技术，利用现代高新技术来改造传统农业。而这里首要的高新技术就是现代生命生物技术。

农业技术本身就是生命生物技术，这个不需要再论证。现代农业技术的发展方向也是积极向现代生命生物技术靠拢。

提高农业产品的产量和质量是第一道环节，这方面，以袁隆平为代表的水稻生物工程已经做出了表率。利用现代生命生物技术，诸如基因技术等，对湖南传统农业的生产方式进行空前规模的改造，必将促使湖南的农产品从产量上空前提高，质量上空前进步，品种上空前丰富。

提高农业产品的附加值是第二道环节，这方面，以金健米业公司为代表的湖南新兴农产品加工企业已经迈出了步伐。利用现代生命生物技术，配置以现代公司管理模式，必将极大提高湖南农产品加工企业的生产能力和产品附加值。湖南的若干农业产品将成为中国乃至世界的名牌将不是梦想。

所有的这些都要求湖南有意识地重点发展生命生物产业，成为中国的一个生命生物科技创新的中心。湖南农业，也将由此搭上现代高新技术的快车，大步迈向现代化农业阶段。

湖南农业工业化并不仅仅是农业技术的升级，也是一个农业产业化的进程，就是说农业产品经过加工后要变成商品，进入流通业，最后以货币的形式体现其价值。这就要求湖南建立其与其经济发展模式相适应的流通信息体系。

要想富，先修路。这是再简单不过的道理。湖南的交通运输设施有不错的基础，但是与建成中国的物流中心的地位还很不相称。近年来朱总理一直在倡导有中国特色的“罗斯福政策”，鼓励加大对基础设施的投入，这对湖南是一个利好的消息。湖南没有理由不抓住这样千载难缝的机会。

现代的商品交易方式已经不再是易货贸易，而是充分利用现代通信技术和信息手段，营造低成本的无形流通体系，这就要求湖南必须大力发展流通信息产业，充分利用现代现代信息手段，打造信息湖南。

在良好的流通信息硬件基础上，湖南需要建造新型的信用体系和金融支持系统。优良的硬件系统加上优异的服务体系，湖南要力争成为中国的一个沟通的天堂。

D

湖南的农业工业化的进程，简而言之，就是一个农村城市化的进程。

这一过程并不是要把所有的农村全部铺上水泥，盖上高楼，而是说，必须逐渐将农村的剩余劳动力转移到城市或城镇，从事工业或服务业，而从事第一产业的农民也逐渐要向农业工人过渡。

按照钱纳里人均经济总量与经济发展阶段的有关标准判断，湖南目前可说已经处于工业化中级阶段的初期。但与国际上对工业化的衡量一般采取综合指标体系不同的是，湖南基本

省情的判断依据来自于湖南省委书记杨正午提出的人均经济总量和经济结构体系的四个指标:

一是从人均经济总量分析。湖南近年来经济总量一直处在快速增长期,2000年全省GDP为3692亿元,占全国的比重由1978年的4.06%、1990的4.00%上升到4.13%。不过,湖南的经济总量在全国的位次却从1997年后移至第12位,人均GDP2000年为5639元,按当年汇率折算为693美元,比全国平均水平低1439元。按照这一指标,湖南只能说处在工业化中期初始阶段。

二是从产业结构分析。湖南二、三产业占GDP的比重尽管从1992年起分别超过第一产业,但层次仍然偏低。2000年第一产业比重为21.3%,高于全国平均水平15.9%达5.4个百分点;第二产业比重仅实现39.6%,低于全国平均50.9%水平约11个百分点。

三是从劳动力结构来分析。湖南第一产业的就业比重一直呈现逐年下降的态势,从1980年的77.0%,下降到1999年的56.3%,下降了20.7个百分点。不过,大部分劳动力仍然为"吃饭"而劳作,非农劳动力占全社会劳动力的比重较全国平均水平相差9.3个百分点。

四是从城乡结构来分析。2000年,湖南城市化水平达29.75%,较全国平均水平低6.3个百分点,城市化率比工业化率(工业增加值占GDP比重)低3.55个百分点,城市化率与工业化率之比仅为0.90,远远低于该比值1.4~2.5的合理范围,表明湖南城市化严重滞后于工业化进程。

这样的指标口径还有值得商榷的地方,不过,这些数据已经表明,湖南的城市化水平严重滞后于工业化的目标则是确定无疑的。

人多地少，农业无法实现规模化生产，农业产品就无法具备市场竞争力。

城市化水平低，农民无法进城，更加使农业经济效益递减，农业无法实现产业化。

这样一来，推进城市化就成为湖南必须下的一步棋。如前文所述，湖南的经济主体应该以农业工业化为中心，而湖南的城市化进程正好又促进了农业的转型，这两者因为共同的目标终于凝聚在一起了。这就说明，湖南的农业工业化必须推进农村城市化，而农村城市化又必须服务于农业工业化。

根据湖南的农业工业化的整体设计，我们认为，在振兴工程中设计湖南的三个中心城市带是恰当的：

1、组建长株潭经济专区

湖南的经济为什么这么些年来在全国无法实现进位，反而退位，一个非常明显的原因就是湖南缺少一个具有增长起作用的中心城市来带动湖南经济的全局。中心城市对于经济的带动作用是不言而喻的，不要说看外国，只要看一看上海对于华东、广州对于广东、北京对于华北、武汉对于湖北的经济拉动作用，明眼人就可以想象得出来。但是，很不幸，湖南没有这样一个中心城市。

所以，湖南的诸多学者多年以来一直在呼吁长株潭一体化（即长沙株洲湘潭一体化）。很久以来，长沙、株洲、湘潭三市就被称为湖南的“金三角”。大约在上个世纪50年代，就有人提议把三市合并起来组建“毛泽东城”。一是当时的经济布局不成熟，而是中国共产党的领袖有谦虚谨慎的美德，不会同意用领袖人物的名字命名城市，所以，此议被搁置了。

1982年，湖南省社会科学院副院长张萍又就此事写成提案上交湖南省讨论。1983年11月10日，湖南省委召开常委扩大会议研究张萍先生的提案，认为建设长株潭经济区很有意义。尔后三市建立了协调例会制度，专门研究一体化问题，但此事不久又不了了之，湖南失去了一次宝贵的调整经济布局的机会。直到1999年末，湖南省委、省政府又开始下决心推进三市一体化进程，时至今日，虽然在基础建设方面下了一些功夫，但实质性的问题依然处于搁置状态。

在湖南谋划新世纪的发展蓝图时，这件事情不能再一拖再拖了。无论从建设湖南经济增长极的角度，还是推进湖南农业工业化的角度，建立以长沙为轴心的中心城市带都是必要的。现在三市一体化之所以推进艰难，核心问题还是在于行政一体化的问题上。而可以肯定的是，如果不能建立高度统一的行政权威，三市一体化就难以取得实质性进展。

我国现行的区划制度，自建国初制定至今五十余年无很大变化。而当年的区划决策是在战略性和简明性的原则下作出的，对于今天高速发展、形势复杂的中国社会来说，已不适应时代发展。传统区划与现代社会之间的矛盾日益尖锐，旧体制的区划在某些方面已阻碍了经济的发展。事实上，行政区划的基础应是经济区划与文化区划。事实证明，行政区划的细微化，亦即部分地区行政地位的提升，将可大大提升该地区的经济地位，成为其发展的巨大动力。根据这样的判断，三市首长不应该在一个城市名字上纠缠，至于一些行政干部的级别问题，也可以通过经济补偿的办法解决，总之不能因为名位之争影响湖南发展的大局。而湖南省也可以尝试建立经济专区的形式来重新规划三市，将三市的宏观经济管理部门和财税文教管理部门合并，借鉴欧共体的议会制度，组建经济专区宏观管理委员会，集体决定经济专区的经济政策。通过经济专区的磨和，最终实现三市的完全合并。

现在湖南将省政府南迁，很显然带有融合三市的意图，也将提升长沙的人气，但是，如果没有行政体制上的改革，这一作用也是比较有限的。

在未来的长株潭经济专区中，长沙将成为农业工业化的科技和信息中心，株洲将成为流通和贸易中心，湘潭将成为加工业中心，三足鼎立，互为依赖，互相补充，这一地区也将成为中国的食品工业、轻工业、生物生命工程和信息贸易中心，将可以与亚特兰大和芝加哥媲美。这是多么让人鼓舞的美好前景。这样的创新需要付出勇气，这样的创新也需要付出代价，希望三市的治政者不要因为个人或部门利益而牺牲湖南经济振兴的大局，倘如此，实属湖南之幸。

2、筹建洞庭湖城市带

湖南的农业工业化不是搞闭门造车，而是要紧紧抓住省内省外两个市场，不但销售市场要向外，原材料也要向外。而与湖南毗邻的另外一个农业大省湖北，自然就成为首要考虑的战略伙伴。湖南可以尽快考虑筹建以岳阳为轴心的洞庭湖城市带，以消纳“两湖平原”的资源。

“两湖”平原系指湖北省的江汉平原和湖南省的洞庭湖平原。该区域包括湖北省荆州市、荆门市、仙桃市、天门市、潜江市以及湖南省岳阳市、益阳市、常德市，现辖 18 个县、11 个市和 10 个区，总面积近 8 万平方公里，总人口近 3000 万。该区域江湖水系相通，资源禀赋相同，产业结构相近，发展水平相当，经济文化往来十分密切，经济协作互补性强，形成了有一定联系的区域性经济体系。因此，应积极探索“两湖”平原经济区的发展战略，制定整体发展规划，以便充分发挥“两湖”平原的区位综合优势。

该区域内的城市化实际上是城乡一体化，市场外向化。必须坚持基础建设先行。进一步加强基础设施建设，是“两湖”平原经济区一项十分重要的任务。要全面规划、统筹兼顾、标本兼治、综合治理，重点加强长江干堤和洞庭湖围堤及荆南四河和湘资沅澧等支流堤防、分蓄洪区和城市防洪工程建设，抓好农田水利基本建设，逐步建成完善的防洪、排灌体系，真正实现“江湖安澜、百姓安居、外商安心”。进一步加强桥梁、公路、铁路、港口、机场建设，健全畅通、安全、便捷的现代化综合运输体系，为产品外销打通渠道。

3、筹划湘南湘西城乡一体化

湖南的经济发展很不平衡，以长沙为主体的金三角相当于第一世界，以岳阳常德为代表的相北地区相当于第二世界，以衡阳邵阳怀化为半径的湘南湘西地带相当于第三世界，也是城市化水平最低的地区。

湘南湘西地区多山少土，交通不便，而地理位置又极其重要，乃是湖南面向两广和南中国海的孔道和外控大西南的隘口，在湖南的外向型物流体系中占据半壁江山，所以，也应该纳入通盘考虑。

该地区的城市化首先就是要贯彻交通先行战略。在基础建设中，应重点考虑建设陆路和空港交通。衡阳不仅应成为陆路交通枢纽，还应该有大型航空港，邵阳的远景前途在于广西，所以，进驻广西的高速公路和铁路必须修建，而怀化借西部大开发的东风必将成为中国西南部名城，将湖南的另一个科技教育中心放在那里将是有远见的选择，因为对一个新兴城市而言，提升城市品位最有利于提高其辐射力。这里要强调一下郴州的重要性。郴州是湖南的南大门，是湖南人进军广东的港澳的门户，如果规划得当，可以成为广东的后花园和菜园子。目前阻碍郴州施展拳脚的首要因素还是交通条件。如何通过便捷的高速公路与广东连接，是开发郴州需要很好谋划的问题。

湖南的城市化比较难，最难的就是以传统农业经济为主的省内经济不足以提供一个足够大的内需市场，也就是说，湖南的城市要生存要发展，就要实现市场在外的战略。对这种思路看的最准的是湖南邵东人，邵东县位于湖南省的中西部，是湖南省人口密度最高的农村县，可怜的土地不足以养活邵东人，所以邵东人很早就开始发展外向型的贸易经济，将外地人当作自己的衣食父母，成为了湖南民营经济的典范，所以，邵东人也变成为了湖南的温州人，将生意做到了全世界，成为湖南外向型经济成分最高的地区。

邵东模式是湖南人自己发明的，从一个交通闭塞的地区冒出这样一群会做生意的湖南人，也可以从另一个角度证明：湖南人并非没有生意头脑，只是湖南人在这方面动的脑筋太少了。

E

在中国的经济版图上，现在出现了一个明显的现象，经济学家称之为“中部塌陷现象”，在中国东部地区经济已经驶上快车道之后，西部地区又逐渐成为了经济开发的热点，只有中部诸省区，似乎响动不大，故称中部塌陷。

湖南在中国中部内陆具有相当的代表性，一向敢于以天下为己任的湖南人敢不敢提出湘省率先实现中部崛起的目标，为中部的兄弟省区发展经济探路，以弥补中国经济中部塌陷的遗憾，这是湖南经济应该回答的一个问题，也是湖南人应该抱有的雄心壮志。

列宁说：差距就是矛盾。湖南面临着与东部和西部发展的差距，这本身就是一种矛盾，不管湖南人承不承认，湖南必须要解决这样的矛盾，否则，湖南经济在全国就无法遏制退位的危险。

在确立了湖南基本的发展目标和思路之后，应该确立实现这些目标和思路的保障体系，以支持湖南实现自己在新世纪的宏伟目标，这一保障体系主要有四个：

1、人才。毛泽东曾经说过：路线方针确立之后，关键是干部。换句话说，目标确立之后，关键要靠人才来落实。湖南不缺人才，不然还叫什么“惟楚有材”，但是，湖南缺少用才的环境。在经济环境没有大改善之前，靠引进高端人才对湖南是不现实的，所以，关键还得用好本地的人才。对湖南来说，湖南不缺少科技和企业管理人才，否则湖南就不会冒出以袁隆平为代表的院士群体，以张剑为代表的民营企业家团队。湖南最缺乏的是公共管理人才。公共管理以一种提供公共产品服务为主的管理服务，本身不以赢利为目的，而是为社会的赢利性生产和消费提供服务，公共管理中最重要的门类就是政府管理服务。人们都知道，企业管理需要企业家，否则企业就搞不上去，殊不知政府管理也需要能人，否则政府就无法提供优良的服务。湖南在推进政府改革中，除了减员增效以外，能不能引进和任用一大批德才兼备的公共管理人才，建设一个廉洁高效的行政体系，是决定湖南经济改革快慢的关键性环节，这件事情兹事体大，应该尽快提上议事日程。

2、技术。湖南的传统农业和传统工业效益不好，与生产技术落后大有关系。如何利用高新技术改造传统产业，是提高湖南经济效益的另一个关键性环节。在农业改造中，如何利用机械化生产技术改变人拉牛背的耕种方式、利用现代生态加工技术改造农产品的粗加工现状，是决定农业生产升级的关键。在工业改造中，如何利用信息技术改造企业生产方式和管理方式、利用生命生物工程技术开拓新的经济增长点，是决定工业升级的关键。湖南的农业是典型的东亚农业，即无法实现像美国、澳大利亚那样的粗放型大规模生产，而是与日本、台湾相近精耕细作高附加值农业，生产效率和高附加值是湖南农业能否具有竞争力的关键，这种技术改造紧密结合东亚农业劳动密集型的优势，重点发展特色农业，在世界上方兴未艾。

3、投入。农业属于高投入高产出低风险的产业，而工业属于高投入低产出高风险的产业。只要有稳定的市场销路和一定的抗灾害的能力，对农业的投入就能够得到可预见的回报。农业贸易需要便捷的交通和物流体系，对交通基础设施要求较高。山东就是因为会修路，而打通了山东农村与京津的贸易渠道，湖南也应该效法这一思路，在基础建设投入中加大力度。另外，农以水为本，水利是农业的命脉，湖南水利欠帐很多，农业水利设施年久失修，遇到洪水就草木皆兵，遇到旱灾又束手无策，这种靠天吃饭的局面必须改变。

4、政策。政策是一种公共产品，好的政策可以让各行各业受益，坏的政策可以使全局受害。湖南的政策服务现在缺少感召力，公众的满意程度不高，这就说明提高政策服务水平还有极大的潜力。毛泽东同志说过：有了好的路线方针，没有人可以有人，没有枪可以有枪。事实就是这样，有了好的政策，缺人才可以招揽四海贤才，缺资金可以招来八方财源。湖南的政策服务改革进展得好，就可以形成湖南的一个最大的增长富矿，为经济增长和社会发展提供源源不断的动力和活力。湖南浏阳市是一个县级市，是湖南为数不多的农业大县，基础条件并不优越，过去是全国有名的老少边穷地区，1995年才摘掉贫困县的帽子。但是，浏阳近年来却实现了跨越式的发展，增长速度连续数年居湖南之冠，创造了浏阳模式。被专家学者称为中国改革开放20年来的经济改革的第四种发展模式，即小岗村模式、苏南模式、温州模式和浏阳模式，而浏阳模式似乎更为可贵。浏阳创造的奇迹与其说是经济体制改革的一个范本，不如说是政府体制改革的一个必然结果，浏阳的领导干部尊重生产力发展的规律，坚决淘汰阻碍经济发展的思想观念和政策范式，凭借创新的政策杠杆，推动浏阳人民闯出了一条新路子。浏阳模式，给了湖南人新的政治思维空间。

湖南在推进经济的过程中，过去犯的是性子慢的毛病，总是跟不上趟。如今眼看着有掉队的危险，湖南又开始犯性急的毛病。

湖南人现在“心急想吃热豆腐”的突出表现有二：一是遍地搞开发，恨不得村村冒烟，户户开店，湖南几乎没有一个地区没有自己的高速开发计划，都恨不得早点一步跨进城市化；二是追求高科技，恨不得把企业都搞成IT或软件公司，即使是个粗加工企业，也恨不得贴上“信息化先进单位”的牌子。殊不知推进工业化决不只是搞高新技术，而是要重点依托高新技术改造传统产业。

在确立经济目标后，湖南还是要稳住阵脚，稳定心态，看准了再行动。尤其要注意打好基础。湖南的老百姓曾经戏说湖南人“喝珠江水，穿江浙衣，用沿海电器”，这就暴露了湖南工业基础薄弱的特点，什么时候本地产品尤其是农产品和轻工产品有了国际竞争力，湖南才谈得上成为工业强省。

总之，思路决定出路。湖南要想实现经济崛起，整清思路是核心问题。这种思路应该是立足实情而不是立足空想，立足长远而不是立足眼前，立足民生和弱势群体而不是立足既得利益集团。在决策方式上，湖南应该实行适度的集权制度，在中央领导下，实现省委省政府权力适度集中的办法，防止因为决策权高度分散而带来的重复建设、各行其是的弊端。

在哲学社会科学高度发达的今天，湖南理应高度重视哲学社会科学工作者在决策咨询中的突出作用，除了进一步实现决策的民主化以外，要高度重视决策的科学化。在大力支持省内哲学社会科学研究人员进入决策圈以外，湖南应努力引进外脑，吸收最新哲学社会科学研究成果，以提高决策效率、减少决策失误。

第三节 繁荣工程

——复兴湖南的文化

A

湖南卫视有句广告词说得很有意思："崇文、尚武、爱吃辣椒，会搞文化，这就是湖南人"，这句话把湖南人的一些特性说得很明白了。

湖南人崇尚教育，爱好军事，嗜好辣椒，搞文化产业很有一套。这好像是一种约定俗成的公认。特别是湖南的教育，其基础教育水平位居全国前列，高等教育实力也可以进入全国5强的行列，而文化产业，近年来的电视湘军把全国人民好好地辣了一把，湖南出版集团实力超群，成为全国的三大出版中心之一，湖南长沙的报业竞争之激烈，在全国仅次于北京和广州。这种文化鼎盛的状况，多多少少让湖南人的胆气壮大了好几分，连在外地工作的湖南人也觉得面子上多了三分光彩。

但是，在这种繁荣的外表下，湖南的文化是不是真是像湖南的一些传媒上形容的那样"光彩照人、领袖群伦"呢？在兴盛的表皮下，其深层次的危机是否被湖南人觉察到了呢？

人们常说，经济基础决定上层建筑，上层建筑影响经济基础。但是，上层建筑毕竟有其独立的发展规律，在经济土壤并不肥沃的情况下，却可以诞生先进的文化之花，这是中外历史上反复出现过的“文化领先”现象。湖南人显然抓住了这一独特的规律，抓住机会，发展文化，然后利用文化牵引经济，这样的思路属于典型的后发优势思路，即看准了先行者的缺陷和不足，重点攻其疏漏处，取得突破以弥补其后发劣势，从这一点来看，湖南人继承了湖湘文化中“与时俱进、敢开风气”的思维传统，继往开来，打了一个漂亮仗。

这种后发战略的特点有三：一是坚持教育先行战略，把教育当作摆脱环境困境的最能动的力量，最大限度地降低环境对人发展的约束力；二是坚持创新的思维方式，创新是后发战略的灵魂，惟有创新才有超越先发者的可能；三是坚持精英突进理论，后发战略不可能实现人员的素质整体推进，而是充分发挥自己的精英强项，依靠精英创世纪，从片面发展中寻求特色和优势。

湖南自古以来就不是经济发达地区，四塞之国的地理环境又使得湖南的文化一直在封闭保守的环境下缓慢运行，直到近代以来，以岳麓书院为代表的湖湘士人凭借非凡的胆略和大无畏的气魄开创风气，勇为人先，以精英教育为先导，以鲸吞四海的胸怀吸纳西方先进文化成果，哺育出了一大批湖湘精英，终于开辟了湖湘文化的鼎盛局面，迎来了湖南人的黄金时代。这就是“先发制人而制于人、后发制人而制人”的后发思维方法的最辉煌的战果之一。

时至今日，湖南人在沉寂了很长时间之后，又自觉不自觉地捡起了老祖宗的法宝，不能不说，这是传统的湖湘文化给当代湖南人留下的是多么丰厚的一笔财富。文化传统对人的作用力之大，由此也可见一斑。

但是，老祖宗的东西应该传承，特别是在客观和主观条件都已经发生了巨大变化的情况下，湖南人应该如何开辟新格局，这是发展湖南文化必须优先考虑的问题。

王夫之先生总结中国历史和文明数千年的演变规律时，得出的结论只有一句话：人当与时代与时共进。

今天，我们来重新考量湖南文化的当代发展战略时，也应当首先考虑我们的时代变迁，立足当代背景，寻找湖南文化的未来：

1、在经济建设为中心的时代，脱离经济发展文化缺乏足够的支撑。毫无疑问，当代中国是一个经济建设为中心的时代，经济是主题，经济是主体，经济也是主旋律。没有足够的经济实力谈文化突进，既缺乏基础，又缺乏动力，文化最终成为一种空谈主义。

2、在科教兴国的大战略下，精英主义不足以支持整体发展。科教兴国就是素质兴国，将国家发展的动力由资源依赖型变成人力依赖型。显然，凭借几个精英人物不足以支持经济和社会发展的大厦，而只能在全体素质得到足够提升的情况下，国家和地区的兴旺才能成为可能。

3、在全球化竞争的背景下，人才的竞争是国际化的竞争。全球化的背景既要求人才的素质是全面的综合素质，具有文理兼容、中西并蓄的能力，又使得人才竞争特别是对高端人才的竞争进入国际化的竞争时代，吸纳和使用人才的能力比培育和生产人才的能力更为重要，换句话说，人才的竞争变成了用人环境的竞争。

综上所述，湖南在21世纪能否实现文化的复兴，需要整体设计，周密商量，概而言之，这一工程可以称为“二二三”

工程。

B

就发展文化产业而言，湖南已经确定了建设文化强省的目标，这样的目标无疑是令人的鼓舞的。既然是文化产业，就带有经济和文化双重属性，也就必然受到经济发展规律和文化发展规律的约束，湖南的文化产业的未来走向，归根结底要看对这两种规律的把握程度，简而言之，要特别注意两条准则：

1、发展文化要特别注意与湖南经济发展相协调。湖南的文化产业发展势头比较迅猛，但现在也出现了一种过热的苗头，有人甚至希望文化产业单兵突进以带动湖南经济的全局，这是不现实的。根据一般的惯例，电视和报刊的70%左右的广告收入来源于本地，也就是说，没有发达的本地经济，本地就不可能有发达的文化产业。在计划经济情况下，可以采取政府掏腰包的形式来购买文化产品以塑造文化繁荣的场面，而现在再沿用这样的办法就不现实、也不明智了。过去印度提出过建设电影大国的设想，利用国家财政补贴的支持，使印度成为了世界电影产量最多的国家，但是久而久之，印度政府难堪重负，最后放弃了支持。湖南要警惕走印度的路子，在政府的支持下，传媒在不完全市场竞争的情况下是可以得到重点发展的，但绝不能成为财政的一个负担，否则，文化产业的市场竞争力始终得不到锻炼，一旦市场形势恶化，脱离了财政襁褓的传媒又将如何面对自己的明天？对湖南的文化产业特别是传媒，要提的最真诚的建议是：要红红火火，但不要冒虚火。

2、文化产业要以复兴湖湘文化为己任。文化产业的竞争既是实力的竞争，又是特色的竞争。湖南的文化产业要站在全球化的视角下定位。在全球化浪潮席卷全球的时候，争夺全球话语权的竞争日益激烈。西方文化依仗其雄厚的经济和技术实力，对发展中国家造成了严重的挤压，文化安全的问题对发展中国家来说是一种严重的挑战，在这样的态势下，湖南的文化产业应该密切关注这一严重事态，不仅要以海纳百川的胸怀学习吸收西方文化的长处，同时也要以只争朝夕的紧迫感壮大自身，争取在“与狼共舞”中生存和发展，这就要求湖南的文化产业不仅要提升规模，更要提升层次，要树立文化的使命感。文化的竞争也是特色的竞争，文化垄断的过程就是消灭特色的过程，当今世界，经济文化全球化步伐加快，文化趋同趋势明显，在全球化中保持和发展民族文化特性，在此基础上将古老优秀的传统文化转化为适应现代中西方观众需求的文化服务产品，对于振奋民族精神，增强中华民族的精神认同感和向心力，促进中华民族与世界各民族的交流与合作，无疑具有重要的现实意义。研究、传承、发展湖湘文化，推进文化产业化建设，是弘扬民族文化，增强民族文化凝聚力的重要举措。具体而言，湖南的文化产业首先要担当的是维护和发展湖湘地域文化的重任，连湖南本省的文化都不去爱护，还谈什么爱护民族文化呢？对湖南的文化产业，人们有理由在两个方面寄予厚望：要做民族文化的弄潮儿，而不要做西方娱乐文化的追捧者；要做湖湘文化的传承者，而不要做无本无根的文化流浪儿。

C

湖南的教育水准比较高，在国内享有盛誉。湖南人自豪地说自己“惟楚有材”，得到了全国公众的承认，不是浪得虚名的。

可能是湖南的教育有一种光环效应，很少有人去分析这座华丽的冰山下的危机。对于湖南的教育水准，如果有心人进行细密地剖析的话，其缺陷和不足也不能不让人悚然一惊。

在是个世纪上半叶，说湖南的教育走在全国的前列，这确实是实际情况，但是，这仅仅是指精英教育而言。在全省文盲率极高的背景下，湖南冒出了以岳麓书院为肇始的湖南高等学堂以及后来的湖南大学，以城南书院为肇始的湖南第一师范，还有在欧风东渐影响下办起的明德、周南、雅礼等名校。这些学校起点很高，水准一流，名师荟萃，英才叠出。但是，这些学校对全省的数千万人口来说，只能说是给精英分子进行精英教育，而不是普及性的国民教育。而且，以湖南大学和湖南第一师范为代表的这些学府，应该属于高等教育的范畴，对中小学基础教育影响不大。以杨昌济、徐特立为代表的湖南第一师范的教师队伍，即使放到任何一所大学，其师资水平都是一流的。所以说，当时的湖南教育只能说是培养精英的高等教育水平一流。

近二十多年来，湖南的教育也走在全国一流的行列，这也是实情，但是，这是指以应试教育为特色的基础教育而言的。湖南的文盲率和九年以下学历水平的人在人口比例中占的分量极大，就凭这一点，湖南的基础教育不能说全国一流。同时，湖南的高等教育人口在人口比例中的分量也很低，湖南还远远没有高等教育大众化阶段，全省还缺少国内一流国际知名的一流大学，说明湖南的高等教育还不够发达。

湖南教育给人留下深刻印象的是，其学生特别能考试，高考录取分数奇高，应试能力全国上乘。这样的荣誉说明：湖南的基础教育确实比较扎实，教学水平教高；湖南的高等教育不发达，考试竞争激烈，淘汰率高。

以应试能力为优势的教育体系并不值得人特殊的称道，相反，在国家教育体制大步迈向素质教育轨道的时候，湖南的教育改革的任务就显得分外的艰难。传统的优势很可能成为改革的阻力。

针对湖南教育的现状，有必要在下面两个方面进行转型：变应试教育为素质教育；变精英教育为公民教育。

1、变应试教育为素质教育。应试教育是淘汰式教育，绝大部分学生要成为考场败将，是典型的鼓励少数人成功的教育。素质教育是激励性教育，绝大部分学生都能获得胜利，是典型的激励都能成功的教育。湖南以应试教育见长，所有湖南本地的教育对于湖南的科技和经济拉动作用并不强，因为应试教育的本质依归就不是提高劳动者素质，而是直奔高考分数而去的。湖南经济要发展，科技要进步，社会要文明，就必须摈弃应试教育模式，否则，湖南除了得到高考大省的美名，其他将一无所获。素质教育是一种通才教育，不仅要求中西并包，文理兼容，也要求知行合一，手脑并用。只要教育对提升劳动者的素质真正有效时，教育才谈得上为经济和社会有较大贡献，湖南的教育才谈得上是湖湘优秀文化的母机。

2、变精英教育为公民教育。应试教育本身就是典型的精英教育，它不一定能培养出精英分子，但是它只考虑考试优胜者，对大部分考试失败者则不屑一顾。高等教育也属于精英教育的范畴，在高教没有完成普及化的时候，高等教育水准越高，门槛就越高，与本地的经济社会发展水平就越脱离。所以，发展中国家水准越高的高等学校，就越容易成为留美预备学校。欠发达地区的高等学校越先进，就越容易成为发达省区研究生教育的生源地。湖南就是这样，湖南有不少高水平的中学，这些学校就成了北大、清华的本科生源地。湖南有几所水准较高的大学，这些大学也就成为了国内一流大学的研究生生源出产地。这样的教育体制使得湖南可以成为中国著名的优秀生源输出地，“惟楚有材”是真的，“楚材晋用”也是必然的。湖南要摆脱这种局面，就必须改变变精英教育模式为公民教育模式，注重于培养每个公民的素质，而不是个别考试天才的能力。公民教育要切合本地实际，结合本地需要，先满足本地对人才素质的需求。湖南不应该成为一个封闭的人才自给自足省，然而也不能成为只输出不输进的逆差省。在大力改善本省创业环境的同时，给本地的人才进行湖湘文化的熏陶是必要的。一个不爱乡土的人，又怎么指望哪个他去爱国呢？所以，爱乡土与爱国是一致的。

D

谈到湖南的发展，就得反复谈到人才。谈到湖南的人才，就得反复谈到湖湘文化。

湖南过去对中华民族特别是对中国的现代化进程有杰出的贡献，凭借的是人才。

湖南未来要想实现振兴和对中华民族的伟大复兴有更大的贡献，同样要凭借人才。

人才是湖南的核心优势，是湖南的核心竞争力。

人才的素质是多方面的，但是核心的素质还是品格。江泽民同志曾指出：人的素质多种多样，但说到根本的一点，首屈一指的还是思想政治素质。

这就进一步说明，湖南的人才要继续发扬自己的优势，核心的就是要发扬自己的思想品格传统。

正如前文反复论述的那样，湖南过去人才辈出，星光灿烂，其核心秘密是湖南有得天独厚的湖湘文化。在维护湖南人才竞争力的时候，本质上就是要光大和改造湖南的文化。而复兴湖南的文化，就是要继续保持湖湘文化的优良传统，让其继续为培育三湘英才服务。

尽管对湖湘文化的内涵有各种各样的概括，但是有三条优势是大家公认的：

1、湖湘文化对国家和民族有一种深重的使命感。屈原是湖湘文化的精神导师，他最后的生命历程是在长沙一带度过的，或许可以说，他之所以能成为可与日月争辉的伟人，是与潇湘山水的陶冶和启发分不开的。而湖南地区也比其他区域更深刻地感受到这位诗人的永恒影响。毛泽东曾在中华人民共和国建国初期对外国朋友谈及：“屈原生活过的地方我相当熟悉，也是我的家乡么。所以我们对屈原，对他的遭遇和悲剧特别有感受。我们就生活在他流放过的那片土地上，我们是这位天才诗人的后代，我们对他的感情特别深切。”“屈原不仅是古代的天才歌手，而且是一名伟大的爱国者：无私无畏，勇敢高尚……我们就是他生命长存的见证。”千百年来，屈原歌辞那瑰丽浪漫、灵动激越的艺术风格成为这一地区的艺术特征之一；屈原高洁的道德节操，以死殉道的行为，从古至今一直赢得湖湘人士无穷的仰慕与不尽的效仿。每年都在这片土地上举行的龙舟竞渡活动是那样的热烈和虔诚，真切反映出这位诗人安息之地的人民对他的永久怀念。从屈原开始，无论是以后的贾谊、张栻、朱熹、陶澍、魏源、曾国藩、胡林翼、左宗棠、谭嗣同、唐才常、黄兴、陈天华、蔡锷、杨昌济，还是毛泽东、刘少奇、彭德怀、胡耀邦等等，其爱国的情怀和深刻的责任感，是一以贯之的。构成了湖湘文化精神的第一道主脉。

2、湖湘文化始终与时俱进、有敢为天下先的创新精神。敢为天下先，这是湖湘文化的一个十分鲜明的特点。在近代，一些学者将它概括为“湖南人精神”。最早注意到这种“敢为天下先”的湖南人精神，并将它从理论上加以概括的，是近代湖南著名的革命家、长沙人杨毓麟（1872—1911）。杨毓麟在1903年发表的《新湖南》中，提出“我湖南有特别独立之根性”，即“其岸异之处，颇能自振于他省之外”。这种“特别独立之根性”，实际上就是一种敢为天下先的奋斗精神和创新精神。为了说明这一点，杨氏列举了大量的历史事实：古代湖南人敢为天下先的奋斗和创新精神的最突出的代表人物，就是北宋著名学者、湖南道州营道（今道县）人周敦颐（1017—1073）。他“师心独往，以一人之意识经纬成一学说，遂为两宋道学不祧之祖。”他在《太极图说》和《通书》中提出的一整套理论和范畴体系，为此后中国封建社会占统治地位近千年之久的意识形态，即“宋明理学（道学）”奠定了一个基本框架。所以当代学者将周敦颐称为宋明理学的开山祖；古代湖南人敢为天下先的创新精神的另一位突出代表，当数衡阳人王夫之（船山，1619—1692）。“船山王氏，以其坚贞刻苦之身，进退宋儒自立宗主，当时阳明学说遍天下，而湘学独奋然自异焉。”创立了一种将朴素唯物主义与朴素辩证法相结合的哲学体系，不仅对宋明理学作了批判性的总结，而且将中国古代唯物主义哲学推到了最高峰。这当然是一种极大的创新；在谈到近代湖南人的创新精神时，杨毓麟首先列举的是邵阳人魏源（1795—1857，字默深）。他认为，魏源最突出的功绩是提倡向西方学习。“道（光）、咸（丰）之间，举世以谈洋务为耻，而魏默深首治之。湘阴郭嵩焘远袭船山，近接魏氏，其谈海外政艺时措之宜，能发人之所未见，冒不韪而勿惜。”魏源在总结鸦片战争的经验教训时，认为中国之所以失败，在于不了解西方情况，没有坚船利炮，于是他广泛收集西方资料，编成《海国图志》，并在此书中明确提出“师夷长技以制夷”的著名口号，从而开创了近代向西方学习的先河。在杨毓麟的《新湖南》发表17年之后，以毛泽东为代表的一批热血青年，在五四运动的感召下，发扬湖南人敢为天下先的创新精神，奋起组织驱逐当时残酷统治湖南的北洋军阀势力张敬尧的运动，并设想在湖南建立一个摆脱一切外来反动势力干涉的世外桃源——“湖南共和国”。为了支持这一运动，陈独秀于1920年1月5日在《新青年》杂志上发表了一篇文章：《欢迎湖南人的精神》。陈独秀概括的“湖南人的精神”，也就是一种奋斗精神和创新精神。他概括的“湖南人的精神”，也得到了青年毛泽东的认同。毛泽东在驱张运动胜利之后接着开展的湖南自治运动中，就曾明确提出：要“充分发挥湖南人之精神，造一种湖南文明于湖南领域以内。”毛泽东等人在湖南自治运动中提出的建立“湖南共和国”的设想，虽然由于其空想性而未能实现，但毛泽东继承的湖湘文化中那种敢为天下先的奋斗精神和创新精神，却在他往后领导中国革命和建设的伟大征途中得到了充分的发扬和光大。

3、湖湘文化有一种实事求是、经世致用、自强不息的实干传统。湖湘文化的传统是鼓励人做实干家。湖湘文化中的忧世之心和忧患意识，使得湖南人有一种改造天下的冲动。湖湘子弟对地理态势，攻守之策长久以来有超乎寻常的兴趣，好像是为了火上房的急事一样，慨然承担起天下兴亡的匹夫之责，他们不仅指点江山，而且亲自到中流击水，是真正的实干派。梁启超就曾感叹湖湘之地到处是人杰，老翁小孩尚通政事。在湖南，有点地位的人如果不懂经世致用之道，是会被人耻笑的。有一段历史故事，曾国藩曾戏说左宗棠：“季子才高，与吾意见常相左”，宗棠反唇相讥：“藩臣当卫国，进不能战，退不能守，问你经济有何曾？”很多事实可以看出湖湘士人极重经世致用之道。也就是左宗棠，常自诩“文章西汉两司马，经世南阳一卧龙”，以懂经济而傲立于世。左年四十科举不中，隐居湘阴，自号湘上农人，虽然此时他对前途似乎并没有抱太大希望了，但是仍与夫人日夜绘制地图，乐此不疲，为其以后出将入相打下了良好的基础。毛泽东，少极喜读史地之书，对中国历史地理了如指掌，而且后来还亲自到中流击水，浪遏飞舟。朱镕基总理，清华大学电机系毕业，却一直对本专业不太爱好，而酷爱管理和政治，以高级工程师身份兼任清华经济管理学院院长，以经济擅长，力推改革，不屈不挠。这些事例都反映了湖湘文化中非常重视经世致用的特征，也反映了湖南人重实干、轻大言的知行合一的事功传统。

21世纪的湖南文化复兴工程，就是要继续发扬光大这三大优良传统，同时兴利除弊，革除湖南人文化性格中的糟粕，概而言之，21世纪的湖南人要实现三要三不要：

1、要树立责任意识，放弃游戏意识。“楚虽三户，亡秦必楚”、“若道中华国果亡，除非湖南人尽死”、“救中国必从湖南始”……不同时期，湖南人分别喊出了不同的时代强音，却贯穿着一个共同的主题——湖南人对国家和民族有一种责任感。这种责任感在中国走向现代化的进程中依然不可或缺，湖南人不能轻言放弃。但是，现实中的湖南弥漫着一种游戏意识，贪图快乐、追求轻松、游戏人生、万事不当真，以西方和港台的玩乐文化为时尚，视责任意识和使命感为敝屣，这种流行的不负责任的游戏意识非常值得引起湖南人的警惕。“暖风吹得湘人醉，莫把湖南当汴州！”湖南作为一个欠发达地区，还不具备纵情声色的资本，即使湖南经济发达了，湖南人也不能成为中国的玩乐先锋。要十分警惕嬉皮士作风对湖南人的侵蚀！

2、要树立规则意识，放弃蛮横意识。湖南人很霸蛮，这不是坏事。但是，把霸蛮放在凶强侠气、扶强凌弱、欺男霸女上，那就是正义和公平的敌人。湖南人也很灵泛，这也一件好事。但是将灵泛用在钻空子、设圈套、违法乱纪上，那就是法律和规则的敌人。所以，湖南人首先要确立规则意识，用法律和文明的制度来约束自己，树立契约意识，尊重游戏规则，把聪明才智和吃苦耐劳、百折不挠的劲头用在正义的事业上，那才是人间正道。现在很多外地人很怕湖南人，一是湖南人冲动凶狠，打架斗殴不要命，喜欢意气行事，血气一冲，不顾后果。二是湖南人太狡猾，不守信用不重合同，喜欢赖帐要泼，貌似义气的外表下，一颗小算盘时刻滴溜溜地转，让人不敢相信。但愿湖南人能改一改这种习气。

3、要树立合作意识，放弃单干意识。湖南人个性很强，惟我独尊的意识浓厚，宁为鸡首，不为牛后，个个都想控制别人，惟独缺乏合作和团结精神。湖南人不抱团，这可能是湖南人能够统揽全局的一个优势，但是湖南人不团结，这就使得湖南人难以从事协作性强的现代工商业。湖南人善于斗争，在你死我活的环境下容易生存。湖南人不善于协调，在和平合作的环境下就显得孤立。现代市场经济社会需要的是合作精神和双赢意识，单打独斗、个人英雄主义没有什么前途。在这方面，湖南人能不能向江浙人学一学，学一学他们的宽容敦厚，学一学他们的刚柔相济。因为21世纪，需要亲和的湖南人、大气的湖南人、协调能力突出的湖南人。

小 结

正确处理改革、发展和稳定的关系，始终是贯穿中国改革全过程的重大的全局性问题。在谈完了湖南的改革和发展大计后，不能不谈到湖南的稳定大计。

俗话说：天下未乱蜀先乱，天下已治蜀未治。说的是四川在全国政治格局中的特殊性。

其实，把这句话套用到湖南身上也完全合适：天下未乱湘先乱，天下已治湘未治。

历史的经验反复证明，湖南很少以卓越的经济贡献为中国的政治家看重，但屡屡以一种造反、异端、不稳定的形象出现在政治家的视野里。湖南历来是中国最难治理的地方之一了。

影响湖南稳定的突出原因是社会治安一直不够理想，恶性的大案要案一直没有间歇，仅以这20年来的历史为例：

1982年，湖南邵阳出现了中国第一个挂牌的黑社会组织——中国枭雄会，标志着中国的黑社会组织在消失了小半个世纪后又出现在国人面前。

10年前，中央政法委曾经将湖南两阳（邵阳、衡阳）作为全国“严打”的重中之重，横行于两地的黑社会恶性犯罪组织手段极其残忍，他们中的“挑脚筋”、“剁手指”等令人发指的残暴行为至今让善良的人心有余悸。

而两年前以张君为首的抢劫银行、屠杀无辜的全国最恶性的犯罪集团的暴露，更是让中央领导对湖南的治安状况绷紧了神经。

在承平时期，湖南的治安状况却接二连三发出警报，不能不引起重视。如果不能从战略高度重视湖南的稳定问题，就可能断送湖南发展的大好形势。

对于湖南的稳定，也得讲三句话：发展经济是基础，从严治政是核心，提高素质是根本。

湖南近年来恶性上访和集体性事件的增多，表面上看是社会问题，其实这些事件十有八九与经济有关，尤其与农民负担、农田水利设施、工人下岗事业、社会闲散人员过多等有着极大的关系。这些问题，绝大部分是经济不发达造成的。在世界法制史上，有一个规律，发达国家刑事案件少，民事案件多，发展中国家刑事案件多，民事案件少。这一点中国表现得很典型，刑事案件频率较高，而湖南更加明显，刑事案件尤其发达。这些的深层次原因都是经济不发达造成的。只有把湖南经济搞上去，使人们安居乐业，稳定才不会出大问题。当前要特别重视解决农村剩余劳动力的就业出路和企业下岗失业人员的生活待遇问题，通过培育产业增长点增加就业机会，最大程度地减少社会闲杂人员。

湖南的领导人这些年来摸索出了一条维护稳定的治政规律：始终保持对犯罪分子的高压态势。这是很有道理的，但仅是这样还不够。俗话说：民不畏死，奈何以死惧之。高压态势最直接的对象应该指向贪赃枉法、违法乱纪的腐败分子。从严治政的核心就是从严治官，对贪官污吏特别是政法战线的害群之马，更应该保持高压严打的态势，不能有任何软弱的心肠。湖南的恶性的集团性案件较多，危害也最大，究其根本，都与法纪松弛、黑恶势力和专政力量相互勾结、狼狈为奸有莫大的关系。所以，依照党纪国法从严治官是降低湖南发案率的釜底抽薪之举。要特别注意既得利益集团、社会黑恶势力与官场势力深层次勾结的新动向，深刻认识这种社会毒瘤的危害性，坚决打掉黑恶势力的保护伞。

人总是受历史局限性的制约，尤其是人始终受到自身素质局限性的制约。稳定祥和的社会必须是高素质人的集合，而绝不是乌合之众的总和。在保持湖南长治久安的天平上，人的素质是一个最重的砝码。提高人的素质，重点是两条：

一是营造一个良好的社会氛围。良好的社会氛围并不能自然形成，要靠健康地引导和规范。湖南民风剽悍、有好勇善斗的传统，这些习惯力量如果引导得不当，就会危害社会法纪。湖南要大力倡导规则意识，营造官清民淳的社会风气。在这其中，各级领导干部起着举足轻重的作用，领导干部“其身正，不令而行，其身不正，虽令不行”。将一大批素质高、作风好、政治上坚定的年轻干部提拔到湖南的各级领导岗位上来，同时解决罢黜颓废贪败、不思进取、萎靡不振的官场混子，是实现湖南政风清明的重要举措，也是端正社会风气的重要一环。湖南是一个崇尚气节、重义气、轻性命的地方，思想政治工作首先要做好理顺情绪、砥砺气节、激浊扬清的工作，要让好人得势、坏人气沮。同时要改造传统的江湖文化，不许那些“江洋大盗”以武犯禁。

二是大力尊师重教。学校是现代社会的教堂，除了培养人才，还是引导社会舆论、纠正社会航向的阵地。过去的岳麓书院、湖南第一师范对湖南民风的净化作用就不必再说了，就是近几十年来，湖南的历任领导重视基础教育投入的决心，就值得后任者认真借鉴。但是，受高考升学率的压力影响，湖南的学校对师德师风和德育教育有松弛懈怠的倾向，这也是值得注意的。学校，任何时候都应该把德育放到第一位。在德育教育中，设法在湖南的大中小学校中开展湖湘文化的教育，是关系到湖南教育质量和百年发展大计的一件大事。脱离了本地实情和本土文化传统的德育是空洞的德育，湖南有着得天独厚的文化传统资源，但是却将这些宝贵的教育资源束之高阁，确实是一件让人痛心的事。湖南的有识之士应该联起手来，加大宣传呼吁的力度，让湖湘文化尽早进入湖南学生的课堂，继续发挥湖湘文化“砥砺斗志，匡扶人心”的重要作用。当年杨昌济先生在湖南第一师范的教室里挂了一幅对联：暂借此地做桃源，欲栽大木拄长天。这种教育家的责任感使杨昌济先生为中国培养出了毛泽东、蔡和森等杰出的栋梁人才，今天的湖湘教育家和政治家更要有这样的气度和眼光。

……

2000多年前，天才而倔强的屈原来到湖南的湘江边，他怀着对家国深重的忧患情怀和不可推卸的责任感，开启了湖湘文化的闸门，湖南人的形象从此有了第一次的定格。

这种悲剧性的担当意识和倔强的个性使湖南人从此走上了一条救国救民的不归之路。

当历史推进到了20世纪，以毛泽东为代表的湖南人承载着2000年来湖湘文化底蕴，以平视百家、鲸吞四海的胸怀，凭借“为有牺牲多壮志，敢教日月换新天”的血性精神，终于托起了东风神州的红太阳，中国历史从此走进了崭新的轨道。

湖南人的精神历数千年而不绝、经劫难而不灭，这种愈挫愈奋的生命力，本身就是中华民族精神的鲜明体现。湖南人没有理由自暴自弃、自甘堕落，无论是怎样的风霜雪雨，湖南人都不应该改变其历久弥坚的本性。

不同的时期有不同的任务和使命，但不同时代的湖南人，却有相同的忠诚和责任心。和平是我们的先辈为之奋斗的目标，富民强邦，就是我们当代湖南人的责任。而要承担这样的责任，我们必须务实！行动者往往不如评论者，但评论者往往没有行动。湖南需要批评建议，但湖南不必理睬谩骂和俗气而浅薄的指责：批评启发我们，建议能帮助我们，但谩骂和挑衅，绝对伤害不了我们，也影响不了我们。

让我们携起手来，擦亮湖南人的名字！振兴湖南人的家园！

第六章 魂兮归来,湖南人精神

湖南人需要《猛回头》、《警世钟》

自从湖南人最大的骄傲、曾经光芒万丈的毛泽东“巨星陨落”之后，有人就断言“湖南人现象”气数已尽，“湘菜时代”已经过去了。

如果仅仅以政治人物做为标准，湖南人是愿意接受这样的判断的。

但是自从那时以后，一些倔强的湖南人心底里埋藏着一口气：非要干出个样子来给人们看看不可。

于是，湖南人从自己驾轻路熟的文化入手，不到10年，干出了一个文坛湘军，首届茅盾文学奖中，湖南人的作品《芙蓉镇》、《将军吟》联袂入选，接着出版湘军、电视湘军声誉鹊起，在中国人仓廪未实之际，就着手为中国人准备精神食粮，湖南知识分子的远见和责任感可见一斑。

在十亿人民九亿商的时候，有一个湖南农民却在琢磨“无农不稳”的道理，当美国学者布朗发出“谁的粮食够养活中国人”的恐怖预言布散到全世界的时候，这位湖南农民以自己的超级杂交水稻工程成果彻底粉碎了布朗的“不良用心”，湖南人袁隆平再一次以一个憨厚的中国农民的姿态维护了中国人的尊严；

当世界进入了知识经济时代，以高新技术为代表的综合国力竞争日趋激烈的时候，一批湖南人目光如炬，又及时站到了时代潮头。龙永图，以湖南人的霸蛮劲头与对手在谈判桌上打持久战，以湖南人的灵泛精神与对手在谈判桌外联络感情，终于不辱使命，把中国“谈”进了世界贸易组织，使中国有资格以平等的姿态分享世界先进文明成果。张剑，效法曾国藩，以书生身份下海搏击，搞起了世界上最先进的中央空调系统，开发绿色环保技术，目的是要让“环球同此凉热”，远大者，至高至远至大者也，其中寄托着一个湖湘学子的报国情怀；

百年大计，教育为本。在经济不发达的情况下，湖南省的领导始终坚持对教育的投入优先的原则，教育投入占省内GDP的比例一直高于全国平均水平，无论是城市还是乡村，“最漂亮的建筑肯定是学校”的梦想已经实现。由于基础教育水平在全国一直处于领先地位，使得北大清华人大科大年年在湘上演“招生大战”，湖湘学子在中国的名牌大学里享有盛誉，这不是浪得虚名。同时，湖南整合本省的高教资源，岳麓山下的大学城已经初露端倪，湖南大学、中南大学、湖南师范大学将目光紧盯国内一流，毛泽东文学院则聚焦世界前沿，北大、人大都已经派员到湖南办学，教育湘军对中华文明的复兴即将做出更大的贡献，是完全可以预期的。

四大书院之岳麓书院，三大名楼之岳阳楼，五岳之南岳……这都在湖南，足以证明湖南是一块风水宝地。

而这块红土地上，数千年来一直升腾着一个不死的精灵，那就是湖南魂。

自从屈原漫步湘江边谱写忧伤的《离骚》时，湖南魂就开始发轫了；

当魏源在自己的小屋里挥写《海国图志》时，即标志着湖南魂从此正式升起在中华的夜空；

当毛泽东携来百侣同游，到湘江中游击水，浪遏飞舟之时，即表明湖南魂已经成为一个民族的指路明灯。

湖南人是一个小规模的群体，湖南人发挥效能的方式主要是依靠精神的力量。换句话说，是湖南人铸就了湖南魂，又是湖南魂成就了湖南人。

湖南魂就是湖南人精神的核心，是湖湘文化精神的集中体现。

像湖南魂这种变幻的非固态的湖湘文明精神从来就不是以湖南的省界为疆域的，只要有湖南人的地方，湖湘文化就能播撒到那里。湖湘文化精神类似于文明的催发剂和助推剂，为其他文明提供着导引和催发的作用。

湖湘文化的精神好比光，烛照着文明的发展方向；

湖湘文化的精神好比盐，调和着文明的味道；

湖湘文化的精神好比酵母，引导着文明的繁育。

湖南人凭借自己独特的文化精神力量，在近200年来，干出了一番掀天揭地的事业，为中国人百余年来的“强国梦”打下了一个很好的基础。

在可预见的将来，中国文明将扮演一个比现在重要得多的角色。对此，承载着特殊文化使命的湖南人是否做好了文化和心理准备？湖南人对自己的文化优势劣势是否有了准确的认识？

要迎接新世纪的担当，要持续湖湘文化的“湘菜时代”，首先要树立起文化的自信心，要树立起文化的自信心，就要在深入认识其他文化的同时深刻地批判和反省自己。

很显然，湖南人的命运掌握在自己的手中，要看湖南人如何对待自己的文化精神，要看湖南人有没有这份自觉的担当，在对世界一切优秀文明成果抱有海纳百川的胸怀时，对自己文明的劣根性有没有壮士断腕的勇气。

如果不出意外，中国在半个世纪内将实现现代化，历代湖南先贤追求的“强国梦”将梦想成真。届时，中华文明将成为人类历史上第一个以非掠夺、非霸权形式实现现代化的文明。

中华文明以其巨大的规模和能量，以其深厚的文化底蕴，必将深刻地重塑人类的品质，使其变得更和平、更公正、更精进、更少有霸权气息。

在这样的一个空前规模的文明舞台上，湖南人岂能担心没有自己的用武之地？湖湘文化岂能尸位素餐、无所作为？

有人说，湖湘文化是逆势文化，在逆境中的活力比顺境中要大得多。

也就是说，在和平发展时期的湖湘文化精神面临着比战争动荡时期更大的挑战。

这种挑战是内生性的。是向每一个湖南人内心提出的尖锐的挑战。这种挑战更加隐蔽、更加持久、更具有腐蚀性。

曾经屡创奇迹的湖南人能否战胜自我？这是一个极难预测答案的问题。

不过，可以肯定的是，性格即命运，湖南人的性格调适能力直接决定着他们的前途。

湖南人需要《猛回头》，因为湖南人没有理由自轻自贱！

湖南人需要《警世钟》，因为湖南人没有理由自吹自大！

湖南人，站直了，别趴下！

第一节　为湖南人说几句公道话

湖南人是中国人的大儿子

如何形容湖南人在中国大家庭中的地位呢？

我们觉得，湖南人最像中国人的大儿子。

在革命战争年代，湖南人抛头颅、洒热血，带着一班弟弟妹妹打下了红色江山，建起了这个大家庭。

在和平建设年代，湖南人长兄如父，任劳任怨，甘当庄稼汉，用自己长满老茧的双手供养弟弟妹妹上学进城，完成了大家庭的工业化。

后来弟弟妹妹都大变样了，进城的住起了洋房，做生意的开起了小车，留学的留学，经商的经商，而这位大哥却有些疲惫了，显得老态，不时髦也不潇洒，还闹下一身的腰肌劳损的疾病，看着一大家子纷纷高车大马，向着繁华的城市绝尘而去，自己蹲守农村，虽说也想追赶现代化，但已经有些力不从心了。

这就是“湖南大哥”的形象写照。

湖南大哥质朴本分，也不缺乏开拓能力，可是长期的劳作和付出，身体首先已经吃不消了。眼瞧着兄弟省份不是第一批进入“沿海开放省市”行列，就是第二批又进入“西部大开发”重点扶持对象，过去不是沿海，如今不是西部，不是“东西”的湖南大哥，颇像舅舅不爱（嫌太土）姥姥不疼（嫌太迂）的尴尬的大外甥，虽说，不是很生气（因为天性憨厚），也不免有些泄气吧，毕竟人非草木，孰能无情呢？

湖南，你还好吗？

在说湖南大哥的情况之前，不妨先说一说笔者村里一位大哥的故事：

鄙村的S大哥虽然年龄不算大，但是大哥风里来、雨里去，劳累辛苦，已经显老了，至少比真实年龄老了10岁。

人进入了一种衰老的状态，就好比40岁的男人，虽然才人生过半，就开始怀念青年时代一样。

S大哥也开始念叨过去创业成家如何如何辉煌灿烂，语气中有自豪，也夹杂着哀怨，所以，听多了，旁人就厌烦了，认为是唠叨。孩子们听得多了，也开始皱眉头：尽说那些过去的光荣干啥？瞧瞧现在，邻居家过的什么日子吧。

S大哥于是开始克制自己，尽量少说，话虽然少了，脚步却勤了，时不时往左邻右舍走一走，看一看。

不看还好，看一次等于多受一次刺激。南边的邻居生意红红火火，没几年工夫，就变成了家族里的首富。而北边的兄弟虽说起步慢，可是底子好，动作也快，近些年势头很猛。

S大哥想着自己也得开店办厂，但囊中羞涩，只能小本经营，精打细算好不容易有了起色，猛一发现，自己的儿子女儿早就南的南下，北的北上，人去楼空，自谋生路去了。于是，大哥摇摇头，独自喝起了闷酒。

酒喝多了，酒劲就上来了，再吹点凉风，S大哥醉中生智，一向谨慎的他决心放手搏一回：拿出所有的积蓄，上了赌场。

赌场本来就是是非之地，加上行情不熟，S大哥自然是铩羽而归。

这一次失利大大地挫伤了S大哥，他的脾气变得暴躁易怒，地也不怎么想种了，只要身边有点余钱，要么就去酒肆喝酒，要么就上歌厅听歌，有事没事不是搓麻将，就是在四野闲逛。半夜三更的时候，有人看到S大哥在月光下流泪饮泣。

S大哥变了，很多人都说他不是原来的他了。

把湖南比喻成村里的S大哥，形象吗？

也许，不够贴近。

但是，没有几分神似吗？

任何比喻都是蹩脚的，但是湖南人今天的状态确实跌入了S大哥的怪圈：欲渡无舟楫，端居耻圣明。

“奋飞缺羽翼，振作少精神。”这种力不从心的感觉深深地这么今天的湖南。

对于这样的大哥，我们应该怎么办？

替大哥说几句公道话

湖南人为创立人民共和国立下了汗马功勋，这是举世公认的事实。

同时，湖南人没有多少乡土观念，也没有什么私心杂念，既没有像项羽那样搞一个“衣锦还乡”，也没有像清朝皇帝那样，把自己的老家弄成“奉天特区”。

即使是在后来的和平建设时期，主持全国政治的湖南籍领袖们，也没有把自己老家搞成工业基地，国家的重点建设项目，湖南寥寥无几。

为了支持全国的工业战线，湖南倒是自觉地当起了后勤基地，成了一个不折不扣的农业大省。几十年来，湖南一直是全国的稻米、苎麻、油菜的最大生产基地，担当着中国的“粮库”的角色。

湖湘子弟遍布全国，成为人材输出大省，同时，湖南还默默地扛起了与自己经济实力并不十分相称的财税上交任务，在分税制没有执行之前，湖南的纳税量在全国是数得着的。

湖南确实是伟人故里，可是伟人故里的发展速度却并没有同比例地发展，直到今天，如果到湖南的革命老区去看一看，那里的经济文化发展状况依然令人鼻子发酸。

吃苦在前，享受在后，先天下之忧而忧，后天下之乐而乐。这样的长子精神已经灌注到了湖南人的血脉里，所以，即使在湖南发展已经显得吃力的时候，湖南人依然保持着罕有的沉默，依旧憨厚地在扛着。

在很多地方醉心于到北京“跑部进钱”的时候，湖南人仍旧保持着缄默，是出于理性，还是出于矜持?

中国目前有三大差别：城乡差别，东西差别，人均差别。

不幸的是，湖南人三个都沾上了：湖南是农村为主，城市化水平低，整个湖南还是像个大农村；湖南与东部发达地区无法比拟，与西部欠发达省份倒可以拜把子；湖南人均收入水平就更不值得一提了，因为农民的收入水平怎么样，中国人闭着眼睛都摸得出来。

过去，湖南南部的乡民津津乐道广东人怎么怎么的艰苦，逢年过节得到湖南这边的亲戚家投亲靠友，顺道打个牙祭，临走还得捎带上腊肉米粮。

现在怎么样，当数以百万计的湖湘子弟南下广东打工谋生的时候，湖南还真的在庆幸南边有这样富的一个高邻。

如何将农业地区现代化，如何解决农村剩余劳动力的问题，是朱总理最感到头疼的问题，其实也是世界经济学界的一道最大的难题，而这道难题又被湖南人捡着了。这是湖南人的幸运，还是不幸？

农业本来就是需要反哺的弱势产业，农民本来就是中国最大的弱势群体。面对湖南这样集两大弱势于一身的情形，中国人能够无动于衷吗？

第二节　精神的苦旅

态度决定一切

湖南的确非常难，湖南人也的确不容易。

但是湖南人归根结底还得靠自己克服困难。

要说难，什么事比二万五千里长征更难？

要说不容易，什么事比推翻三座大山更不容易？

湖南人还不是团结全国人民，全都拿下来了吗？

所以，湖南人的字典里不应该写满了困难二字。

神奇教练米卢在谈到中国足球出路时，用了一句很绝对的话：态度决定一切。

对湖南来说，能不能拿出果敢的态度，敢不敢迎难而上，决定湖南的出路。

对于不服输不怕苦的湖南志士来说，我们应该送给他们的就是两首歌：

第一首是《国歌》：中华民族到了最危险的时刻！

第二首就是《国际歌》：从来就没有什么救世主！

湖南人到底怎么啦

著名学者费孝通在论述中国目前的发展任务时，有一个生动的比喻：从农业社会到工业社会再到现代化社会，等于三级跳远，发达国家用了300年，而我们中国只能缩短到30年到50年，所以，中国人的三级跳远要变成一级跳远，整个过程要一气呵成，中途不得允许有任何动作变形。

现代化是中华民族的核心任务，是中国人的又一次长征，这次三级跳远不但动作难度高、要求严，而且是集体跳远，而湖南做好准备了吗？

如果我们冷静地观察一下湖南人的现状，结论恐怕不能让人乐观：

与湖南可比性最强是湖北，二者同属中部地区，经济发展水平一直在伯仲之间，而湖南一直要领先湖北。笔者10年前在武汉上学的时候，武汉人的市井繁荣水平还不如长沙，湖北农民比湖南的生活水平更是差了一个层次，可是，10年弹指一挥间，二者的地位几乎掉了个个：

2001年湖南的GDP只相当于湖北省2000年的水平，而长株潭的GDP三市加起来也离武汉的差距也越来越大了，在

1999年时，长株潭只比武汉少2个亿啊，但2000年却突然加大至20亿。

而长沙的城市建设几乎10年不变，而且其混乱拥挤之程度，在全国省城里肯定能排上前列。在人类进入21世纪的时候，长沙城里还得用绳子把人圈起来以维持正常的交通秩序，这是不是人类城市文明史上的“奇观“？

至于湖南人的精神状态就更加让人不敢放心，外省人到代表湖南发展最高水平的长沙观光，常常有这样的感触：长沙人真的太懒了，尽让乡里人干活，自己则乐得游手好闲。特别是一些年轻人，麻将桌、桌球台、游戏厅、网吧、的士高是他们流连之所。小钱不想赚，大钱又难赚。小事不愿做，大事又难做。消费超前、攀比成风。社会风气就更不理想了，中学生里就有涉黑现象。实在很难从现在的长沙人身上看到前人的精英风采。

笔者曾经于1998年到长沙采访下岗工人的生活状况，长沙市劳动局给我提供的数据是惊人的，几乎每7个职工中就有一个下岗的，可是笔者满城转了转，看到整个长沙城遍布酒搂歌厅夜总会，真的是三步一楼，五步一阁，人们的吃喝花消比素以高消费著称的北京人还阔绰，人们闲散的神情、无所事事的步态，哪里能看出中部下岗城市的样子？

说到湖南人打麻将的劲头，在全国恐怕也能排在前列。笔者的一位朋友的女友，才20岁，大学刚毕业，对老公的要求就是:每天给我钱,让我打麻将就行了。

巴尔扎克说，女人是社会的镜子。湖南女孩原本以开拓性强、泼辣麻利闻名于世，如今却有些名不副实了，歌手雪村在一首歌中讽刺的那位贪图享受的湖南女大学生，当然没有代表性，但是，其中投射出来的一些影子，难道不值得湖南女孩子深思吗。

要知道，脸面就是尊严，尊严就是价值，如果湖南人的形象再溃败下去，到那时，湖南人又以什么样的面目面对岳麓山上的历代先贤。

长沙不应该成为夜总会名城，湖南也不能成为中国的好莱坞。

如果湖南人以自己的娱乐文化发达为荣、以沉迷于灯红酒绿和浑浑噩噩而自豪的话，如果湖南人背弃自己的文化性格，毁弃自己的文化底蕴，以声色犬马为乐，听任堕落的癌细胞侵入自己的肌体、以“愈堕落当作愈快乐”来麻醉自己敏感的灵魂的话，那么湖南人就必将失去自己的尊严，也将自己断送自己的前程，“毕竟一个习惯于在麻将桌上消磨时间的民族是走不长远的。”（胡适语）

湖南人应该展开“护牌行动”

态度决定思路，思路决定出路。

湖南要在新世纪实现自己的理想，就必须打理思路，重整旗鼓。总结起来，振兴湖南思路要强调六句话：

思路前瞻是强省之魂，不理清思路则湖南没有方向；

教育质量是立省之本，不提高质量则湖南难以立身；

科学研究是晋省之源，不潜心研究则学术无从提升；

广聚人才为荣省之构，不爱才若渴则氛围难成大气；

科技产业为建省之辅，不发展产业则财税难以从容；

从严治官为治省之器，不从严管理则规矩难成方圆。

而这六点归结起来又落实在人才二字上。湖南号称人才首都，人才是湖南的招牌，也是湖南的核心竞争力，湖南兴，要看人才，湖南衰，也将源于人才。

对于湖南的治政者来说，什么时候都要爱惜“惟楚有材”的招牌，人才兴则湖南兴，人才衰则湖南衰。

人才的基础又在于教育。湖南近代人才群落的崛起，与其说是风云际会，不如说是教育领先的必然结果。

一部近代湖南的教育史可以作证：

岳麓书院的千年学统造就了陶澍、魏源、曾国藩。

以曾国藩为首的湘军集团的崛起造就了湖南的尚武传统，为维新运动开了先河。

维新运动中湖南学会风起，南学会指点江山，时务学堂激扬文字，开创了湖南新学之风。

到20世纪初，湖南的教育水平已经领先全国，1902年，长沙设立省城大学堂，全省各地也相继设立中小学堂，1903年湖南还在全国率先推行6—14岁儿童的“强制教育”，明德、周南、雅礼等私立学校和教会学校也陆续开办。

1906年，长沙设立了中国最早的省级图书馆——湖南图书馆。到1907年，湖南全省已经有各类新学校700多所，入校学生数万人，不少学校兴起了外语教学。

与此同时，湖南开始了中国近代以来最大规模的留学风潮。数以千计的湖南青年东渡日本，黄兴、宋教仁、陈天华、章士钊为代表的辛亥革命元勋集团由此诞生。

到辛亥革命时期，湖南已经成为中国内地最西化的地方之一，教育质量闻名全国，在一代名师杨昌济和长沙教育大王徐特立的倡导下，湖南第一师范学校学生毛泽东、蔡和森、萧子升等成立了新民学会，成为了五四运动的中坚组织之一。

1920年，湖南文化书社开业，大量新思想涌入湖南，中国的第一代领导集体的主干在新教育、新思想的熏陶下，开始凝聚。湖南人才终于迈入了鼎盛时代。

罗列了一大堆光荣历史，并不是为了显示湖南老祖宗的功业，而是意在鉴古知今。

"何敢自矜医国手，药方只贩古时丹。"湖南的教育盛景，还有再现的可能性吗?

第三节　湖南人精神，魂兮归来!

马克斯·韦伯在论述德意志民族的精神时说：什么力量也不能改变也不许改变德意志民族庄严肃穆的悲怆精神。

我们在艰难梳理湖湘文化的源流变异时，常常在深夜里为这句话激动。

湖南人的精神，湖湘文化的精髓不就是这样吗?

永远不屈服于悲剧性命运的安排，永远不惧怕天地雷火的威压，永远坚持自己内心中的原则和尊严，这就是湖南人精神。

让我们感谢湖南人的精神导师屈原吧。

屈原是湖南人崇敬的偶像，可是屈子精神在这个时代也遭到了攻击和非议。

现在有很多人认为屈原很傻：既然楚怀王不给用武之地，屈原尽可以投奔别处。即使不去他国，也尽可以落个浑身轻松，哪怕当个“退休干部”，你屈原既会喝酒，又善于歌舞，诗写得也那么好，人长得也格外精神，女孩子追捧的肯定不少，你为什么也死守着那个信念不放呢?

所以，这些人对屈原的评价是：屈原虽然聪明，却并不精明，而是太傻太硬，是个典型的硬气的大傻子，在市场经济社会肯定吃不开。

然而,不幸的是,湖南人一开始就继承了屈子这股精神:独立不迁,宁折不弯,为国分忧,九死不悔。

屈原的悲剧就是湖南人的悲剧。

屈原的悲剧精神就是湖南人的悲剧精神。

这可能就是湖南人无法逃避的宿命!

让我们缅怀湖南的历代先贤的功业和伟岸吧。

陈独秀曾在《新青年》上发表过一篇文章《欢迎湖南人底精神》一文中说到：“湖南人这种奋斗精神，并不是杨度说大话，而是可以拿历史来作证明的。二百几十年前王船山先生，是何等艰苦奋斗的学者！几十年前的曾国藩、罗泽南等一班人，是何等‘扎硬寨’、‘打死战’的书生！黄克强（黄兴）历尽艰难，带一旅湖南兵，在汉阳抵挡清军大队人马；蔡松坡（蔡锷）带着病亲领子弹不足的两千云南兵，和十万袁军打死战；他们是何等坚毅不拔的军人！……不能说王船山、曾国藩、罗泽南、黄克强、蔡松坡已经是完全死去的人，因为他们桥的生命都还存在。我们欢迎湖南人的精神，是欢迎他们的奋斗精神，欢迎他们奋斗造桥的精神，欢迎他们造的桥，比王船山、曾国藩、罗泽南、黄克强、蔡松坡所造的还要雄大精美得多。”

湖南人应该像陈独秀先生希望的那样，为湖南的振兴造桥，为中华民族的复兴造桥。

什么力量也不能改变也不许改变湖南人庄严肃穆的悲怆精神。就像任何力量都不能改变中华民族如同黄河泰山的民族意志一样。

这个对湖南人生死攸关的问题，每个湖南人都应该手按胸膛，做出自己的回答。

凤凰涅槃，浴火重生。是湖南先民的精神图腾，也是湖南人命运的写照。

所以，湖南人永远应该做大写的战士。

1996年，湖南人黄永玉为湖南作家沈从文的陵园刻了一块墓碑，题词为：一个士兵，要不战死沙场，便是回到故乡。

这就是湖南人精神的最生动的诠释。

一个精神萎靡的民族无法实现现代化，一个精神侏儒的民族永远不能屹立世界民族之林。

湖南人，“为王前驱”，责无旁贷。

“任重而道远，仁以为己任，不亦重乎？死而后已，不亦远乎？”无疑，任何民族都应该有它的勇敢者和智慧者献身于这个“精神界骄子”的行列。任何民族也必定有它的哀痛者和幸福者献身于这个终生心忧如焚却一身清贫的志士行列。这个“志愿者”队伍必然是民族的脊梁，是国家不死的魂灵。湖南人，要担当起这个“志愿者”的角色。

在千年纪元的转折点上，我们只有企盼并相信：“家国荒矣，魂兮归来”。“天下绥矣，魂将归来”。

湖南人，请记住，你是中华民族永远的马前卒！

附　冰与火的神奇组合

——与湖南人全接触手册

一、如何鉴别湖南人？

湖南人的气质分两种：

霸蛮型和灵泛型两种。湖南人是两种气质的组合，可以组成四种性格的人：霸蛮不灵泛，灵泛不霸蛮，不霸蛮又不灵泛，霸蛮又灵泛。

第一类是霸蛮不灵泛，湖南人俗称属炮筒子型，彭德怀将军就是这种类型，这类人的特点是做事勤奋踏实，自主性极强，自律性也很强，只要接到任务，就会不折不扣地去完成。这种人的最大特点是原则性特别强，但有个缺点就是脾气不太好，比较火暴，特别直，不喜欢拐弯抹角，也不喜欢拖泥带水，做事容易得罪人。由于这类人做事麻利，不喜欢照顾繁文缛节，所以，容易被复杂的人际关系羁绊，如果不加以保护，容易成为小人最好的攻击目标。

第二类人是灵泛不霸蛮，湖南人把这类人称为聪明人，著名文人杨度就是这种类型。这种人的特点是才华横溢，风流倜傥，善于看形势，识风向。思维特别敏捷，点子很多。做事不费力，费力不做事，四两拨千斤，借力打力是他们的拿手好戏。做人做事灵活机动，不拘一格。这类人的优点是擅长谋略，机智多变。缺点是心肠软，原则性差，容易被利益所左右，做事不彻底。这类人由于他们有了先天的智力优势，很容易使他们出类拔萃，成为少年得志的典型，但是由于缺乏韧劲，又有急于求成的倾向，这类人往往成名很早，而晚景凄凉，最后成为一个爱发牢骚的人。

第三类人是不霸蛮又不灵泛，湖南人把这类人认为是最没有出息的人，这类人没有个性，要么成为不折不扣的小人，要么成为百无一用的糊涂虫。这种人做事的特点是拈轻怕重，有利就图，但是又容易见利忘义，他们崇尚过一天算一天的犬儒哲学。如果委以重任，十有八九要坏你的事，是湖南人中的劣质品。与别的地方的庸才相比，湖南人中的小人更加阴狠毒辣，他们胆子不小，而且做事不顾后果，崇尚暴力，往往成为黑社会里的骨干，对社会有相当的危险性。对待他们，需要硬碰硬，而不能学东郭先生。

第四类人，又霸蛮又灵泛。湖南人把这类人称为能人或者里手。这类人的代表当然非曾国藩先生莫属。这种人将原则性和灵活性有机地结合在一起。他们通常有远大的抱负和志向，又有非常清晰的做事套路。他们心胸宽大，用贤任能，又虚怀若谷，自尊又自律，既可以做合格的下级，又可以担当统揽全局的将才，是湖南人中的上品。这种人的缺点是一旦遇人不淑，或者时机不对，他们崇高的责任感使他们不愿意放弃自己的追求，往往会变成志大才疏的悲剧人物。“时来天地俱同力，运去英雄不自由。”是对这类人命运的最好概括。一旦时运相济，这类人非常容易脱颖而出，成为领军人物，必然能不同凡响。一旦时运不济，他们就很容易被时代湮没。这也是湖南人为什么在乱世中人才辈出，而在和平年代则相对平淡的主要原因。对于这类人，最好的方法是鼓励他兴趣转型，一个善于谋略的将军变成企业家是比较容易的，同样，一个政治领袖也可以成就为诗人，这也是湖南伟人为什么都是多面手的原因。一旦转型成功，这类人照样可以建功立业，成为难得的创业人才。

二、如何使用湖南人？

湖南人普遍有个性，属于不太好控制的类型，他们峥嵘的头角容易使他们崭露头角，但是他们强硬的个性又使他们成为出头鸟，往往是上级修理的首要目标。

但湖南人的确能干，他们服从真理，不服从权威，正是领导难得的诤友和搭档，他们敏锐的判断力，使他们见微知著，富有远见，非常适合成为企业里的智囊人物。如果一个企业里能够有几位聪明的湖南青年，那么这家企业的老总显然是值得祝贺，因为你用人的雅量足可以使你成就大业。

湖南人普遍被看成刺头，其实是一种误解。湖南人普遍正义感很强，他们有全局观念，只要领导是对的，他会毫不犹豫地站在你一边，成为你的患难知己。如果你的单位里大多数湖南人都反对你，那么，你可能已经偏离了正确的方向，必须引起注意。因为湖南人虽然很蛮，却很少缺乏理智。

在了解了湖南人的一些特点以后，使用湖南人才会得心应手。一般来说，使用湖南人要掌握三条原则：

一、疑人不用，用人不疑。湖南人大多数聪明能干，他有能力完成上级交给的任务，但是湖南人自尊心又特别强，最怕别人瞧不起，他们普遍有一种追求卓越，敢为人先的精神，所以，对湖南人的使用，第一条就是要激励他，鼓励他。那种打压和批评的做法最容易挫伤湖南人的积极性，湖南人有句话，宁当看门狗，不当笼中狮。相信湖南人，委托他们去做一些有挑战性的工作是对湖南人最好的激励。

二、讲清任务，简明扼要。湖南人大多有一种喜欢干脆利落办事的习惯，最讨厌婆婆妈妈，腻腻歪歪，委托湖南人办事，最好把丑话说在前面，不要遮遮掩掩，更不必文过饰非，掩耳盗铃。只要把形势和任务说清楚，湖南人一般就会铆足了劲去完成，而不必给湖南人设置过多的关关卡卡。

三、以诚待人，仁义为先。湖南人貌似横蛮，其实最重感情，湖南人有句话：只要感情到了，砍下脑壳给你当凳子坐。意思就是说，只要湖南人认为这个事值得付出，哪怕赴汤蹈火也在所不惜，所以委托湖南人办事，最好从道义入手，从感情上磁化他。思想政治工作要先行，但切记不能虚情假意，因为湖南人最讨厌的就是虚伪。在湖南人看来，被欺骗的感觉比死还难受。

三、如何管理湖南人？

湖南人比较擅长的是开拓性的事业，喜欢求新求变，比较适合从事挑战性强的工作，但是湖南人有非常务实的一面，他们功利性很强，对名利很看重，只是相对于利来说，名的吸引力更大一些。所以，湖南人从事政治、文化、军事、理论的人才最多。而从事科技、工程、艺术和社会性的职业比较少，管理湖南人最好把名利结合在一起，有名有利的事他们最喜欢干。

相对于理论水平来说，湖南人的操作水平要差一些，这也是他们在实业界不大能吃得开的一个重要原因。这类湖南人说话慷慨激昂，常常气壮山河，但是常常名不副实，所以，对于他们的高谈阔论，最好打三份折扣。对待他们，最好的方法是提醒他：先干出几件事情来再说。

湖南人普遍有一定的使命感和责任感，但是他们趋利的动机也很强，不见兔子不撒鹰，成为他们的办事原则，这类人常常口舌如簧，其实心里也在打着自己的小算盘。对于这号人，不要看他怎么说，一定要看他怎么做。对于名利性强的湖南人，不应该看成是坏事，而是事业的福音。因为不想当元帅的士兵都不是好士兵，企业员工有远大的追求，这不是可喜可贺吗？

相对于中国的北方人来说，湖南人的豪爽、直率、憨直、朴实，与北方人最接近，在南方人中堪称另类，但是千万不要忘记的是湖南人普遍精于运筹，他们敏捷如鹰隼，机敏如狐狸，在政坛上和生意场上，经常翻云覆雨，所以，这类湖南人今天是这个阵营的头目，明天有可能成为对立阵营的幕宾，利益原则成为主宰他们的惟一法则，这也是湖南人信用度不算很高的一个核心原因。总之，与北方人相比，湖南人的脑子里多了几个心眼。与南方人相比，湖南人又多了几分率直。他们可以说是中国最难对付的人群之一。

记住，对湖南人要团结，表扬，团结。

四、如何和湖南人谈恋爱？

“惟楚有材，湘女多情。”是对湖南人的赞扬，也是贴合本质的评价。

湖南男人普遍短小精悍，湖南不是出奶油小生的地方，也不是彪形大汉的诞生地。湖南男人虽然个子不算伟岸，却是全国出了名的脾气大（但是心肠普遍好，而且气容易消），他们与四川男人比较接近，是典型的脾气不好、心肠特好的类型。

与湖南男人谈恋爱，要做好吃苦的准备，因为他们大多是粗心肠，对女孩子知寒知暖的不多，写情书、送鲜花、请女孩子吃西餐的也有，但这种表演不会很多。如果刻意追求花前月下、缠绵悱恻的爱情，湖南男人不很理想。但是，如果追求轰轰烈烈的感情、追求情天恨海的感情阅历，恭喜你，湖南男人是你理想的搭档。他们冷峻的表情、率直的性格、幽默又带点滑稽的话语，还有对女人的刻意纵容，很容易满足你的需求，如果你追求有点挑战性的爱情的话。所以，湖南男人很容易成为言情小说中的男主角，据说湘籍作家琼瑶创作的言情文学中的若干男主角，就是以湖南男人为原型的。

作为这个时代的男性情人，湖南男人是值得推荐的。作为新好男人式的老公，湖南男人则不敢恭维，因为在厨房里和洗衣房里能够驾轻就熟的湖南男人实在太少了，会讲甜言蜜语的就更少了。

此外，需要提醒的一点是，湖南男人大多有点大男子主义，如果你爱上了他，就请多担待一点。

湖南女人是中国女人中的上品，这是毋庸置疑的，也是举世公认的。湖南女人有两大优势：长得漂亮，性格泼辣。

湖南的水土的确适合养美女，自古有深山出美女的说法，湖南多山的地形使它成为一个美女的批发地。美女多在水边长大。湖南江河纵横的地形使得湖南处处有水，奇山秀水共同造就了湘籍美女群落。湖南美女的美貌有两条最值得称道：一是皮肤好。在湖南，女孩子的美貌的首要条件就是肤色好，不但要白嫩，而且要白里透红，晶莹剔透，犹如新月出谷，又好比乳莺试啼，让人看着不觉神往飘飘，心醉神迷。

二是身材特棒。在胖人逐渐占据主流的社会里，湖南女性仍然保持着娇小瘦削的身材，这难道不是上天得天独厚的赏赐？湖南人特殊的饮食习惯使得湖南人新陈代谢很快，这是湖南女孩贪吃而不胖的秘密哦。

湖南女人的性格鲜明是全国出了名的，这种性格的特点用一个字概括，就是:“辣”！这种辣是清辣，是火辣辣，是不留余地彻头彻尾的辣，究竟饮食习惯对人的性格有多大影响，这还不好说，但是，如果称湖南女人为“辣妹子”，那大概是不会错的。

这种“辣妹子”的第一特征就是泼辣麻利、敢爱敢恨，爱就爱他个天昏地暗，爱就爱他个死去活来。湖南女人的这种彻底的辣性，使她们成为一种极端矛盾的结合体，即要么是“刀子嘴，豆腐心”，要么是“豆腐嘴，刀子心”。在自己崇拜的男人面前，湖南女孩表现的是前者，在湖南女孩不太能看上的男人面前，基本上是后者。

所以，鉴别湖南女孩对你的感情，可以多注意她那张嘴，如果她三天两头无缘无故地骂你一顿，或者动不动在你面前发性子，那么，祝贺你，这个女孩对你已经很有意思了。相反，如果在你面前净说好听的，看起来温柔可人，那么，请你保持一点警惕，最好别飘飘然。

美貌再加上鲜明的性格，叠加在湖南女孩身上，使得湖南女孩偏离了中国传统女人的贤妻良母、低眉顺眼、温柔敦厚的轨道，而多了几分野性，湖南女孩可能是中国最像外国女孩的种群。

架不住湖南女孩魅力的男士首先要过好第一关——挨骂关。很少有湘妹子不会骂人的，她们的伶牙俐齿不是男人可以招架的，所以，湘妹子骂你的时候，最佳的策略是沉默是金，你只要相信苏格拉底的格言就是了：暴风雨过后，必然风和日丽。

湖南女孩是感性和理性的矛盾结合体。她们的非理性使她们显得泼辣蛮横，不讲道理，而且不怕闹它个天翻地覆。她们惊人的冷静又使得她们能干敢干，通情达理，识大体、顾大局，而且可以独撑危局，是颇有大将风度的女中豪杰，这也是这些年来，湘妹子在职业场上比湖南男人更加能呼风唤雨的原因。

所以，找一个湖南妹子当妻子，那么，你等于找到了优秀的合伙人，一定使你的事业蒸蒸日上，前提是，你对她的脾气要忍着点。如果你喝不了她那壶辣椒水，那就省点劲吧。

如果你想找一个湖南女孩当情人，那么，你的决策是上上等的聪明，因为湖南女孩的野性和激情，完全可以让你领略到暴风骤雨式的爱情魔力，前提是，你要成为她的强者，最好有恺撒大帝式的激情，又有亚历山大式的伟岸。

五、如何与湖南人交友？

从全国范围来说，湖南人是很值得一交的。湖南人虽然炮筒子比较多，说话直，脾气有些火辣辣，但是跟湖南人交朋友，只要是能交上，就能让你体会到湖南人的那种重情义的特点，他们绝对不会在背后算计人，而且在朋友最需要帮助的时候总能热情地伸出一把手。而且，湖南人决不是看风向的朋友，朋友走顺风的时候，跟你好，朋友走逆风的时候，跟你更好。

湖南有句话：只要跟你好，把头砍下来给你当凳子坐。

跟湖南人交朋友，首要的条件是一定要诚心对人。湖南人最讨厌的是“真刀子假合适”，不仅反对那种功利性极强的交友方式，而且在交友的时候，一定要对人讲真心话，不但不能去算计朋友，还要把朋友真正当成知心人。湖南人说，有什么话，只要是朋友，就应该当面讲清楚，哪怕有什么误解，你对我发一通脾气都无所谓，最怕的就是那些阴狠阴狠的什么都不跟你说，把误会搞得越来越深的人。

跟湖南人交朋友，一定要投入感情。湖南人特别重视感情投资，湖南人只要跟人好，恨不得就跟人“只多一个脑袋”，把自己的钱财、东西给自己的朋友尽情享用，在朋友遇到困难的时候，恨不得自己去承担朋友的那份痛苦。有人说，跟湖南人交朋友，比谈一场轰轰烈烈的恋爱还要痛快。湖南人在自己最好的朋友面前真的比自己的兄弟还要上心，但是有一点，跟湖南人交朋友，切记要遵循“不干涉其内政”的原则，朋友家里的事情只可起积极作用，不能越俎代庖。

跟湖南人交友，一定要志趣投缘。湖南讲究缘分，他们说，朋友就要是缘分所至，不是外在的那些污七八糟的酒肉朋友，朋友之间要能够做点事情，要能够互相启发，互相提携。

跟湖南人交朋友，一定免不了要有点浪漫情调。湖南人是很讲究有滋有味的生活的人，初去长沙，你会发现长沙的街头有很多情调很浓的小茶座，这些茶座就是为朋友们聊天准备的。很温馨的灯光，泡上一壶湖南家乡茶，海阔天空一番是湖南人最喜欢的一项活动，是朋友间最最放松的时刻，友谊在时光的流逝中就渐渐加浓。

跟湖南人交朋友，记住跟朋友们在一起时一定要特别放松，特别无拘无束，礼数也不用太多，总之暴露自己本性，展露自己最质朴的那一面更能赢得人的好感。

六、如何和湖南人做生意?

湖南地处中国的中部，过去不属于沿海地区，现在又不是西部大开发的热点。所以湖南的商机不算特别多，如果不把湖南的农业当作支柱性商业对待的话，与湖南人做生意首选的应该是策划业,这里所谓的策划业,主要是指以组合资源为主的贸易流通、科技文化和信息产业。

跟湖南人做生意，首先是要显出自己的实力，否则湖南人一般不会“嚜起你”（方言：看中你）。湖南人最看不起的就是实力不强的人,只要你能迅速展示出你能为他所用的资源,就能马上加速和湖南人合作的进度。

湖南人做生意最选择合作伙伴，比较看中诚信度。湖南人特别清楚的一点是，湖南人不是很精于算计，而且他们也不喜欢操太多的心，只要把条条框框大致一定，就 OK 了。所以，他们看重合作人的诚实可靠，如果觉得对方不太符合他们的价值观，那交易就不容易搭成了。

湖南人做生意，是感情先行，湖南比较讲究一个感情投资，一定要把该找的人打点得满意了，把自己做生意的道路上的障碍摆平了，就一切都好办。

湖南人的法治意识不是很强，比较强调人情和人格的相容度。与湖南人做生意，人头很熟是最重要的，少跟陌生人打交道，可以说是到湖南投资的第一守则。与中国一般的关系网不同，湖南人的荣誉感很强，所以面子给足是至关重要的。另外，最好将关系户的同乡好友一块拿进来入伙，可以增加保险系数。

湖南人的团伙意识并不强，尽管湖南人在外面从政经商的也很多，但不太容易形成湖南帮，他们只服从权威和利益，不服从感情和私交。

做生意最佳搭档应该是湖南人跟上海人，因为他们的性格和办事方式的互补性最强。

所以，跟湖南人做生意不要对个人的感情抱太大的希望。

七、如何到湖南求学?

到湖南求学，这么说，是不是太抬举湖南的教育水平了。现在，都是说去中国的政治文化中心首都北京去求学，或者也得去经济发达的上海，最流行的说法是去国外求学。

但不管如何，湖南仍然是求学的好地方。

到湖南求学可分两种，一是上大学，二是游学。

前者值得推荐的当属湖南的4所著名大学在长沙，有“科大的帽子，湖大的牌子，工大的房子，师大的妹子”的谚语。这里就重点介绍这4所大学：国防科技大学，前身是哈尔滨军事工程学院，陈赓大将是首任院长，是中国尖端军事科技的摇篮，也是中国计算机技术的最高学府，以银河系列巨型计算机享誉世界,若有从军报国的壮志儿女,不去此地,岂不惜哉?

湖南大学，秉承岳麓书院千年学术渊源，前身是湖南高等学校，著名理论家李达担任过该校校长，原是一所文理工综合大学,后来院校调整变成以机械工程为主的工科大学,学府人文优势受到挫伤，现已经重新组建为综合性大学，在振兴湖南经济、壮大湖南声威方面，湖南大学责无旁贷，湖南大学北靠岳麓山，岳麓书院就在其中，自然风景和人文景观交相辉映，值得投考。

中南大学，由中南工业大学、湖南医科大学、长沙铁道学院等合并组建而成，规模庞大，门类齐全，尤其以理工、医科见长，湖南医科大学前身是湘雅医学院，乃是美国耶鲁大学在中国最早的援建医学院,享有“南湘雅，北协和”的声誉，有志于实业报国的学子，中南大学当属不错的选择。

湖南师范大学，湖南省最好的人文学府之一，也是中国最好的师范大学之一，该校学术传统绵长，尤其以文科驰名中南，是全国惟一的进入“211 工程”的省属师范大学，继承湖湘学术传统，湖南师范大学应该向以人文为主的综合性大学转型。值得一提的是,该校多湘籍靓女,暮春时节,江南草长,群莺乱飞，徜徉在湖南师大优美的校园里，但见美女如云、美不胜收，也是人生一大快事。

到湖南游学，也是别有兴味的。湖南自古就有“读万卷书、行万里路”的游学传统，青年毛泽东就曾经不带粮草，与同窗好友到湘北、湘西游学考察，对他写成《湖南农民运动考察报告》提供了重要素材。朱总理年轻时代，也曾经到湘西游学，那时候他家境贫寒，又逢乱世，游学途中，艰苦备尝，对造就朱总理坚毅清贫的性格起到了重要作用。

湖南游学的首选之地当然是岳麓书院，湖湘文化的积淀成果十分之七八集中于此，到岳麓书院游历学习，足可以激发思古之幽情，然后效法湖湘先贤，到岳麓山上凭吊黄兴、蔡锷、焦达峰等湖南名人的墓地，眺望橘子洲头之秀色，仰视湘江北去、百舸争流的盛景，足可以油然而生见贤思齐之雄心。只是今天的岳麓书院已非山长管理，不但不给游学学子管饭，而且还收门票，不知这种积弊，能否改善？

湖南双峰的曾国藩大院也是游学的佳处。曾家家学渊源丰厚，《曾国藩家书》是蒋介石一家的必读书，到曾家大院亲身感受神奇的曾氏家学，必能博采众长，感受到湖湘家学的真正韵味。

此外，湖南郴州的苏仙岭、湖南邵阳的松坡故居、湖南长沙县的板仓、安沙等地，均是四方学子难得的游学佳选。

八、如何到湖南旅游？

如何游览湖南的风景名胜，大致归类湖南有5个地方最值得你游览。

1. 位于湖南西北部的武陵山区，是国家重点风景名胜区，1992被世界教科文组织列为“世界自然遗产名录”。景区风光秀丽，“山奇、水秀、洞幽”，为奇特的石英砂岩峰林和岩溶景观，集野、奇、秀、幽、险、旷为一体，被誉为“中国山水画的原本”。武陵源又是一个绿色宝库，有成片的原始森林和原始次森林，奇花异草古木丛生，珍稀动植物种类繁多，堪称“大自然的迷宫”。同时，张家界是一个多民族聚居的地方，有土家族、苗族、白族等少数民族，孕育着浓厚的民族风情，1982年由国务院批准建立，为我国第一个国家森林公园，连同武陵源风景区被列入世界自然遗产名录。森林覆盖面积达97.7%，原始森林中丛生的稀有植物约占世界珍奇树种的50%，不愧为“绿色宝库”和“天然氧吧”。全境面积8110公顷。景区内峰林耸立，奇峰陡峭俊秀，谷中泉水潺潺，林间奇花异木丛生。峰奇、谷幽、石怪、水秀，浑然一体，构成了张家界奇幻美丽的自然风貌和神韵。“畅游山水间，人如画中游”。

2. 岳阳是一座有2500多年历史的古城，原称巴陵，为历史文化名城和国家重点风景名胜区。

“洞庭天下水，岳阳天下楼”。八百里洞庭浩瀚迂回，水天一色，气象万千，古时潇湘八景中的“渔村夕照”、“洞庭秋月”、“远浦归帆”都是洞庭湖的写照。江南三大名楼之一的岳阳楼为国家一级文物保护单位，范仲淹的《岳阳楼记》流传千古，其中“先天下之忧而忧，后天下之乐而乐”的佳句脍炙人口。唐代著名诗人李白、杜甫、白居易、孟浩然等都曾在此留下千古名篇。洞庭湖中充满神话的君山为国家重点风景名胜区，由72峰组成，峰峦竞秀，山上名胜古迹有二妃墓、柳毅井、龙涎井等。

汨罗为我国爱国诗人屈原投江之地，风景区还有屈子祠、赋骚台等古迹。

3. 长沙是湖南省的省会，自秦汉以来，就是郡、国、府治所在和全省政治、经济、文化的中枢。“长沙”之名始于西周，迄今已有3000多年历史，因此素有“楚汉名城”之称。1982年，国务院公布长沙为全国24个历史文化名城和第一批对外开放的旅游城市之一。

长沙历史悠久，人文荟萃，在旧城区有许多历史文化遗存。千年学府、全国四大书院之首的“岳麓书院”，为世界上最早采用导师制传道授业的高等学府，也是世界最古老的大学之一，著名理学家朱熹、张栻曾讲学于此，形成了“湖湘学派”，时称“惟楚有材，于斯为盛”。白沙井，距今有1000多年的历史，自古为“长沙第一泉”，与济南趵突泉、贵州漏趵泉、杭州虎跑泉并称为全国四大名泉。长沙发掘出土大量的历史文物，在中国考古界有重要的地位。马王堆汉墓出土的2000多年前的女尸，被誉为世界奇迹。而近年出土的三国孙吴纪年简牍，因其资料之多、内容之丰被专家称为研究我国古代史的第五大惊世发现。

4. 韶山距长沙104公里，四周群山环抱，气势磅礴，韶峰为南岳七十二峰之一。1893年12月26日，中国伟大领袖毛泽东同志诞生于这个美丽的小山村，并在这里度过了童年和少年时代。毛泽东故居为第一批国家重点文物保护单位。

长沙—韶山风景区还有刘少奇故居、岳麓山、橘子洲头、天心阁、灰汤温泉、开福寺等旅游景区。

5. 衡山是我国五岳之南岳，是国务院第一批公布的国家重点风景区。衡山绵延八百里，共有72峰，峰峦叠翠，主峰祝融峰海拔1290米。风景区总面积184平方公里，景区内有千年的银杏古松，四季飘香的奇花异草，飞泻直下的瀑布流泉，雕梁画栋的古刹亭台，大量的石刻碑记。相传从舜帝南巡起，便成为历代帝王巡狩和祭祀之处。这里遍布庙宇，是著名的佛教圣地：有规模宏大的宫殿式建筑群南岳大庙；有因明太祖所赐大藏经而得名、风景清雅的藏经阁；有日本佛教曹洞宗的祖庭南台寺；有“六朝古刹、七祖道场”的福严寺；有坐落在深山幽谷、月明风清的方广寺；有相传大禹所建的祝圣寺。这里也成了历代文人墨客吟诗作赋之地，写下不少诗文佳作。

主要景区为南岳古镇、水帘洞、忠烈祠、磨镜台、祝融峰、藏经殿、方广寺、龙凤潭、南岳林场、西岭。

湖南的夜生活以长沙为最有名，所以到湖南旅游，到长沙小住几晚，一定让你痛快逍遥。

很多长沙人晚上招待外地客人的方式都是去歌厅听歌，光“琴岛”一家一年就能挣上千万。也无非是时下流行的调调，名不见经传的歌手，加上本地笑星插科打诨，凭着主持人的煽风点火，却能把全场近千人的情绪调动得比吃摇头丸还 Hi。

湖南的本地娱乐文化极为发达，可与广州齐名。在一个个场子里，演员拉高音、满场走、甚至有歌手边喝酒边唱，Hi 到高处撕烂衣服、由头到脚浇酒，现场掌声雷动，很多中年人也浑然忘我地站起来边唱边舞。主持人的语言多是揉和了地方方言的普通话，说笑方式与周星驰的无厘头很有得一拼。主持人老挂在嘴边的一句话是：大家是来开心而不是开会的。湖南乡土演员的幽默水平完全可以与赵本山为代表的东北小品相提并论，只是湖南的经济不活跃，加上受当地方言的影响，难以铺开而已。但是，有朝一日等湖南经济雄起了，难保湖南小品也会让全国人民笑痛肚子。

不知道长沙人是对本土文化过于倚重还是长沙人的精神生活根本并不丰富。大部分长沙人晚上不是在歌厅就是在电视机前看几个本土频道的节目，整个湖南的电视观众早已是电视湘军最忠实的拥护者。

但长沙的传媒人士还是把长沙方言最终发展成一种娱乐并成为一门大生意——这就是歌厅，接着又变成了欢乐大本营。湘军精锐、湖南电视的一位台长曾道出，湖南电视传媒的发展其实受长沙歌厅文化启发不少。

当“欢乐大本营”红遍大江南北后，谁又能否认湖南人是天生的幽默家呢？所以，到长沙的娱乐圈领略一下，可以让人忘却人生的很多烦恼。但是，不可沉迷于其中哦。

九、如何品尝湖南美食？

湖南菜是中国的一大名菜系。近几年，在北京特别的火，只要说到湘菜，北京人都能说出几道正宗的湘菜。据说，湘菜在别的大城市也是畅销菜和常销菜的结合，连远隔我们万里的美国的一些重要城市的唐人街也是湘菜唱着主角。

湘菜的出名也许和毛主席他老人家有关系，北京的很多湘菜馆都把毛主席的照片或者他老人家的湖南故居的照片摆在店堂显眼的位置。即使不懂湖南文化的人，也知道，老人家最爱吃的是红烧肉、火焙鱼，还有剁辣椒。

毛泽东从 1954 年至 1974 年，有二十来次回到故乡湖南。身为一代伟人，毛泽东不吃人参燕窝，不吃生猛珍稀，却迷恋着当年家常饭菜。下面列出的是他 1966 年 6 月在韶山冲滴水洞居住时的一份食谱：

红烧鲫鱼、火焙鱼炒青椒、青椒马齿苋、苦瓜烧肉、雄鱼头打葱汤、干饭二两、烧玉米一只或稍加面制品。

这是极具代表性的食谱。据曾经多次接待过毛泽东的工作人员回忆，他的饮食嗜好是：蕨菜、蘑菇(如雁鹅菌)，此外还有白豆腐、臭豆腐。

荤食：红烧肉、火焙鱼、火焙虾、红曲鱼、雄鱼头、鲢鱼尾、泥鳅、黄鳝、腊鱼、腊肉。

主食：红糙米、红薯、玉米。

饮食文化，作为社会的风，民情的雨，滋润着一代人，塑造着一代人。你最初接受了哪种饮食文化，你就会永远属于哪种饮食文化。毛泽东青少年时代，被父亲强制实行形成的饮食习惯，却根深蒂固地留在了他的身上，以致几十年以后，成了党和人民的伟大领袖，依然不悔不改，一以贯之。

湖南人爱吃辣椒是有了名的，而湘菜主要以辣的为主。

有人从湖南回来，对湖南的总印象是：长沙菜辣，湘女漂亮。

没有尝试过辣椒滋味的人，初次吃湘菜肯定辣个涕泪交流，咋舌不已，连用两包餐巾纸。而对湖南人来说则不动声色，而且直到辣出汗来才觉着舒服，才觉得很“韵味”。但是外省人要真正吃上两次湘菜后，就对湘菜有些挪不动步子了，有一个内蒙的朋友说，每次在北京吃湘菜，虽然辣得受不了，就是收不了筷子，下次还得吃。那股子辣劲就别提有多香了。

湖南人常见的以辣椒为主料的菜式有油淋辣椒、剁椒鱼头、烧辣椒拌皮蛋、青辣椒炒肉、酱辣椒炒鸡杂、剁辣椒炒酸豆角、白辣椒鸡丁、豆豉辣椒蒸排骨、麻油剁辣椒等等。而辣椒飨菜，就样样菜都可以放了。不过，除了新鲜辣椒，什么剁辣椒、泡辣椒、白辣椒、辣椒油、辣椒酱、辣椒粉，都是飨菜的好作料。要是一餐没有辣椒，菜就没有一点味道。

人称湘菜为中国八大菜之一。湘菜在世界上也具有相当的知名度，是欧美传媒界所热衷推介的一种中国风味。“东安仔鸡”等湘菜在北美便颇受赏识，长沙火宫殿的臭豆腐也被美国前总统布什写入了他的笔记本。

湘菜的个性，通常被认为是辣，但并不全对。湖南人嗜辣，全国知名，甚至超过同样嗜辣的四川人。其实，只说辣并不完全，因为辣通行于中国西南地区。但他们的辣又不尽相同：四川是麻辣，贵州是香辣，云南是鲜辣，陕南是咸辣，湖南则是酸辣。这酸，主要是微微酸，不同于醋，酸而不酷，醇厚柔和，与辣组合，形成一种独特的风味。尤其是农村、山区的百姓家中的家常菜，简直是不可一日无酸辣的。

湖南菜除了有个辣的特点以外，湖南菜中还有一些土得特别有特点的菜，具有浓郁的山乡特点。湘西山区及聚居其间的苗族、瑶族、侗族、土家族等少数民族同胞，多用山野肴菜和腊制品，似粗拙而质朴，不假饰而纯真，是浓郁浑厚的山乡风味。比方，湖南的腊猪肉、腊鱼都是湖南人过年在餐桌上的美食。

水网密布，水乡泽国的洞庭湖区，渔农之家常用水产动植物原料，多用煮、烧、蒸法制作的菜肴，清鲜自然，不尚矫饰，特别是“渔家菜”和蒸钵炉子这类，充溢着乡土的田园风味。如，湖南最喜欢做的竹筒蒸鱼、蒸排骨，就是其中的一类。

以长沙、株洲、湘潭为中心的湘东地区，是湖南政治、经济、文化交汇之地，社会活动活跃频繁之所。这里的烹饪，继承历史之传统，荟萃全省之精华，广取海内外之信息，再经名师高手们的融汇之中提炼、融合、升华，创制出具有概括意义的湘菜、湘点，由酸辣寓百味，从酥软出鲜香，尽显刀工、火工之功力。

湖南烹饪以酸辣风味为主体，还是一种养生的优选，是一种饮食养生文化的体现。由于湖南的地貌，从山区到平原自古就被称为“卑湿之地”，生活在这里的人常受寒暑内蕴之侵而易致湿郁。发汗、祛湿、开郁的辛辣成了必然的选择，嗜辣之习，甚于巴蜀。另一方面，热辣寒酸，开放的辣与收敛的酸相互制约又相互协调，使三湘人民获得了养生保健的呵护。

在这里再介绍几个很有名的湖南地方名吃，如果是去长沙，一定不要忘了吃“黄春和的粉，斗雅亭的饺，火宫殿的臭豆腐香又辣;杨裕兴的面,徐长兴的鸭，柳德芳的汤圆”，邵阳的猪血丸子也是湖南的一道美食，尤其是在过年的时候，把用豆腐、猪血、肥肉揉制以后用木屑烧成的细烟熏制成的圆圆的黑黑的东西切成一小片一小片，搁灶上一蒸，即可食用，也可以在锅中和腊肉一烹，再放一点大蒜叶子、干辣椒，简直是一道无比的美味。

湖南人吃都是一阵风,前两年,特别流行吃啤酒鸭,家家户户的厨房里都飘来啤酒的清香,去年特别流行吃干锅,就是把那些肉类的荤菜搁在一个酒精炉上的锅子里慢慢和油发生一种吱吱的响声,就像吃火锅一样,边吃边做,现在听说湖南人又特别兴吃酱鸭子。总之,湖南人,在宴席上永远都有他们的流行色。

湖南菜的确以其色、香、味三方面都赢得了人们的喜爱，但是人们发现一个奇怪的现象，在北京的很多有名的湘菜经营者却不是湖南人，比如有名的“九头鸟”的老板是湖北的一家人,在北京开店的规模非常大,有好几家连锁店,生意相当火,即使不是周末，去吃饭稍微晚了一点，就已经没有停车位了。北京还有一个“湘鄂情”的餐馆，也是到处开分店，开一家火一家,把一个不是很有名的湖北菜经营得红红火火。

为什么这么有名的湘菜就不能做成一个红遍京城的品牌呢，是不是湖南人真的没有商业头脑?应该不至于吧?!

十、如何欣赏湖湘文化？

湖南省，简称湘，别称潇湘、三湘四水等。位于中国南部、长江中游，东以幕阜、武功诸山系与江西为界，西以云贵高原东级连贵州，西北以武陵山毗四川，南枕南岭与广东、广西为邻，北以滨湖平原与湖北接壤。省境大部分在洞庭湖以南，故称湖南。省内最大的河流湘江贯穿南北，故简称湘。东西宽 667 公里，南北长 774 公里。面积 21.18 万平方公里，占全国土地总面积的 2.2%，在全国各省区中居第 11 位。

湖南省人口 6000 多万，其中少数民族约 500 多万人。

湖南特有的地域文化，被称为湖南文化、湘文化，因为湖南有湖湘学派，海内外学人都喜欢称湖南文化为湖湘文化，所以，湖湘文化的说法最为流行。

湖湘文化是中华文化的多样性结构中的一个独具特色的组成部分。近百年来，随着湖湘人物在历史舞台上的出色表演，湖湘文化已受到世界的广泛瞩目与确认，并已成为中国近代史研究中的重要课题。毋庸讳言，这些研究虽然数量繁多，名目各异，但要近距离整体把握和感受湖湘文化，仍然需要有心人细心揣摩。整体把握的关键是找到一个足以总揽全局窗口，那就是着重关注那对于文化整体最具有统帅意义的东西——它的灵魂。这一“灵魂”不是什么别的东西，而是深蕴于整体中的内核，那种具有“牵一发而动全身”的总枢纽——它的基本的文化精神。

湖湘文化的基本精神是什么？湖湘学派的学者概括为以下

四个方面:“淳朴重义”,“勇敢尚武”,“经世致用”,“自强不息”。

“淳朴”,即敦厚雄浑、未加修饰、不受拘束的生猛活脱之性。“重义”,即强烈的正义感和向群性。

“勇敢尚武”,即临难不惧、视死如归的血性精神。二者融贯,构成了湖湘文化独特的强力特色,具有鲜明的的英雄主义色彩。也就是钱基博先生所说的:“湖南人所以为湖南,而异军突起以适风土者,一言以蔽之曰强有力而已”。

“经世致用”,即重视实践的务实精神,是实践理性与“天下兴亡,匹夫有责”的参与意识的集中体现,这一普遍性范畴一旦与英雄主义相结合,就成为一种“当今天下,舍我其谁”的“敢为天下先”的豪迈气概,给了湖湘文化独特的哲学依据。正是由于这点,湖湘文化具有了“独立不羁,遁世不闷”的特殊品格。

“淳朴重义,勇敢尚武”的文化性格是湖南人性格的基石,构成了湖南人性格“T”型结构的一横,而“经世致用”、“自强不息”就构成了湖南人性格的动力模式和发展方向,构成了湖南人性格“T”型结构的一竖。

事物最基本的形态是空间与时间,空间与时间是事物运动最基本的外部环境,在很大程度上影响着事物的性质。就空间而言,湖南三面环山,一面临水,是一块马蹄形的地域。后有重山,前有大泽,在古代相对于中原地区来说是信息比较闭塞的地方,但另一方面又是“艰难困苦,玉汝于成”的地方。环境的艰苦锻炼了人的坚强勇毅的性格。环境的闭塞,培育了人的独立思考,不随人俯仰的精神。古人所谓“深山大泽,实产龙蛇”,即此之谓也。从时间来看,楚人含有古蛮族的血统,后与炎黄文化融合,成为中华文化的重要组成部分,既接受了中原文化的影响，又保有蛮族文化生猛雄健的遗风。而地域的封闭性，更使这种独特的基因得以绵延不绝。文化的核心是人，人是环境的产物，于是湖湘文化和具有此文化性格的湖南人就在这一特殊的土壤中应运而生。

时间与空间毕竟是事物发展的外部条件,众所周知,外因总是通过内因而起作用的。那么湖湘文化形成的内因究竟是什么?湖湘学者普遍认为,这一系统运动的合力来自两个方面:一是土著文化,即群苗文化,也就是以屈原为代表的南楚文化。一是中原文化，即以孔子为代表的儒家文化。湖南文化就是二者冲突与融合的结果。中原文化的“文雅”与群苗文化的“蛮野”这两大基因的结合，就构成了湖湘化独特的“倔强”、“刚坚”、“峻激”的风格。所谓“人杰地灵,大儒迭起,前不见古人,后不见来者,罔不有独立自由之思想,有坚强不磨之志节”即此之谓也。这就是湖湘文化“深湛古学,而能自辟蹊径,不为古学所囿”,然后“风气自创,能别于中原人物以自立”的重要原因。

湖湘文化与生俱来的二元结构，使湖南人的性格非常类似于一个“人”字型结构,使得湖南人成为火与冰结合、激越与低沉并存、行动和默思合一的神奇结合体，这样的二元平衡很容易打破(因为人字型不像三角形的超稳定结构)，就形成了湖南人要么激进要么保守、要么出人头地要么自甘落后、要么成功要么成仁的精神气质，所以，任何一个出名的湖南人身上都集中了那么多的悖论和争议，在同样一个社会形态中，湖南人会自觉分离成两个截然不同的阵营，在一个湖南人一生中，可以突然来个 180 度的大转弯,形成前半生和后半生的鲜明对比。

湖南人的这种文化性格极其顽固。普通人可以说容易受文化环境左右,所谓“小人之德草”嘛,而湖南的君子呢?也同样在这种文化的惯性下“在劫难逃”。湖南的大儒王先谦早期极力反对维新，是个死硬的保守派，到晚年却醉心于实业改革和教育革新，是个勇敢的改革派。最典型的反差莫过于大逻辑学家金岳霖先生，这位年纪轻轻就出国留学并获得博士学位并且终身好吃西餐的严谨又刻板的逻辑大师，按理说，受湖湘文化熏陶的时间并不长，要不连湘菜都不爱吃呢?就是这么一个逻辑学家，到了晚年却旗帜鲜明地自愿否定了自己前半生的逻辑学研究成果。金岳霖先生的这种令国内外学者非夷所思的举动，用湖湘文化的理论来解释，却觉得很正常。因为，性格即命运，文化性格就是他的性格核心，正是湖湘文化特有的二元结构使得金先生要么赞成彼岸，要么肯定此岸，而无法和稀泥、装糊涂，当庸俗的和事佬。

刚劲果敢，宁折不弯，务实求实，淳朴重义，构成了湖南人的血性和刚毅，形成特有的直性子、急脾气。

这也许是湖南人可爱又可信的地方。

但是湖南人不会妥协、不善协调、不会拐弯抹角、不会趋利避害、一条路走到黑的特点又使他们认死理，不折中，这样的牛脾气和辣性格也让他们吃够了苦头。

这也许是许多杰出的湖南人悲剧命运的根源。

在一个崇尚实用、崇拜金钱、追求物欲的社会形态中，湖南人是孤独的失意的,容易被人漠视也容易被人践踏。

然而，湖南人的脾性又很难让他们改变禀性，即使是成为少数、即使是成为异端、即使是成为被侮辱者和被损害者，他们也很难改变自己。

湖南人喜欢发牢骚，也容易消沉，但湖南人不容易背叛自己,曲学阿世、委曲求全、见利忘义、见风使舵，是他们天生的弱项。典型的湖南人，天生精瘦，骨骼粗糙，头角峥嵘，行动灵活，他们还保留着先民们“筚路蓝缕，开启山林”时的南蛮子的影子，他们的血管里洋溢着辣椒水的味道。

世界上除了犹太人，很难再找到像湖南人这样频经大悲大喜、历经血与火的洗礼、在历史的长河中颠沛流离而依然不肯改变其原始本色的人群。所以，湖南人可以在历史的紧要关头担负着关键性的角色。

湖南，自古以来就是知识分子寄托梦想的地方，屈原，到这里来寻找他的“香草美人”,贾谊，不远万里到这里寻找振翅九重的大鹏鸟，陶渊明，把心中的美好天国安排在了湖南的武陵源，范仲淹，把家国情怀和国家大计寄予了洞庭湖畔的岳阳楼,毛泽东,则把心中的美景和喷薄而出的激情赋予给了这秋风万里的芙蓉国。

“目极千里兮，心伤悲。

魂兮归来，哀江南。”（屈原《招魂》）

湖南人，有一种悲壮的情怀。而湖湘文化，则有一种悲剧的梦幻之美。

欣赏湖湘文化，需要有相当的心理承受力。可以说，不喜欢悲剧的人，就无法领会湖南人精神中深沉的悲剧精神和忧患意识。不喜欢喜剧的人，又无法理解湖南人的乐观豁达和热烈奔放，因为湖南人习惯了把悲剧当喜剧演，而且做起事情来，也崇尚举重若轻、“谈笑间，樯橹灰飞烟灭”式的潇洒。

梦想与激情，瑰丽与神奇，悲怆与沉郁，电光雷火，云兴雷奋,就这样地成批次高密度地集中于湖南人的心中。

到湖南来吧，这里是你寻梦的地方，也是你的人生升华的地方。